Ostpreußische Sagen

Ostpreußische Sagen

Herausgegeben von Christa Hinze
und Ulf Diederichs

Bechtermünz Verlag

Mit 85 Abbildungen
Für die Genehmigung zum Abdruck von 11 Sagentexten danken wir dem
Zentralarchiv der deutschen Volkserzählung in Marburg/Lahn.

Genehmigte Lizenzausgabe für
Weltbild Verlag GmbH, Augsburg 1998
© by Eugen Diederichs Verlag, München
Einbandgestaltung: Zembsch' Werkstatt, München
Gesamtherstellung: Wiener Verlag, Himberg bei Wien
Printed in Austria
ISBN 3-86047-199-6

Inhalt

Einleitung

Die frühen preußischen Chronisten sind in nicht geringem Maße auch Sagensammler gewesen, und die Volkskundler des 19. Jahrhunderts ziehen sie, sofern sie sich nicht auf mündliche Überlieferung stützen, mit Fleiß heran: die Peter von Dusburg (frühe Deutschordenszeit), Simon Grunau (Übergangszeit zu weltlicher Herrschaft), Caspar Hennenberger (16. Jahrhundert) und Christoph Hartknoch (17. Jahrhundert). Sie alle lebten vor der Inthronisierung des ersten »Königs in Preußen« im Schloß von Königsberg, anno 1701.

Gerade durch Hennenberger und Hartknoch haben wir für dieses Ostpreußenbuch viele Anregungen bekommen, sowohl was die Echtheit altüberlieferter Texte angeht als auch das methodische Vorgehen. »Erclerung der Preussischen grössern Landtaffel oder Mappen . . . sampt vielen schönen auch Wunderbarlichen Historien, guten und bösen, löblichen und schentlichen Wercken und Thaten« betitelt Hennenberger sein 1595 in Königsberg gedrucktes Hauptwerk. In alle Gegenden des Landes unternimmt dieser Pfarrherr Reisen, er spricht mit den Leuten, beschreibt Städte, Schlösser, Kirchdörfer, Ströme, Seen und Wälder »nebst vermeldung allerley denckwürdiger Geschichten, Wunderzeichen und anderer Mirackeln«.

Die pädagogischen Absichten dieser anschaulichen Landesgeschichte – »allen zum Exempel und Warnung, das Böse zu meiden und dem Guten zu folgen« – teilen wir nicht unbedingt, wohl aber seine unersättliche Neugier, noch in den entlegensten Regionen allerhand Merkwürdiges aufzuspüren.

Der Schritt von Hennenberger zu Hartknoch ist der von der barockhaftandächtigen zu einer mehr nüchtern prüfenden Behandlung des Wunderbaren. In »Alt- und Neues Preussen« (1684) gliedert Hartknoch den immensen Stoff in zwei Teile: dem, was vor dem Deutschen Orden war, und dem von dessen Anfängen bis zur Blütezeit.

Als Geschichtsschreiber unterscheidet er drei Epochen, die schriftlose Vorzeit (tempus obscurum), die mythische oder fabulöse Zeit und schließlich die historisch verbürgte. Hartknoch stellt nicht in Abrede, daß auch in seinem Buch, was die graue Vorzeit betrifft, viele erdichtete Sachen vorkommen – »Aber es ist doch über das viel wahrhafftiges vorhanden. Ja auch unter diesen Fabeln selbst stecket viel Wahres verborgen,

7

welches man, wiewohl nicht ohne große Mühe, unterscheiden und ans Licht bringen kann«.

In dieser Vorrede, vor genau dreihundert Jahren, ist bereits dargelegt, daß in den Volkssagen auch Landesgeschichte sich spiegelt: nicht als authentische Wiedergabe einer »Chronik der laufenden Ereignisse«, sondern wie sie im Verständnis der Leute aufgenommen und, verknüpft mit allerlei lokalen Begebenheiten, umerzählt wird. Welche Prachtentfaltung des Deutschritterordens zeigt die Sage »Fest auf der Memel« und wie prägnant wird sein Niedergang deutlich im »Amt gibt Kappen«! Aber auch der altpreußische Götterglaube, von den immer aufgeklärteren Editoren des 19. Jahrhunderts als »abergläubische Meinung« abgetan, verdient neue Beachtung. Greifen wir weit in die Zeit vor Erfindung des Buchdrucks: 1326 bereits vermerkt das »Chronicon terre Prussiae«, daß die Prußen (oder Pruzzen, wie die heidnischen Preußen auch genannt werden) die gesamte Natur vergöttlichen. Sie verehren nicht nur die Göttertrias Perkunos, Potrimpos und Pikollos, sondern auch den Baumgott Puschkaytos, dem der Holunder heilig ist; Pergubrios, der Laub und Gras wächsen läßt, und das »kleine Volk« der Barstucken und Merkopete. Diese altpreußische Mythologie erschien uns gerade heute, im Zeichen eines unaufhaltsamen Absterbens unserer Wälder und Forsten, als so bedeutsam und dabei so wenig bekannt, daß wir unserer Quellensammlung ein kleines mythologisches Wörterbuch angefügt haben.

Diese mythische Dimension verbindet sich durchaus mit den »Volkssagen Ostpreußens, Litthauens und Westpreußens«, die Tettau / Temme im Gefolge der Brüder Grimm herausgegeben haben. In ihrer Einleitung der Neuausgabe 1865 machen sie eine interessante Beobachtung: »Einen geistlichen Kriegerstaat der Art finden wir sonst nirgends . . . meistens beziehen sich diese Sagen auf die Einführung des Christentums und den Kampf bei der Eroberung des Landes durch den deutschen Orden; die Ortssagen knüpfen sich großenteils an Naturereignisse und Naturspiele; Geschlechtersagen sind fast gar nicht vorhanden«.

Ebensowenig wie »der Tettau/Temme« sind Erich Pohls »Die Volkssagen Ostpreußens« (Königsberg 1943) nach den einzelnen Landschaften bzw. den altpreußischen Stammesgebieten angelegt. Dies wiederum erschien uns als besonders reizvoll, erlaubt doch die regionale Gliederung, landschaftliche Charakteristika herauszustellen, Themen und Motive abwechslungsreich zu gestalten und gerade die Städte und Landstriche, die heute nur schwer zugänglich sind, in *ihren* Volkserzählungen darzustellen. Ostpreußen wird hier in den Grenzen von 1938 gezeigt, also noch vor

Eingliederung des Memellandes (1939). Seine Vor- und Frühgeschichte ließen es freilich sinnvoll erscheinen, die selbstgezogenen Grenzen einige Male zu überschreiten: so in der Zeit der »Ureinwohner«, die das ganze Land zwischen Weichsel und Memel bevölkerten; auch in der Zeit der Landnahme deutscher Siedler (13. Jahrhundert). Dazu wurde die Stadt Memel, aufgrund ihrer früher weitgehend deutschen Bevölkerung, voll berücksichtigt.

Landschaft und Geschichte, Kirchenglaube und Volksglaube gehen in den ostpreußischen Sagen eine einzigartige Verbindung ein. Und wie stark erlebt man die vier Jahreszeiten darin: auf einen langen, unerbittlich kalten Winter folgt ein blühender kräftiger Frühling, darauf ein strahlender, glühender Sommer und ein in Goldtönen schwelgender Herbst. Im Norden die Dünenlandschaft mit den charakteristischen Wanderdünen zwischen Ostsee und Kurischem Haff, im Süden die riesigen Wälder, die Wiesen und kristallklaren Seen, überwölbt von einem grandiosen Himmel – Naturgeschichte spielt mit.

Kein Wunder, daß sich an der Bernsteinküste, im Samland, in dem auch der Mythenberg Galtgarben liegt, der Glaube an die Naturgötter besonders lange gehalten hat. Von heidnischen Opferzeremonien berichtet noch 1520, zur Zeit des letzten Hochmeisters, die Sage von Valtin Supplit. Das Heiligtum des Ligo, des Frühlingsgottes, soll auf dem Galtgarben gestanden haben – aber auch die Burg Samos, des Herrn über Samland. In dieser Küstenregion gibt es Poltergeister, Erdmännchen, Ostseejungfern zuhauf. Vielen Riesensagen begegnen wir auf den beiden Nehrungen, auch am Frischen Haff und am Kurischen Haff, und finden das gleiche Motiv in Tilsit und Ragnit, wo der alte Fürst von Ragaine mit seinen Riesensöhnen haust.

So naturgebunden die Sagen von der Moorhexe und dem Moorprinzen im unwirtlicheren Nordosten, so geschichtlich bestimmt die Sagen aus Königsberg. Siege und Niederlagen des Ritterordens lassen sich hier verfolgen, Schicksale von Hochmeistern und Bürgern, die Entwicklung von Gilden und Zünften, das Sagenrankenwerk um Schloß und Dom. Es spiegeln sich Landespolitik wie auch der Alltag in einer Residenzstadt. Geschichtlich intendiert sind auch die Sagen von der Marienburg, 150 Jahre lang Sitz des Hochmeisters. Eindrucksvoll, wie Andreas von Sangerwitz dem Hochmeister Ulrich von Jungingen dringend abrät, einen Krieg mit Polen zu beginnen – vergeblich, denn es kommt zur Schlacht von Tannenberg 1410 und später zum Niedergang des Deutschen Ordens im ganzen Land.

Mit die schönste, üppigste Sagenlandschaft erscheint uns Masuren. Dort gibt es den Kolbuk, der sich verwandeln kann, das kleine Volk der Krazno Lutki, die als rote Würmer Menschen plagen; die Kornmutter Babainsa und seltsame Mahre, welche Menschen, Vieh und Holz bedrücken. Unheimlich auch der Topich, der Wassergeist der masurischen Seen: er ist ein kleines Männchen in rotem Anzug und mit triefendem Haar, der unerbittlich auf seine Opfer lauert.

Masuren hat ein doppeltes Gesicht: »Überall volle Kirchen und eine Inbrunst, eine Empfänglichkeit für das Wort, wie sie in deutschen Gemeinden sonst nicht gefunden wird«, notiert M. Toeppen 1867. »Wir Masuren sind eine Mischung aus pruzzischen Elementen und polnischen, aus brandenburgischen, salzburgischen und russischen«, so erklärt es Siegfried Lenz neunzig Jahre später, und er spricht von einer »unterschwelligen Intelligenz« dieses Menschenschlags, die Außenstehenden rätselhaft erscheine, auf eine erhabene Weise unbegreiflich sei. – Auch solche Geheimnisse und scheinbare Widersprüche bewahren die Sagen auf. Es lohnt sich eigentlich, sie immer einmal wieder zu lesen.

Die Herausgeber

10

Von Land und Leuten, Göttern und ganz profanen Dingen

Die alten Preußen

In uralten Zeiten haben in dem Land zwischen Weichsel und Memel viele Völker gewohnt, die allerlei Namen hatten; sie hatten aber keine Städte, keine Dörfer, keine Häuser. Sie waren wild und barbarisch; sie brauchten nur Kleider, die sie aus Schilf machten; ihre Fürsten nannten sie Masos. Diesen gaben sie als Steuer ihre schönsten Kinder. Ihre Zeit brachten sie zu mit Schlafen. Mit den Weibern waren sie ganz ohne Scham, sie vertauschten sie wie es ihnen gefiel; sie hatten viele Weiber, aber sie zeugten wenige Kinder.

So lakonisch berichten es die Sagensammler Tettau und Temme 1865, die als Quelle Preußische Chroniken aus dem 16. Jahrhundert angaben. Zum Vergleich wird hier aus der alten Chronik von Lucas David der ausführlichere Text wiedergegeben:
Ulmiganer oder Ulmigerier sind sie genannt worden, von den Saalweiden, unter denen sie an den Flüssen gewohnt, dahin haben sie Hütten von Schilf, davon auch ihre Kleider gewesen, gebaut. In diese haben sie zur Winterszeit (die sie meist mit Schlafen zugebracht) Holz getragen, steckten das an und wärmten sich bei dem Feuer; und wenn Holz oder Strauch verbrannt waren, machten sie den Eingang der Hütte dicht so gut sie konnten, damit die Wärme desto länger währe. Sie bauten nicht Häuser, Dörfer noch Städte, hielten weder Acker noch Wiesen noch Gerste, denn sie säten und ernteten nichts, ernährten sich allein von den Fischen, die sie aus dem Wasser fingen und als Brot aßen. Daraus ist wohl zu entnehmen, daß um diese Zeit das Land nur Wald und Heide, einer Wüste gleich, gewesen ist.
Auch wird berichtet, daß diese Leute schlicht und einfältige Menschen gewesen sind, doch zu den Fremden freundlich und wohltätig. Mit Trinken und Essen waren sie sehr mäßig. Ihr Trank war lauteres Wasser, und sie waren doch schön und säuberlich von Gestalt, im Reden fast bescheiden. Auch wird mitgeteilt, daß im selben Land ein jeder Mann drei Weiber

habe, von denen eine nach der anderen umzech (abwechselnd) um den Mann sei; und der Mann habe sein Geschäft mit dem Weib, wann und wo er will, sie schonen niemandes Gegenwart, sondern sind in den Dingen ohne alle Scham und Scheu. Doch hält der Mann auch in diesem die Ordnung, daß er umzech ein jeder ihr Gebühr leiste. Und obwohl sie viel Weiber haben, so haben sie doch wenig Kinder. Sie beteten allein Sonne und Mond an, keinen anderen Abgott. (1)

Der Name Preußen

Man hat viele Sagen und Meinungen darüber, woher der Name Preußen entstanden sei. Eine davon ist folgende: Der Name stammt her von dem lateinischen Wort *Borussia*. Dieses Wort aber ist auf folgende Weise entstanden: Die Preußen wohnten unterhalb der Russen; unterhalb oder unten heißt im Polnischen pod und im Altpreußischen po, und daraus hat man nun gemacht Porussi oder Borussi, das heißt: die unterhalb den Russen Wohnenden. (2)

Wie die Scandianer ins Land kamen

Nachdem die Goten von Narses aus Italien verjagt waren, zogen sie zuerst nach Westfalen und wohnten in einem Ort, der noch jetzt von ihnen den Namen Göttingen führt; aber sie wurden auch von dort vertrieben und nach Cimbria oder Dänemark gewiesen. Es herrschte zu der Zeit in diesem Land ein Fürst Theudott genannt. Diesem grauete vor den Goten; und als sie zu ihm Botschaft geschickt hatten, ihn zu bitten um ein Stück Land, in welchem sie gegen Entrichung eines Tributes wohnen könnten, antwortete er ihnen: in seinem Reich wäre eine Insel, Klein-Cimbria genannt, welche ein aus Scandia verjagtes Volk inne hätte, das ihm zum Trotz darin säße und ihn nicht als Herrn anerkennen wolle; wenn die Goten ihm einen Tribut geben und die Scandianer vertreiben wollten, so mögen sie das Land einnehmen.
Die Scandianer aber hatten vorher in Albion gesessen und waren um ihrer

Die Alt-Preussische Land-Taffel. Holzstich von Caspar Hennenberger. Aus:
Preussische grössere Landtaffel oder Mappen, 1584

Untreue willen von dem König Drusius nach Norwegen in die Verban-
nung geschickt, das damals Scandia hieß und von dem sie den Namen erhielten. Von dort waren sie nach Cimbria gezogen und hatten zuletzt auf
der Insel Klein-Cimbria ihren Wohnsitz genommen.

Die Goten gingen auf den ihnen von Theudott gemachten Vorschlag ein,
und ihr Fürst Wißbo schickte zu den Scandianern nach Klein-Cimbrien
und ließ ihnen sagen, daß ihm Theudott das Land, darin sie wohnten, verliehen hätte, weil die Scandianer Theudott nicht als ihren Herrn erkennen
wollten, und die Goten es um einen Tribut angenommen; sie möchten sich
also entscheiden, ob sie das Land gutwillig räumen oder ob sie darin ferner
wohnen wollten und davon zinsen, oder endlich ob sie um das Land

13

kämpfen wollten. Das Volk in Klein-Cimbria hatte zwei Herren, die es für Könige hielt, genannt Bruteno und Waidewut; diese hielten mit ihren Edlen einen Rat, was zu tun. Sie, die geborne Herren wären, möchten sich nicht entschließen, untertan zu werden; auf einen Kampf könnten sie sich nicht einlassen, da es ihnen unmöglich war, den mächtigen Goten Widerstand zu leisten; so beschlossen sie, das Land zu räumen, und sie machten einen Vertrag darüber mit den Goten, welche beschworen, daß sie die Scandianer in den neuen Sitzen ungekränkt lassen würden. Die Insel Klein-Cimbria wurde danach von den Goten, die sie einnahmen, Gotland genannt; sie bauten dort ein Schloß, das sie nach ihrem Fürsten Wyesboa nannten, es heißt noch heutigentags Visby.

Bruteno aber und sein Bruder Waidewut mit den Ihren setzten sich auf Flöße und fuhren durch Crono (die Ostsee) und Halibo (das Frische Haff) und kamen in das Land Ulmigerien, wo sie ein ganz unerfahrenes Volk fanden. Hier schlugen sie ihre Zelte auf, bauten nach ihrer Weise Schlösser und Dörfer, und warfen sich teils mit Güte, teils mit Gewalt, teils mit Hinterlist zu Herren des Landes auf. Sie fanden hier Honig, von dem sie ein Getränk bereiteten, während sie anfangs Molke getrunken hatten. Die Ureinwohner von Ulmigerien wurden auch von den Scandianern zu ihrer Lebensweise geführt, so daß mit der Zeit beide Teile dem Trunk heftig ergeben waren und zugleich gewaltige Kriegsmänner wurden. (3)

Ulmigerien wird Königreich und erhält einen anderen Namen

Die Ulmigerier waren dem Fürsten von der Masau vor der Ankunft der Scandianer aus Klein-Cimbria tributpflichtig gewesen, letztere aber wollten nur einem selbstgewählten Herrn dienen. Und deshalb versammelten sich alle Kriegsmänner und beschlossen, einen König zu küren. Die Wahl fiel auf Bruteno. Dieser sagte jedoch, er könne sie nicht annehmen, da er sich zum Dienst der Götter verpflichtet habe, und er brachte seinen Bruder Waidewut in Vorschlag, der ein sehr beherzter Mann sei und das Volk brüderlich regieren werde. So wählten sie Waidewut und krönten ihn zum König. Waidewut aber mit allem Volk bekräftigten ihren Willen, Bruteno zum Oberherrn zu haben, und sie nannten ihn Kriwe Kriwaito, das ist: unser Herr nächst Gott, und versprachen, ohne seinen Willen nichts zu tun, sondern ihn zu hören wie Gott selbst; das Land aber nannten sie *Bru-*

tenia und beschlossen, niemandem zu dienen und zu opfern als ihren Göttern. Darauf baute Bruteno bei einer sechs Ellen dicken Eiche für die Götter Perkunos, Potrimpos und Pikollos, für den Kriwe Kriwaito und die Waidelotten (heidnische Priester) eine besondere Wohnung, die er Rikaito nannte. Waidewut aber baute zwischen Crono und Halibo ein Schloß und nannte es Noytto, später Neidenburg auf der Nehrung, von welchem aus er das Land regierte. (4)

Die siebzehn Gebote

Waidewut versuchte mit Hilfe seines Bruders, des Kriwen in Balga, einen Aufruhr zwischen den mit ihnen ins Land gekommenen Scandianern und den einheimischen Ulmigeriern zu verhindern. Um den Haufen in Einigkeit zu erhalten, verkündeten Waidewut und Bruteno dem auf Balga versammelten Volk siebzehn Gebote:

Zum ersten: Niemand soll ohne den Kriwen Kriwaito die Götter anbeten. Keiner soll aus fremden Ländern einen Gott ins Land bringen. Die obersten Götter sollen sein: Potrimpos, Perkunos und Pikollos. Denn die haben uns dies Land gegeben und werden uns mehr geben.

Zum anderen: Um ihretwillen sollen wir unsern Kriwen Kriwaito bekennen und für unsern obersten Herrn halten, auch seine Nachfolger, welche uns die gnädigsten Götter gönnen und die Waidelotten zu Rikaito erwählen werden.

Zum dritten: Wir sind unseren heiligen Göttern Furcht und Gehorsam schuldig. Denn nach diesem Leben werden sie uns geben schöne Weiber, viele Kinder, gute Speise, süße Getränke, im Sommer weiße Kleider, im Winter warme Röcke, und wir werden schlafen auf großen weichen Betten. Vor Gesundheit werden wir lachen und springen. Den Bösen aber, welche den Göttern nicht Ehre erweisen, denen werden sie nehmen, was sie haben, und sie schlagen, daß sie weinen, heulen und die Hände ringen müssen vor Weh und Angst.

Zum vierten: Es sollen alle Nachbarn, die unsere Götter ehren und ihnen opfern, von uns geliebt und in Ehren gefördert werden. Wer sie aber verschmäht, soll von uns mit Feuer oder Keulen getötet werden.

Zum fünften: Es mögen die Männer drei eheliche Weiber haben. Die erste und oberste soll aus derer Geschlecht sein, die mit uns ins Land kamen, die andern mögen von den Vorgefundenen sein.

Zum sechsten: Würde ein Mann beladen mit kranken Weibern, Kindern, Brüdern, Schwestern, Gesinde, oder daß er selbst siechen würde, dann soll es in seinem Gefallen stehen, ob er sich oder die sieche Person verbrennen will. Denn unserer Götter Diener sollen nicht stöhnen, sondern lachen.

Zum siebenten: Wenn jemand bei gesundem Leib und Verstand sich selber, sein Kind oder Gesinde den heiligen Göttern zu Ehren opfern will und lebendig verbrennen, das soll ihm erlaubt sein und in keiner Weise verwehret oder behindert werden. Denn wir sagen, daß diese durchs Feuer geheiligt und selig werden und würdig, mit den Göttern zu lachen und wohlzuleben.

Zum achten: Wo ein Mann oder Weib ihre Ehe brechen, da soll der des Ehebruchs Schuldige fern von den heiligsten Göttern verbrannt werden. Die Asche wird auf den gemeinen Weg gestreut und seine Kinder dürfen nicht Waidelotten werden.

Zum neunten: Würde ein Weib ihrem Ehemann ihren Leib zur ehelichen Pflicht versagen, so steht es in des Mannes Willkür, ob er sie verbrennen will. Ihre Schwestern sollen vernichtete Personen sein, denn sie haben sie nicht unterwiesen und gelehrt im Gehorsam gegen die Götter und ihren Mann, wie sich das gebührt.

Zum zehnten: Wenn ein Mann einer Jungfrau oder eines anderen Mannes ehelichem Weib auf die bloße Scham greifen würde, so steht es in des Beteiligten Wohlgefallen, ob er ihn verbrennen will, denn er hat am Höchsten eines andern gefrevelt.

Zum elften: Wer eine Jungfrau als erster freit, der soll sie zum Weibe haben und niemand anders.

Zum zwölften: Wer seiner gnädigsten Götter Diener tötet, über den sollen alle Freunde des Getöteten Macht und Gewalt haben, ob sie ihn wieder töten oder lebendig lassen.

Zum dreizehnten: Wenn einer stehlen würde, soll er beim ersten Mal mit Ruten gestrichen, beim zweiten Mal mit Knütteln geschlagen werden; so er es zum dritten Mal tut, soll man die Hunde ihn fressen lassen, fern von den Göttern.

Zum vierzehnten: Es sollte keiner den andern zur Arbeit zwingen. Kann er ihn mit Güte dazu bewegen, dann sollen sich beide einigen.

Zum fünfzehnten: Es sollte der als Edler gelten, der mit seinem Pferde schneller und hurtiger wäre und sich vor anderen in adligen Taten erwei-

Balga am Frischen Haff. Kupferstich aus Christoph Hartknoch, Alt- und Neues Preussen. Frankfurt/Leipzig 1684

sen würde. (Daraus folgte dann, daß die Ulmiganer sich auch gute Pferde besorgten und auf ihre Art fechten übten und diese einfältigen frommen Leute tückisch und verschlagen wurden.)

Zum sechzehnten: Wenn einem Mann sein Weib stürbe, sollte man ihm bald eine Junge freien, denn es ziemt sich nicht, daß er über Tag und Nacht trauert. Ehe die Junge ihm ganz zugeeignet würde, sollte er sich mit ihr versuchen. Kann er ihr das Magdtum nehmen, dann wird sie ihm ganz zugeeignet; und dann verbrennt man einen Hahn und eine Henne den Göttern zu Ehren.

Zum siebzehnten: Wenn ein Mann stirbt und ein junges Weib ohne Kind und auch unbesamt zurückließe, dann könnten sich alle ledigen Gesellen an ihr versuchen, bis sie ein Kind bekäme. Danach würde sie eine Waidelottin, müßte bei Verlust ihres Lebens keusch bleiben, denn sie würde dann von der Gemeinde versorgt. (5)

Hochzeitszeremonien bei den heidnischen Preußen. Holzschnitt aus Olaus Magnus, Historia de gentibus septentrionalibus. Venedig 1565

Der Streit um den Zins

Als die Scandianer sich Ulmigeriens bemächtigt hatten, beschlossen sie, dem Fürsten der Masau, Andislaus oder Anthonos genannt, den bisher mit den schönsten Kindern entrichteten Tribut nicht länger zu gewähren. Da nun dieser mehrmals vergeblich solchen in Güte forderte, ließ er ansagen, daß er selbst kommen werde, den Tribut zu holen.

Dies nahmen Bruteno und Waidewut an und erwarteten ihn an der Grenze. Anthonos war unerschrocken und erlangte mächtige Hilfe von Roxolanien, jetzt Rußland, mit welcher er die Brutener (Preußen) schlug und viele Jünglinge gefangen hinwegführte.

Nachdem diese bei ihm die Kriegskunst erlernt hatten, entflohen sie aber wieder in ihre Heimat und teilten das Erlernte ihren Brüdern mit. Da entbot Bruteno den ganzen Adel des Landes nach Rikaito. Als sie nun alle versammelt waren, kam ein mächtiges Gewitter mit Donner und Blitzen, daß sie meinten, Gott Perkunos steige vom Himmel nieder. Dies nahm sich Bruteno zum Zeichen und sagte: wie die Götter befohlen hätten, sollten sie alle gegen Anthonos und sein Volk ziehen; die Götter würden sie geleiten. Dann gab man allen, die versammelt waren, reichlich Met zu trinken. Darauf brachen sie in das Land des Feindes und erwürgten Anthonos samt Zweyboch, Fürst von Roxolanien, erschlugen viel Volk in der Masau und kehrten mit reicher Beute heim.

Des Anthonos Sohn, Czanwig, erkannte wohl, daß er den Brutenern im Streit nicht gewachsen sei, kam deshalb zu Bruteno und Waidewut, opferte ihren Göttern und schwor, daß er diese für seine gnädigsten Götter halten wolle. Er bat auch um Volk, daß er zur Bezeugung seiner Andacht den Göttern ein großes Opfer brächte. Als ihm dies vergönnt war, ließ er auf einem freien Feld ein weißes Pferd zu Tode rennen und danach verbrennen. Daher kam es, daß niemand im Land ein weißes Pferd reiten mochte, da man sie für die Götter halten mußte.

So wurde Friede zwischen dem Volk der Masowier und Brutener; jedoch ist eins dem anderen nicht gut bis auf diesen Tag. (6)

Wie Waidewut das Land unter seine Söhne teilte

Als Waidewut 116 und Bruteno 132 Jahre alt waren, da wollten sie die Ihren versorgen, damit jeder wohl wisse, was er erhalte und kein Hader über die Teilung entstehe. So versammelten sie alles Volk zu Rikaito und verkündeten, was geschehen solle.

Zum ersten nahm der Kriwe Kriwaito einen Bock und tötete ihn vor der heiligen Eiche um ihrer aller Sünde willen; das Fleisch brieten sie mit den Blättern der Eiche, verzehrten es und tranken dazu Met. Am andern Morgen früh setzten sich Waidewut und Bruteno vor der Eiche nieder und riefen zuerst Waidewuts ältesten Sohn herbei, welcher Litvo oder Lytpho hieß und sprachen zu ihm: »Gelobest du unsern gnädigen Göttern Andacht und ihrem Kriwaito Gehorsam und Leib und Gut daran zu setzen, so jemand sie verringern wollte in ihrer Ehre?« Worauf Litvo sprach: »Ich gelobe es bei der Strafe meines Gottes Perkunos, der mich töten soll durch sein Feuer, wenn ich meinen Eid nicht halte.« Da sprach Bruteno: »So lege deine Hand auf das Haupt deines Vaters und danach rühre die heilige Eiche an.« Und so tat er.

Danach sprach Waidewut: »Du sollst Herr sein im Lande von Boiko (Bug) und Njemen (Memel), den fließenden Wassern, bis an Thamsoan, den Wald.« Und er nahm es mit der Zeit ein und baute sich eine Feste, die nannte er nach seinem Sohn Gartho (Grodno); das Land aber erhielt von ihm selbst den Namen Litauen. Gartho gewann auch mit der Zeit ein mächtiges Land und hielt sich ganz königlich, hatte auch viele Bojaren zu Söhnen.

Danach teilte Waidewut dem Samo, seinem zweiten Sohn, das Land zu von Crono (Ostsee) und Halibo (Frisches Haff) bis auf Skara (Pregel), das Wasser, und er nahm es mit der Zeit ein, und es wurde nach ihm Samland genannt. Er baute sich auf einem mächtigen Sandberg, der zum Teil zugeschüttet wurde, die Feste Gailgarwo (Galtgarben). Dieser Samo hatte mit den Seinen eine besondere Lebensweise; denn sie waren andächtiger als die übrigen Brutener und wählten auch einen besonderen Eichwald zu ihrer Andacht aus, in welchem sie einen Haufen Schlangen zu Ehren ihrer Götter hielten. Samo hatte weniger Kinder als seine Brüder, denn sein Weib Pregolla ertrank in dem Fluß Skara, dadurch erhielt dieser den Namen Pregel.

Der dritte Sohn Sudo bekam das Land zwischen Crono, Skara und Curtono (Kurisches Haff), das er zu seiner Zeit einnahm und nach seinem Sohn eine Feste Perpeylko erbaute; das Land aber wurde nach ihm Sudauen genannt. Das Volk, das darin wohnte, hielt sich von Anbeginn ehrbar und deuchten sich alle Edelinge, weil sie allein mit Sudo einen mächtigen König des Venederlandes (später Russisch-Litauen) besiegt. Die Sudauer aber sind ein lustiges Volk geblieben, das seine größte Freude im Trinken hat.

Nadrau, der vierte Sohn, huldigte auch, wie seine Brüder, und ihm wurde das Land zugeteilt zwischen Skara, Boiko und Curtono, das nach ihm Nadrauen genannt wurde, und in dem er eine Feste, genannt Staymto, erbaute.

Scalawo, der fünfte Sohn, erhielt das Land zwischen den Wassern Pregolla, Curtono, Njemen und Rango. Es wurde nach ihm Scalawonien (Schalauen) genannt. Die Bewohner aber sind von Anbeginn ein unlustiges Volk gewesen und ungetreu und fanden ihre größte Seligkeit im Schlafen, so daß ihre Trägheit im ganzen Land zum Sprichwort wurde.

Natango, der sechste Sohn, huldigte wie seine Brüder, und ihm wurde zugeeignet das Land zwischen Skara, Alle, Bassaro (Passarge) und Halibo, und er nahm es mit der Zeit ein und wohnte auf Honeda (Balga), dem Schloß; das Land aber wurde Natangen genannt. Natango hatte einen Sohn Lucygo, dem wurde zugeeignet Noyto, die Burg, und Crono, das Wasser; denn er war ein Mann, dem Fischerei lieb war. Dieser fand auch zuerst den Bernstein.

Barto, der siebente Sohn, erhielt das Gebiet die Alle aufwärts bis an Licko (Lyck) das Wasser, und bis an das Land seines Bruders Litvo, nannte es Bartenland und baute darin eine Feste Barto (Bartenstein). Dieser hatte viele Kinder, deren jedes sich eine Feste baute. Denn sie waren sehr haderhaftig und hatten viel Feindschaft, besonders mit den Erben Natangos – um Lucygos willen, dem Waidewut etwas Besonderes zugeeignet hatte, obwohl sie doch ebenso nahe daran gewesen wären wie Natangos Sohn.

Der achte Sohn, Galindo, bekam das Land von der Alle, Lawoso, bis an die Grenzen der Masau; das Land hieß nach ihm Galindien, und die Burg nannte er Galindo, wurde auch später Galinderberg genannt. Das Volk wurde mit der Zeit mächtig und führte viele Kriege mit den Masuren.

Dem neunten Sohn Varmio verlieh der König die Lande an der Nava (Nariensee) und Bassora. Er baute sich eine Feste, die er Tolo nannte. Von ihm wurde das Land zu lateinisch Varmia genannt, zu deutsch aber heißt es Ermland von seiner Frau Ermia.

Hoggo, dem zehnten Sohn, überwies der König das Land zwischen Weseke, Bassaro, Drusino (Drausen), dem Wasser. Er baute sich eine Feste Tolko (Tolkemit), nachher Schafsberg genannt. Das Land aber wurde das Hoggerland (Hockerland) genannt oder auch Poggesanien nach seiner Tochter Poggezana.

Dem elften Sohn des Königs, Pomeso, wurde das Land zwischen Weseke, Mokra (Ossa), Noyta (Nogat), Istula (Weichsel) bis an die Grenzen der Masau zugeteilt, und es wurde nach ihm Pomesanien genannt. Er hatte keine Burg, die ihm zur festen Wohnung diente, sondern er wohnte da unter einem Gezelt, wo es ihm am besten gefiel. Er hatte sehr viele Kinder, die alle wie der Vater Riesen und Könige waren, und diese bauten sich die Festen zu Risno (Riesenburg), Bolto, Weso und Nargoltons.

Der zwölfte Sohn Waidewuts, Chulmo, erhielt das Gebiet zwischen Mokra, Istula und Driwantza (Drewentz). Er baute sich eine Feste und nannten sie nach seinem Namen Chulmo (Althaus Kulm) und eine andere, die er nach seinem Sohn Potto hieß (Potterberg). Das Land aber heißt noch heute nach ihm Kulmerland.

So kam es zu den zwölf alten Stammesgebieten. (7)

König Waidewuts Ende

Als König Waidewut wegen seines hohen Alters nicht mehr wie sonst seine Heere zum Sieg zu führen vermochte, verbündeten sich seine Feinde gegen ihn und beschlossen, sein Land mit ihrer Heeresmacht zu überziehen. Als Waidewut dies hörte, und er gegen die großen Aufrüstungen der Feinde sich keinen andern Rat wußte, als sich den Göttern selbst zu opfern, um so den Seinen mehr Beherztheit zu machen und sie anzufeuern, seinen Tod zu rächen, eröffnete er seinem ältesten Sohn sein Vorhaben. Er führte ihm zu Gemüt, wie die Benachbarten fast ringsumher in Aufrüstung wären, sie mit Krieg zu überziehen oder gar zu vertilgen, er aber mit hohem Alter beladen und nicht in der Lage sei, einen so schweren Krieg durchzustehen. So habe er beschlossen, sein nunmehr unnützes Leben im Feuer zu opfern, auf daß er mit den Göttern sich unterreden und Hilfe zu diesem Krieg erbitten könne. Er befahl also dem Sohn, wenn seine Asche verwahrt sei, den Kampf rühmlich zu beginnen und die Götter im übrigen walten zu lassen, deren Hilfe ihm dann nicht fehlen werde.

Darauf ließ Waidewut vor der großen Eiche zu Romove einen hohen Holzhaufen aufrichten, auf den das Volk brennende Fackeln warf, so daß die Flamme mit großem Geprassel in die Luft stieg. Zunächst brachten sie die Opfer an kleinem und großem Vieh, besonders Ochsen mit vergoldeten Hörnern, deren Eingeweide sie in die Glut warfen. Der König selbst stand herrlich bekleidet, eine goldne Schale mit Met haltend, den er einer großen schwarzen Kuh zwischen die Hörner goß; den rechten Fuß und den linken Arm hatte er unbekleidet, und so sprach er ein feierliches Gebet: »Ihr Götter des Meeres und der Erden, ihr Götter der Macht und Finsternis, ihr, die ihr in diesen Wäldern und an diesem geheiligten Ort euren Tempel und eure Wohnung habt, die ihr den feurigen Blitz vom Himmel hinabwerft und mit Donner der Menschen Herz erschreckt, die ihr Ungewitter und Regen aussendet, die ihr unter den Wolken und bei dem lichten Mond euren Haushalt habt und mit schnellen Flügeln durch die Luft fahrt, schauet an dies Opfer, schauet an mich, der ich zur Aufopferung bei diesem heiligen Altar geweiht werde, und nehmt mich, als den König, der sich für sein Volk im Flammentod dargibt, gnädig an; aber unter unsere Feinde sendet Schrecken, Furcht, Flucht und Kraftlosigkeit im Kampf; verleiht den Meinen Sieg, so will ich mich freiwillig für mein Land opfern.« Dann stürzte er sich ohne Zagen mitten in die Flammen.

Darauf führten die Obristen des Volkes und die Jünglinge einen Kriegstanz mit kläglichem Jammer und Geschrei um den Scheiterhaufen auf

Oben: Panier der heidnischen Preußen mit den Bildern der drei Hauptgötter, dem langbärtigen Totengott Pikollos, dem flammengekrönten Donnergott Perkunos und dem kornährengeschmückten Potrimpos. Unten: Schild des Königs Waidewut. Kupfer aus Ch. Hartknoch, Alt- und Neues Preussen. Frankfurt/Leipzig 1684

und schlugen dreimal mit den Waffen aneinander, daß es durch die Luft tönte und durch die Wälder weit und breit erschallte. So entbrannten ihre Herzen, daß sie kühn wurden, und sie schrien alle, jung und alt, zu den Waffen und verbanden sich, der Götter Hilfe durch ihres Königs Opfer gewärtig, gegen den Feind zu ziehn.

Eine andere Sage aber berichtet, daß sich außer Waidewut auch Bruteno, sein Bruder, freiwillig im Feuertod geopfert, und daß das Volk beide nachher als Götter, jenen unter dem Namen Ischwambrato, diesen unter dem Namen Wurskaito, verehrt habe. (8)

23

Die heilige Eiche zu Romove

Wo später das Kloster der Heiligen Dreifaltigkeit stand, war vor Zeiten der Ort Rikaito oder Romove. Der Name soll daher kommen, daß die heidnischen Preußen einst einen Feldzug nach Rom machten, und als sie von da zurückkehrten, hier zum Andenken eine Stadt gründeten, welche sie Rom, Romahoon nannten. Dort stand eine Eiche, sechs Ellen dick, zwergüber gemessen, oben sehr breit und so dicht, daß weder Regen noch Schnee hindurchkonnte, denn sie hat auch im Winter ihr Laub behalten und ist grün geblieben. In dem Stamm waren aber unter den Ästen drei Abteilungen, in welchen die drei Hauptgötter in gleicher Höhe standen, oder es sind aus dem Stamm drei gleich große Äste herausgegangen, welche hernach in der Höhe wieder zusammengewachsen waren. (Einige meinen, daher käme der Name Romove, denn ruomot heißt im Altpreußischen zusammenwachsen). Diese sind so mit Laub bedeckt gewesen, daß an einem jeden Ast ein Götzenbild sicher vor dem Schnee und Regen hat stehen können. Ein ähnlicher Eichbaum in einem Wald bei Insterburg hat bis zum Jahr 1664, wo ihn ein Blitzstrahl vernichtete, gestanden.

In der einen Abteilung stand nun das Bild des Totengottes Pikollos, mit einem langen grauen Bart, bleicher Totenfarbe, mit einem weißen Tuch gekrönt, von unten aufsehend. Opfergaben zu seiner Verehrung waren Totenköpfe von Menschen und Vieh, an den hohen Festen brannte man ihm aber auch Talg in Töpfen an. Dieser trieb Spuk in den Häusern der Reichen, und wenn jemand darin gestorben war und man den Göttern nicht viel opfern wollte, da plagte er die Leute des Nachts, und wenn er zum dritten Male kam, mußte man ihm Menschenblut opfern. Dann schnitt sich der Waidelotte in den Arm, daß er blutete; und hörte man in der Eiche brummen, so war dies ein Zeichen, daß der Gott versöhnt war.

Perkunos, der Gott des Donners, hatte die zweite Zelle inne. Er war ein zorniger Mann, rot wie Feuer, mit Feuerflammen gekrönt, mit einem krausen und schwarzen Bart und sah den Potrimpos zornig an. Dem Perkunos mußte man stets ein Feuer mit trockenem Eichenholz halten, womit man die Opfer verbrannte; ging aber das Feuer aus, so kostete es den Waidelotten, der es bewachte, den Hals.

Potrimpos, der dritte, war ein junger Mann, ohne Bart, gekrönt mit Kornähren, fröhlich lachend. Sein Kleinod war eine Schlange in einem großen Topf, mit Milch von den Waidelotten ernährt und mit Getreidegarben bedeckt. Diesem brannte man Wachs und Weihrauch an. Auch wurden ihm zu Ehren Kinder getötet.

Um diese Eiche drei Schritte entfernt wurden schöne Tücher, sieben Ellen hoch, aufgehangen, und es durfte niemand ohne den Kriwaito oder den obersten Waidelotten hineingehen. Wenn aber jemand kam, um sein Opfer zu bringen, nahm man den Vorhang weg oder zog ihn beiseite, so daß man hineinsehen konnte. Bei dieser Eiche wohnte der Kriwaito, auch waren ringsherum Häuser für die Waidelotten, die hier den Göttern dienten. Romove war lange die Hauptstadt der heidnischen Preußen. Um das Jahr 1015 ist Boleslaus Chrobri, der König von Polen, in Preußen eingefallen und hat Romove verwüstet und ihre Götter verbrannt; allein nach seinem Abzug machten sich die Preußen andere Bilder.

Nun aber war ein Fürst in der Masau, der buhlte mit der Frau eines Adligen; zwar warnte letzterer den Fürsten, allein vergebens. Einst traf er sie beieinander. Er hatte gerade einen Spieß in der Hand, wie es damals die Sitte bei den Edlen war und woran man sie auch erkannte. Mit diesem Spieß durchbohrte er den Fürsten und die Ehebrecherin und floh nach Preußen, wo er sich bei dem Kriwaito zu Romove versteckte. Die Brüder des Fürsten aber machten sich auf, ihn zu verfolgen. Mit großer Heeresmacht zogen sie nach Romove, schlossen den Kriwaito und die Waidelotten in ihren Wohnungen ein und verbrannten sie dort. Den Edlen aber, der ihren Fürsten erstochen hatte, brachten sie jämmerlich um und raubten dann solange im Land, bis sich die Preußen sammelten und sie aus dem Land trieben und sie nach einem zehn Jahre dauernden Krieg nötigten, Frieden zu machen und ihre Götter wieder zu versöhnen.

An diesem Ort hat die betreffende Eiche noch lange gestanden und ist im geheimen von den Preußen, selbst nachdem sie Christen geworden waren, angebetet worden. Wenn ein Mensch oder ein Stück Vieh eines von den Blättern am Hals trug, glaubten sie, könne denselben kein Unglück treffen. Daher ließ auf Bitten des Bischofs von Ermland der Hochmeister Winrich von Kniprode die Eiche durch den Marschall Heinrich Schindekopf umhauen, und an ihrer Stelle erbaute Petrus Nugol von Sohr ein Kloster zur Heiligen Dreifaltigkeit.

Obwohl nun die Eiche zerstört war, so war es doch an jener Stelle lange noch nicht recht geheuer, woran wohl das viele hier von Menschenopfern vergossene Blut schuld haben mochte. Man hörte dort plötzlich Sausen und Stürmen in der Luft, gerade als wenn die Eiche noch stehe und ihre blätterreichen Äste bewege. Gleichzeitig erhoben sich hier oft Ungewitter mit heftigem Donnern und Blitzen. Dabei ließen sich allerlei schreckliche Gestalten sehen, welche bald wie Waldmänner, bald wie Drachen oder Schlangen oder Feuerballen ausschauten. Denselben unheimlichen Spuk trieb aber der Teufel in dem Kloster selbst, um die Mönche zu ängstigen, und so ließen sie denn einen Teufelsbanner aus Deutschland kommen, um den Bösen zu vertreiben. Dieser verfertigte aus reinem Gold ein Kruzifix, etwa einen Finger lang, und einen dreieckigen Ring, auf welchem er vielerlei Worte eingrub und vergrub beides unter dem Eckstein der Kirche. Seitdem ließ aber der Teufel Ort und Kloster in Ruhe. Später wurde das Kloster zur Heiligen Dreifaltigkeit ebenso zerstört wie die alte Stadt Romove. Allein als im Jahr 1708 der Herr von Killitz zu Groß-Waldeck, der Besitzer des Grund und Bodens, einige Mauerstücke des zertrümmerten Klosters abbrechen ließ, fand man das Kruzifix und den Ring unter den Trümmern, und dieser Edelmann schenkte beides der Stadt Königsberg. Die Worte aber, welche auf dem Ring stehen, konnte niemand lesen. (9)

Die heilige Eiche bei Heiligenbeil, Ort der Verehrung des Gottes Curche. Kupferstich aus Christoph Hartknoch, Alt- und Neues Preussen. Frankfurt/Leipzig 1684

Das Kloster der Heiligen Dreifaltigkeit

Trifaltigkeit hat zuvor Podollen geheißen. Das Kloster ist von Marschall Heinrich Schindekopf, unter dem Hochmeister Winrich Kniprode gebaut und darinnen sind recht versoffene Mönche gewesen.

Und der Chronist Caspar Hennenberger ergänzt: Ich habe zu Domnau noch eine zinnerne Kanne gesehen, daraus sie den Schlaftrunk getrunken haben sollen; ich konnte sie allein kaum aufheben.

Der Chronist kommt auch auf die Zusammenhänge zwischen dem alten heidnischen und dem neuen Christenglauben zu sprechen: Ich halte dafür, daß an der Stelle dieses Klosters oder nicht weit von ihm der Ort gewesen sein muß, den die alten Preußen Rikaito oder Romove geheißen haben und wo die teuflische Eiche mit den drei Abgöttern gestanden hat. Und eben weil da drei Abgötter verehrt wurden, hat es Heinrich Schindekopf christlich verändern wollen und hat ein Kloster dahin gebaut, zu Ehren der Heiligen Dreifaltigkeit und auch nach ihr genannt. Den Namen Podollen haben sie ohne Zweifel dem Ort gegeben wegen des ersten Abgottes Potollos – den etliche auch Pikollos nennen und das nicht zu Unrecht, denn es heißt auf deutsch der Teufel. (10)

Naturgötter und Feste der alten Preußen

Die letzten heidnischen Preußen, die hernach von den Ritterbrüdern des Deutschen Ordens überwunden und zum Christenglauben geführt worden sind, haben von den verschiedenen Völkern, die nach und nach in ihr Land gekommen sind, andere Götter kennengelernt. Manches mögen sie auch von den alten Römern aufgenommen haben. Zunächst erwählten sie alte Männer, welche sie in großer Würde und für heilig hielten, wie die Christen ihre Bischöfe. Diese nannten sie Waidelotten (oder Vurskaiten), welche sie bei ihrer Heiligung anriefen, nach ihren Gebrechen und Begehr ihrer Götter. Die Namen der Götter lauteten:

Occopirnus, der Gott des Himmels und der Erden; Schwayxtix, der Gott des Lichtes; Ausschweytus, der Gott der gebrechlichen Kranken und Gesunden; Antrimpos, der Gott des Meeres und der großen See; Potrimpos, der Gott der fließenden Wasser; Perdoytos, der Gott der Schiffe; Pergubrios, der Gott, der Laub und Gras wachsen läßt; Pelwittos, der Gott, welcher reicher macht und die Scheuern füllt; Perkunos, der Gott des

Donners, Blitzes und Regens; Pikollos oder Potollos, der Gott der Hölle und der Finsternis; Pokollos, der Herr der fliegenden Geister und Gespenster; Puschkaytos, der Gott der Erde unter dem Holunder; Barstucken, die kleinen Erdleute, der Götter Diener, und Markopete, die Erdleute.

Diese Götter brauchten sie bei der Heiligung des Bocks und hielten sie für die größten und riefen sie bei ihren Jahresfesten an.

Das erste Fest hielten sie, ehe die Zeit des Pflügens begann. Das Fest nannten sie Pergubri. In allen Dörfern kamen sie zusammen in einem Haus, dort war eine Tonne Bier oder zwei bestellt. Der Waidelotte hob nun eine Schale voll Bier auf und betete zu dem großmächtigen Gott Pergubrios: »Du treibst den Winter weg und gibst in allen Landen Laub und Gras. Wir bitten dich, du wolltest unser Getreide auch wachsen lassen und alles Unkraut dämpfen.« Nun setzte er die Schale nieder, faßte sie dann mit dem Mund, hob sie mit den Zähnen auf, trank das Bier aus und warf die Schale, ohne die Hand zu rühren, über den Kopf. Hinter ihm wartete einer darauf, hob die Schale auf, brachte sie wieder und setzte sie abermals mit Bier gefüllt vor den Waidelotten. Dieser begann mit den gleichen Worten, den Gott Perkunos zu bitten, er wolle gnädigen und zeitlichen Regen gewähren und Pokollos mit seinen Untertanen wegschlagen. Er trank hierauf das Bier aus, und nun tranken sie alle ringsumher. Dann hebt der Waidelotte zum dritten Mal wieder an und bittet den mächtigen Gott Schwayxtix, daß er sein Licht zu rechter und bequemer Zeit scheinen lasse über das Getreide, Gras und Vieh. Zum vierten Mal hebt er an und bittet den gewaltigen Gott Pelwittos, daß er alles wachsen lasse und schöne Ernte gebe und ihr Gewächs in den Scheunen mehre. Danach trinkt er einem jeden Gott zu Ehren eine Schale voll Bier ohne Handrührung aus. Die Schale darf nicht stehen, sondern muß gehalten werden. So singen sie ihre Lobgesänge den Göttern zu Ehren. Das Bier wird gewöhnlich von einem gemeinen Stück Acker gekauft. Es wird mit dem bezahlt, was der Acker einbringt.

Das andere Fest der Heiligung ist nach dem Augustmonat. Wenn das Getreide wohlgeraten ist, so heiligen und ehren sie die vorigen Götter mit großer Danksagung, und der Waidelotte ermahnt das junge Volk, daß sie die Götter in Ehren halten und nicht erzürnen. Alles wird beendet mit der Schale voll Bier, wie oben gesagt. Ist aber ein nasses Jahr gewesen und das Getreide nicht geraten, auch schlecht eingebracht, so machen sie auch ein Fest, und der Waidelotte bittet den großmächtigen Gott Ausschweytus, daß er die Götter bitten wolle, ihnen im nächsten Jahr gnädig zu sein. Sie bekennen, daß sie ihre Götter erzürnt haben etc. So billigen sie sich jeder ein bestimmtes Strafmaß zu. Ein jeglicher muß ein halbes Viertel Gerste geben, auch wohl ein ganzes Viertel zu Bier. Auch schätzen sie die, die im Dorf ihre Statuten übertreten haben, und die Frauen bringen Brot vom ersten Gewächs. Die Heiligung währt so lange, wie sie Bier haben.

Von dem Gott der Erde, Puschkaytos, glauben sie, daß er in der Erde wohne, unter dem Holunderbaum, und das Holz halten sie für heilig. Darum tragen sie Bier und Brot hin und bitten ihn, daß er seine Markopeten (Erdleute) erleuchte und seine Barstucken (kleine Männer) in ihre Scheuern sende, daß sie ihnen Getreide dahinbringen und auch, was sie dahingebracht haben, behüten wollen. Nachts aber setzen sie in die

Ein alter heidenischer Preuß.

Bewaffneter Preuße der Heidenzeit. Holzschnitt aus Mattheus Waissel, Chronica Alter Preusscher, Eifflendischer und Curlendischer Historien. Königsberg 1599

Scheune einen Tisch, den decken sie und setzen darauf Speise, Bier und Brot und laden das Gesindchen zu Gast. Wenn sie am Morgen aufstehen und finden etwas von der Speise verzehrt, so freuen sie sich sehr. Wovon am meisten verzehrt worden ist, tun sie am reichlichsten wieder auf den Tisch beim nächsten Fest der Heiligung. Sie glauben, daß durch die Götter ihr Getreide vermehrt wird.

Der Gott der Schiffsleute, Perdoytos, wurde nun aber allein verehrt von den Schiffern und von den Fischern, die auf der See fischen. Sie glauben, daß ein großer Engel auf der See stehe, und wo sich der Engel hinkehre, da blase er den Wind hin, wenn er zornig wird, und blase die Fische weg, daß sie mit seinem Zorn untergehen. Den Engel nennen sie Perdoatys. Dies tun die Preußen und Sudauer, und alle, die mit ihnen fischen, die heiligen diesen Gott.

Sie kochen in einer Scheune eine große Menge Fische und tun sie auf ein reines Brett, wenn sie gar sind. Sie essen und trinken aus Schalen oder aus kleinen tiefen Schüsselchen. Dann steht ihr Waidelotte (Signoth) auf und teilt die Winde und sagt, wo sie fischen sollen und auf welchen Tag. (11)

Der Johannistag

Mit vielen Tagen des Jahres, vor allem Festtagen, verknüpft das Volk einen besonderen Aberglauben. Der wichtigste unter diesen ist der St. Johannistag. An dem Abend, der ihm vorhergeht, ist es noch an vielen Orten Preußens und Litauens üblich, große Feuer, die Johannisfeuer, anzuzünden. Man sieht sie dann auf allen Höhen, so weit das Auge reicht, flammen. Diese Feuer helfen nicht nur gegen Gewitter, Hagelschlag und Viehsterben, besonders wenn man am folgenden Morgen das Vieh über die Brandstelle auf die Weide treibt, sondern auch gegen allerlei Zauberei, namentlich Milchbenehmung. Darum gehen die jungen Burschen, welche das Feuer angezündet, am folgenden Morgen von Haus zu Haus und sammeln Milch ein. Auch steckt man am Johannisabend große Kletten und Beifuß über das Tor oder die Hecke, durch die das Vieh geht, denn das ist gleichfalls gegen Hexerei gut.

An der Samländischen Küste fahren die Schiffe am Johannistag und an den nächstfolgenden Tagen nicht zur See, weil, wie sie behaupten, das Meer dann hohl geht und ein Opfer fordert. Aber ebenso halten sie es auch für verderbenbringend, am Sonntag auf Fischfang auszuziehen. (12)

Sonne und Mond

Die alten Preußen erzählten, daß die Sonne an den Mond verheiratet gewesen sei; aus dieser Ehe wären die ersten Sterne entsprossen. Als aber der Mond seiner Gattin später untreu wurde und dem Morgenstern seine Verlobte entführte, wurde er zur Strafe von dem Gott des Donners, Perkunos, mit einem scharfen Schwert zerhauen. Die zwei Hälften, in die er gespalten wurde, sind noch in den beiden Mondvierteln zu sehen. (13)

Wie der Bock geheiligt wird

Die Zeremonie des Bockheiligens soll noch lange in Preußen zur Verehrung und Versöhnung der alten Götter des Landes, obgleich sehr im geheimen, fortbestanden haben. Es kamen aus mehreren Dörfern die Bauern in einer Scheune zusammen. Dort wählten sie unter sich einen alten Mann zum Waidelotten (so hießen die alten heidnischen Priester). Dann machten sie in der Mitte der Scheune ein großes langes Feuer, und nun brachten die Männer einen Bock herbei, die Frauen aber Weizenmehl, welches geknetet wurde. War dieses fertig, so setzte sich der Waidelotte auf einen erhöhten Sitz, von welchem er an die Versammelten eine Rede hielt, über die Urankunft des preußischen Volks und das Land, über dessen Heldentaten und Tugenden, über die Gebote der Götter, und was sie von den Menschen fordern. Dann führte er den Bock in die Mitte der Versammlung, legte seine Hände auf ihn, und rief alle die alten Götter nach der Reihe an, daß sie gnädig herabschauen wollten. Darauf fielen alle Anwesenden vor dem Waidelotten auf die Knie und beichteten ihm mit lauter Stimme ihre Sünden, mit welchen sie vermeinten, die Götter zum Zorn gereizt zu haben. Darauf stimmten sie einen Lobgesang der Götter an, faßten nun alle den Bock an, hoben ihn in die Höhe, und hielten ihn so lange, bis der Lobgesang zu Ende war. Danach setzten sie den Bock auf die Erde, und der Waidelotte ermahnte nun das Volk, das Opfer mit tiefer Demut zu verrichten, und so, wie es von ihren Vorfahren auf sie gekommen, es auch auf ihre Nachkommen zu bringen.
Alsdann schlachtete er den Bock, fing das Blut in einer Schüssel auf und besprengte die Herumstehenden damit, gab auch jedem etwas davon in ein Gefäß, um es nachher dem Vieh zu trinken zu geben, welches dadurch gegen Krankheit beschützt wird. Darauf wurde der Bock in Stücke gehauen,

Ein Waidelotte bei der Zeremonie der Bockheiligung. Kupferstich aus Christoph Hartknoch, Alt- und Neues Preussen. Frankfurt/Leipzig 1684

welche auf Brettern über das Feuer gelegt wurden, um zu braten. Während des Bratens fielen alle wieder auf die Knie vor dem Waidelotten, der sie nun für die vorhin gebeichteten Sünden strafte, indem er sie schlug, an den Haaren riß und dergleichen mehr. Doch bald kehrte sich dies um, und sie fielen jetzt über den Waidelotten her, den sie ebenso rissen und schlugen. War dieses geschehen, so machten die Frauen aus dem mitgebrachten Mehl Kuchen. Diese werden aber nicht in einem Backofen gebacken, sondern sie geben sie den Männern, welche sich zu beiden Seiten des Feuers stellen und die Kuchen einander durch das Feuer so lange zuwerfen, bis sie gar sind. Zuletzt geht dann das Essen und Trinken los, welches den ganzen Tag und die folgende Nacht dauert.

Was von dem Mahle übrigbleibt, wird sorgfältig vergraben. Durch ein solches Opfer glauben sie die Götter sich besonders gnädig zu machen. Im Samland wird auf diese Weise eine Sau geheiligt oder geopfert, besonders, um dadurch reichen Fischfang zu erwerben. Diese Opfer werden übrigens alle sehr heimlich betrieben; und als einst zufällig ein Fremder dazugekommen, hat er nur mit vieler Not sein Leben retten können. (14)

Das Speckopfer

Ein mächtiger Gott der heidnischen Preußen war Perkunos. Ihm wurde ein ewiges Feuer von Eichenholz gehalten. Wenn es geschah, daß durch Nachlässigkeit des Priesters das Feuer ausging, so mußte der Waidelotte sterben, der für das Feuer verantwortlich war. Perkunos war der Gott des Donners und der Fruchtbarkeit. Daher wurde zu ihm gebetet um Regen und Sonnenschein. Bei Gewitter wurde ihm eine Seite Speck geopfert. Wenn es donnerte, nahm der Bauer eine Seite Speck auf die Schulter, ging mit bloßem Haupt zum Haus heraus, trug die Seite Speck auf seinem Akker herum und sagte: »Du, Gott Perkunos, schlage nicht in das Meinige, ich will dir diese Seite Speck geben.« Wenn das Gewitter aber vorbei war, brachte er die Seite Speck wieder nach Hause und verzehrte sie mit seinen Hausgenossen. (15)

Lohn der Gastfreundschaft

Perkunos, der Gott des Donners, und Pikollos, der Gott der Unterwelt, zogen einst, als Wanderer verkleidet, auf der Erde umher, um sich zu überzeugen, ob das Feuer gehörig bewacht werde. Da gelangten sie auch zur Wohnung Semas oder Seminas, der Erdgöttin, von der sie freundlich aufgenommen und gastfrei bewirtet wurden. Zum Lohn dafür gewährte ihr Perkunos unvergängliche Jugend, Pikollos aber schenkte ihr eine Anzahl heiliger Mädchen, die des Nachts für ihre fleißigen und keuschen Verehrer deren Arbeiten vollenden. (16)

Der heilige Adalbert

Nachdem der heilige Adalbert die heidnischen Polen im christlichen Glauben bestärkt, begab er sich zu demselben gottseligen Zweck in das Land Preußen. Zuerst predigte er das Wort Gottes im Kulmischen Land; von da ging er nach Pomesanien. Als er nun über den Fluß Ossa setzte und nicht soviel hatte, daß er das Fährgeld bezahlen konnte, gab ihm einer der Schiffer mit dem Ruder einen harten Schlag über den Kopf, daß er davon schwer erkrankte. Dieses war ihm kein gutes Zeichen, und er mußte auch in der Tat bald unverrichteterdinge aus Pomesanien weiterziehen.

Er kam zuerst nach Danzig, von wo er nach Samland reiste. Hier fand er, nicht weit davon, wo jetzt die Stadt Fischhausen steht, die glorreiche Marterkrone; denn es überfielen ihn die heidnischen Pfaffen, die ihm sieben Wunden beibrachten und ihn jämmerlich erschlugen. Als das Boleslav Gorvin, König von Polen, erfuhr, begehrte er den Körper des Heiligen von den heidnischen Preußen. Diese wollten ihn aber nur dann herausgeben, wenn ihnen der König dafür so viel Gold gäbe, wie der Leichnam schwer sein werde. Damit war der fromme König zufrieden; aber wie nun der Körper gewogen wurde, da war er überaus leicht und kein Pfund schwer.

Es wird auch berichtet: daß alles Gold, welches der polnische König gesendet, noch nicht einmal vermocht habe, die Schale, auf welcher der Leichnam des Heiligen gelegen, von der Erde zu bewegen. Es hatten darauf die Abgesandten schon alles Gold in die Waage geworfen, welches sie für sich selbst mit sich führten. Aber auch dieses war nicht genug; da kamen noch Preußen heran, die Adalbert getauft hatte, und legten auch ihr Gold hinzu; aber auch dieses reichte nicht aus, und man gab schon die Hoffnung auf, daß man Gold genug herbeischaffen könne, um den Körper aufzuwiegen. Da kam eine alte Frau dazu, die hatte nur zwei Pfennige, das war ihr ganzes Vermögen, diese warf sie in die Schale zu dem Gold, und jetzt flog auf einmal die andere Schale so in die Höhe, daß man all das Gold, das der Polenkönig geschickt, das die Gesandten dazugelegt und das die bekehrten Preußen gebracht, wieder herausnehmen konnte und allein die zwei Pfennige der armen Frau den Leichnam des Heiligen genügend aufwogen.

Eine andere Sage berichtet noch folgendes über den Tod und Leichnam des heiligen Adalbert: Nachdem diesen die heidnischen Preußen am Ufer der Ostsee erschlagen hatten, zerhackten sie seinen Körper in unzählige Stücke und ließen die Stücke unbeerdigt am Ufer liegen, auch hieb ihm ein

Preuße einen Finger ab, an dem der Heilige einen goldenen Ring trug. Den Finger warf er in das Meer, den Ring aber steckte er zu sich. Denselben Finger hat später ein Sperber aufgenommen und während er über dem Meer flog in das Wasser fallen lassen, worauf ihn dann ein Hecht geschluckt. Da geschah es nun, daß der Fisch, wo er auch hinschwamm, ein sonderbares Licht von sich gab. Als die Fischer dieses Licht bemerkten, haben sie den Hecht gefangen und den Finger des Heiligen in seinem Bauch unversehrt gefunden. Die Fischer waren Christen, und sie erkannten bald, daß der Finger einem heiligen Mann gehören müsse; daher suchten sie am Ufer und fanden dort die Leiche. Die zerhauenen Stücke hatten sich aber wunderbarerweise von selbst schon wieder zusammengefügt, so daß bloß der Finger noch an dem Körper fehlte. Die Fischer setzten den nun an, und er wuchs schnell fest, so daß der Körper wieder ganz wurde. Der Leib hatte schon dreißig Tage so gelegen, es hatte ihn aber ein Adler die Zeit über bewacht, und es hatte kein anderes Tier herankommen können.

Eine weitere Sage berichtet, dem Heiligen sei bloß das Haupt abgeschlagen worden, sonst aber der Körper ganz geblieben. Der Heilige sei dann von selbst aufgestanden, habe sein Haupt in beide Hände genommen, es vor sich hergetragen und sei so in die Kapelle gegangen, wo er gewöhnlich Messe gelesen. Unterwegs habe das Haupt mit lauter und schöner Stimme allerlei geistliche Lieder gesungen. Von der Kapelle weg sei er von einem Ort zum andern gewandert, den singenden Kopf immer vor sich hertragend, bis er in die Gegend von Danzig gekommen ist, wo noch jetzt die Kirche des heiligen Adalbert steht. Hier sollen ihn die heidnischen Preußen gefunden und beschlossen haben, ihn ihren Göttern zu Romove zu opfern. Allein es kaufte ihn der Polenkönig Boleslav, wie dies bereits vorhin gemeldet. (17)

Bonifatius tut es seinem Namensvetter gleich

Bonifatius war mit Kaiser Otto III. verwandt, der ihn sehr liebte. Er war anfangs kein Geistlicher, doch als er einst die Kirche des Märtyrers Bonifatius besuchte, die in Rom auf dem Berg Aventino steht, wurde er von großer Begierde erfaßt, ebenso wie sein Namensvetter die Märtyrerkrone zu erlangen.

So wurde er Mönch und führte lange Zeit ein strenges Leben. Als er vernommen, daß der heilige Adalbert von den heidnischen Preußen erschlagen sei, wollte auch er zu diesem Volk, um ihm die Lehre Christi zu predigen. Er ging deshalb nach Rom und wurde vom Papst zum Erzbischof geweiht. Dann begab er sich nach Preußen, ganz barfuß, und stand die strenge Kälte geduldig aus. Dort begann er, eifrig das Wort Gottes zu predigen. Die Heiden aber hatten gesehen, daß nach dem Tod des heiligen Adalbert, wegen der Wunder, die er getan, viele zum Christentum bekehrt worden sind. Damit nicht wieder das gleiche geschehen möchte, haben sie lange Zeit nicht Hand an Bonifatius legen wollen.

Eines Tages kam Bonifatius zu einem mächtigen Fürsten des Landes und predigte ihm Gottes Wort mit großem Eifer. Als der König des Bonifatius schlechte Kleidung sah und sich überlegte, daß dieser armselige Mensch nur herumgehe und den Leuten etwas vorpredige, damit er sich etwas erwirbt, um seine Blöße zu bedecken, versprach er ihm Geld und Gut, damit er nur etwas ehrbarer einhergehen möchte. Darauf ging Bonifatius in seine Herberge, zog seinen bischöflichen Ornat an und trat so wieder vor den Fürsten. Dieser sagte zu ihm: »Nun sehe ich, daß dich unsere Unwissenheit und nicht deine Armut bewogen hat, uns das Evangelium zu predigen. Willst du, daß wir dir glauben, so wollen wir zwei Holzhaufen nebeneinandersetzen und anzünden. Wenn beide Holzhaufen lichterloh brennen, sollst du mitten durch das Feuer gehen. Wirst du dadurch verletzt, so soll es dich dein Leben kosten. Kommst du aber unverletzt durch, so wollen wir alle an deinen Gott glauben.«

Bonifatius nahm dies an, besprengte die angezündeten Holzhaufen mit Weihwasser, beräucherte sie mit Weihrauch und ging dann durch das Feuer getrost und unverletzt hindurch.

Als dies der Fürst sah, fiel er ihm mit allen seinen Leuten zu Füßen, bat um Verzeihung und ließ sich von ihm taufen.

Der Fürst hatte aber noch zwei Brüder, die bei ihrem heidnischen Götzendienst bleiben wollten. Deswegen wurde der eine auf Befehl des Bruders, der sich zum christlichen Glauben bekehrt hatte, getötet. Als aber Bonifatius zu dem andern fürstlichen Bruder kam, wurde er von ihm gefangengenommen. Da aber dieser Heide fürchtete, es würde der Fürst diesen Bonifatius von ihm fordern, ließ er ihm etwa um das Jahr 1000 n. Chr. öffentlich in Gegenwart einer großen Volksmenge den Kopf abschlagen. Von Stund an wurde er blind, und alle, die dabeistanden, erstarrten. Niemand konnte sich von der Stelle bewegen, bis endlich der christliche Fürst mit anderen Christen Gott anrufen und sie von dem Unglück befreit

Europäische Ordensritter im 12. Jahrhundert. Anonymer Kupferstich

hatte. Danach haben sich alle zum christlichen Glauben bekehrt. (Wie andere erzählen, soll der fromme Mann nicht Bonifatius, sondern Bruno von Querfurth gewesen sein.) (18)

Der Deutsche Orden kommt nach Preußen

Im Jahr 1226 schenkte Herzog Konrad von Masowien dem Deutschen Orden das wüste Kulmische Land und alles, was sie in Preußen mit der Zeit gewönnen, weil er sonst keinen Frieden von den Preußen haben würde. Der Orden ist dann 1231 zum ersten Mal in das Land Preußen gekommen und hat angefangen, mit den heidnischen Preußen zu streiten und Schlösser zu bauen. Mit Hilfe vieler polnischer und pomerellischer Fürsten erschlug der Orden dann zwei Jahre darauf am Fluß Sirgune fünftausend Preußen.

So berichtet uns Caspar Hennenberger 1595. Von der merkwürdigen Begegnung eines Kriwen (Oberpriester der heidnischen Preußen) mit einem gefangengenommenen Polen ist in den Acta Borussica zu lesen:
Der Kriwe fragte den Polen, was das für Männer in weißen Mänteln

Ritterbruder vom Deutschen Orden. Holzschnitt aus Hartmut Schedel, Das Buch der Chroniken und Geschichten. Nürnberg 1493

gewesen seien, die mitgefochten hätten auf der Seite der Polen. Der Gefangene antwortete ihm, es wären deutsche Männer, die sich gegen die Ungläubigen zu kämpfen Gott ergeben hätten, tapfere gottesfürchtige Leute. Ihnen hätte Herzog Konrad von Masowien das Kulmische Land und alle Rechte, die er daran habe, sowie die ungläubigen Preußen und alle ihre Länder übergeben.

Über diese Antwort lachten die Preußen und ihr Oberpriester sagte: »Es ist ja eine große Vermessenheit von den Deutschen, die da kluge und erfahrene Leute sein wollen, daß sie von Herzog Konrad etwas annehmen, das ihm gar nicht gehört. Nicht er, sondern wir Preußen haben das Kulmische Land in Besitz. Es ist unser Eigentum. Auch wenn die Polen oder Masuren es vor Zeiten eingenommen und besessen haben, so ist's doch von Anfang an unser gewesen und unsere Vorväter haben es lange zuvor ruhig besessen. Herzog Konrad lockt nun die Deutschen ins Land und vertröstet sie mit dem, was nicht sein ist, damit er von ihnen Schutz habe, das Seine in Ruhe und Frieden zu behalten. Mit Masowien haben unsere Eltern gutnachbarlichen Frieden gehalten, bis sie uns Preußen unterdrücken und zu Christen machen wollten. Wir fürchten uns auch vor den Deutschen nicht. Wenn sie sich unterstehen, gegen uns zu kämpfen, müssen sie erwarten, daß wir ihnen mit Kampf begegnen.«

Dem gefangenen Polen wurde das Leben geschenkt, damit er diese Worte den deutschen Rittern überbringe. (19)

Herzog Swantopolk

Zur Zeit, als der fünfte Hochmeister des Deutschen Ordens regierte, der Landgraf Conrad von Hessen, im Jahre 1247, lebte Swantopolk, ein Herzog in Pommern und Kassuben. Er war selbst ein Christ und hatte es anfangs mit den Deutschen Brüdern gehalten. Aber er war im Grunde verbohrten und nicht gut christlichen Sinnes, dabei von großer Vermessenheit, falsch und behenden Betruges. Er fiel deshalb vom Orden ab, schloß heimlich Freundschaft mit den heidnischen Preußen und versuchte, den Orden und die Christen wieder aus dem Land zu vertreiben. Er befestigte zuvor alle seine Burgen an der Weichsel, dann zog er in das Land des Ordens, dem er überall und vielen Schaden tat. Er tötete die Christen, wo er konnte, und ging besonders mit dem Orden auf grausame Weise um. Aber einige Male wurde er dennoch angeführt, besonders einmal durch Frauen, und das andere Mal durch sich selbst.

Eines Tages nämlich war er mit großem Kriegsvolk vor die Stadt Kulm gerückt, um diese zu belagern. Weil er aber zum Sturm nicht gefaßt war, so sah er wohl ein, daß er die Stadt nur durch List bekommen würde. Er zog sich daher von der Stadt zurück und versteckte sein Volk hinter einem Morast, Ronsen genannt, hoffend, die Belagerten herauszulocken. Hierin täuschte er sich auch nicht, die belagerten Ordensbrüder glaubten wirklich, Swantopolk sei ganz von dannen gezogen und verließen die Stadt bis auf wenige Mann, um neuen Proviant zu holen. Sie fielen aber dem Swantopolk in die Hände, der sie alle erschlug. Dieser glaubte jetzt, die Stadt gehöre ihm, denn es sei kein Mann mehr darin, sie zu verteidigen. Aber einer von den Belagerten war in die Stadt zurückgelaufen und hatte Kunde gegeben von dem Unfall der Brüder. Da taten sich alle Frauen und Jungfrauen zusammen, die in der Stadt Kulm waren, zogen der Männer Kleider und Rüstungen an und stellten sich also mutig auf die Mauern. Als das Swantopolk sah, verwunderte er sich, daß noch so viele Männer in der Stadt seien, er verzweifelte, diese in seine Gewalt zu bekommen und zog sich von den Mauern zurück; durch die List der Frauen besiegt. Noch heutigentags sind die Frauen und Jungfrauen in Kulm wegen ihrer List und ihres Mutes berühmt.

Ein andermal betrog Swantopolk sich selbst. Er hatte sich im Pomesanischen an einem lustigen Ort, nicht weit von der Weichsel gelagert und war fröhlich und guter Dinge. Unter seinen Gefährten war ein Hofmann, der sich sehr vor den deutschen Rittern fürchtete, so daß Swantopolk ihn schon öfter mit solcher Furcht aufgezogen hatte. Auch diesmal wollte er seinen Scherz mit ihm treiben. Als er daher befohlen hatte, die Mittagstafel anzurichten, schickte er, um während der Mahlzeit etwas zu lachen zu haben, seinen Diener heimlich fort mit dem Befehl, wenn er bemerken werde, daß sie schon bei Tisch seien, so solle er mit Schrecken gelaufen kommen und schreien, daß die Kreuzherren im Anzug seien. Den anderen aber sagte er, was er vorhabe, und daß er diesen Boten abgeschickt habe. An diesem Tag aber waren die Kreuzherren wirklich gekommen, um Swantopolk zu überfallen, von dem sie nicht annahmen, daß er sie erwartete. Als nun Swantopolk mit den Seinen kaum angefangen hatte zu essen, da kam der Diener, der die Ritter gesehen hatte, mit großem Schrecken und Schreien gelaufen, die Kreuzfahrer seien da und folgen ihm auf dem Fuß, ein jeder möge sich retten wie er könne. Als dieses der furchtsame Hofmann hörte, sprang er schnell auf und lief dem nächsten Busch zu, rettete auch damit sein Leben; Swantopolk und die anderen aber lachten seiner, und je mehr der Diener schrie, die Ritter seien da, desto mehr lachten sie, bis sie auf einmal das Ordensvolk ganz in ihrer Nähe sahen. Da verkehrte sich ihr Lachen in Angst und sie wollten davonlaufen, doch die Ritter erschlugen sie alle, bis auf Swantopolk und einen Gefährten, welche beide behende der Weichsel zuliefen, sich hineinwarfen und sich durch Schwimmen retteten. (20)

Ordensritter in Livland. Holzschnitt aus M. Dreßer, Sächsische Chronik. Wittenberg 1596

Die Kurische Schlacht

1260 waren die Litauer in Kurland eingefallen und hatten den Kuren neben Weib und Kind auch die Güter genommen. Da kam der Orden aus Preußen und Livland den Kuren zu Hilfe. Die Kuren baten, der Orden wolle ihnen ihr Weib und Kind nach dem erlangten Sieg wiedergeben, das geraubte Gut möge der Orden behalten. Darauf wollten die Helfer des Ordens nicht eingehen. Das ging den Kuren schwer zu Herzen. Deshalb, als nun die Schlacht anfing und die Litauer von vorn den Orden bedrängten, da schlugen die Kuren von hinten drauf. So starben Burckhart von Hornhausen, Landmeister in Livland, auch Bruder Heinrich Bott, Marschall in Preußen, 150 Ordensbrüder und viele Christen. Und weil sie nicht barmherzig gewesen sind, ist auch ein unbarmherziges Gericht über sie ergangen. (21)

Werdegang einer Heiligen

Im Dorf Montau, unfern dessen die Weichsel und die Nogat sich voneinander trennen, lebte ein frommer Landmann namens Wilhelm Schwartz, dessen Ehe mit seiner Frau Agatha durch neun Kinder gesegnet war. Eins der Kinder hieß Dorothea und war 1336 geboren. Als sie sieben Jahre alt war, wurde sie einmal zufällig mit siedendem Wasser überschüttet und blieb eigentlich nur durch ein Wunder am Leben.
Von dieser Zeit an fühlte sie einen eigentümlichen Drang nach Bußübungen und Beten. Sie geißelte sich, entzog sich den Schlaf, schlug sich mit glühenden Eisen selbst Löcher in ihre Beine und goß dann siedendes Wasser und kochendes Fett hinein, um die Brandwunden recht schlimm zu machen. Sie glaubte, so eine Idee von den Martern zu bekommen, welche einst der Heiland um der Welt Sünden willen erlitten hatte.
Da sie sehr schön war, so fehlte es ihr nicht an Bewerbern, und auf Wunsch ihrer Eltern reichte sie einem derselben, einem Waffenschmied aus Danzig, ihre Hand und zog mit ihm in seine Heimat, wo sie sechsundzwanzig Jahre mit ihm lebte. Auch hier setzte sie ihr früheres andächtiges und schwärmerisches Leben fort, wurde vielfach deshalb verspottet und getadelt, ließ sich aber durch nichts irremachen, umsomehr, als ihr Wesen auch ihrem Gatten zusagte.
Endlich aber ließ sie sich nicht mehr halten, einen längst heimlich gehegten

Marienwerder. Holzstich aus Caspar Hennenberger, Erclerung der Preussischen grössern Landtaffel oder Mappen. Königsberg 1595

Wunsch erfüllt zu sehen, nämlich nach Rom in die heilige Stadt zu pilgern. Ihr Mann machte keine Einwendungen. So verkauften sie denn all ihr Eigentum und zogen 1384 erst nach Aachen, wo ein wundertätiges Marienbild und viele Reliquien aufbewahrt wurden. Nach Verlauf von drei Jahren kehrten sie jedoch nach Danzig zurück, ohne ihre eigentliche Absicht ausgeführt zu haben, und wohnten hier in der Nähe der St. Katharinenkirche, die Dorothea täglich besuchte, wenn sie nicht kleine Wallfahrten zu den benachbarten Heiligtümern machte. Endlich aber, als im Jubeljahr 1390 Papst Urban VI. einen allgemeinen Ablaß verkünden ließ und aus Preußen viele Personen nach Rom wanderten, ergriff auch sie den Pilgerstab und schloß sich diesen an, denn ihr Mann konnte vor Alter und vor Kränklichkeit sie diesmal nicht begleiten.

Während der ganzen Reise und ihres Aufenthalts in Rom soll sich aber Dorothea nur eine einzige Nacht dem Schlaf überlassen haben. Zwei Monate hindurch besuchte sie täglich die sieben größten Kirchen jener Weltstadt, ging im strengsten Winter barfuß einher, genoß nur die notdürftigste und schlechteste Nahrung und versagte sich jede Ruhe und Erholung. Dadurch verfiel sie in eine siebenwöchige Krankheit, welche sie an den Rand des Grabes brachte. Doch sie genas und nachdem sie noch das Osterfest zu Rom mitgefeiert hatte, kehrte sie über Köln nach Danzig zurück. Da sie hier ihren Mann nicht mehr lebend antraf, beschloß sie, ihre restlichen Tage nur dem Himmel, der Kasteiung und dem Gebet zu weihen.

Sie begab sich deshalb nach Marienwerder zu dem Domherrn Johannes, der ihr die Erlaubnis erwirkte, bis an ihren Tod in einer vermauerten Klause zu bleiben. Am 2. Mai des Jahres 1393 wurde sie denn auch, nachdem sie das Abendmahl erhalten, von dem Domherrn Johannes unter ungeheurem Volkszulauf in die St. Johanniskirche geführt und dort in einer Art Zelle so fest eingemauert, daß ihr nur eine kleine Öffnung gestattete, durch diese Speise und Trank zu empfangen und mit der Außenwelt zu verkehren. Hier lebte sie einen Winter und Sommer bei wenig Speise, aber täglichem Genuß des heiligen Abendmahls bis zum 26. Juni 1394. Bald verbreitete sich aber das Gerücht, daß an ihrem Grabe Wunder geschähen. Durch die Ausdünstung ihres Leichnams sollen Kranke ihre Gesundheit, Blinde ihr Augenlicht, Taube ihr Gehör, Stumme ihre Sprache, Lahme und Gichtbrüchige den Gebrauch ihrer Füße, ja selbst dorthin gebrachte Gestorbene das Leben wiedererhalten haben und ihr Grab ist bis zum vergangenen Jahrhundert der Wallfahrtsort frommer Pilger geblieben. (22)

Die ersten Münzen in Preußen

Unter dem Hochmeister Dietrich, Burggraf von Altenburg, wurden die Leute in Preußen sehr mit ausländischen Münzen, böhmischen Groschen und pommerschen Vierchen betrogen. Da war zu Thorn ein Bürger, Bernhard Schilling von der Lignitz, der hatte dreißig Zentner Silber aus dem Bergwerk Nicklasdorf bekommen, davon machte dieser eine Münze, rund, halb von Silber, von der galt das Stück sechs Heller oder vier Vierchen und sie bekam den Namen von ihm und hieß seitdem Schilling. Sie hatte auf einer Seite einen Schild mit einem Adler wie ihn der Hochmeister führte, mit der Umschrift: »Frater Theodoricus Magister«, auf der andern Seite aber einen Schild wie ihn die gemeinen Brüder führen, und die Umschrift lautete: »Moneta Dominorum Prussiae«. (23)

Wapen

Der Ritterbrüder Deudtsches Or: dens / wie es jnen erstlich vom Bapst Cölestino / dem dritten / gegeben ist.

Wappen der Ritterbrüder vom Deutschen Orden, das sie von Papst Cölestin III. erhalten haben sollen zur Mahnung an die Abkehr vom Laster und die Einhaltung der Ordensregeln. Holzschnitt aus Mattheus Waissel, Chronica Alter Preusscher, Eifflendischer und Curlendischer Historien. Königsberg 1599

Das Fest auf der Memel

Unter dem Hochmeister Conrad von Wallenrodt, der von 1390–1393 regierte, wurde ein glänzender Ehrentisch gehalten, von dem man folgendes erzählt: Dieser Hochmeister hatte zum Kampf gegen die heidnischen Litauer aus Deutschland viele Fürsten und Herren mit ihren Völkern zu Hilfe gerufen. Es kamen auf diese Weise 46000 Mann ins Land, etliche um des Goldes, etliche um der Ehre, etliche um Marien willen. Der Hochmeister selbst hatte 18000 Mann. Mit allem diesem Volk zog er nach Litauen bis unter Kauen. Dort wurde am Ägidien-Tag der Ehrentisch gehalten, den Engelbert Rabe, der Obermarschall, zugerichtet hatte. Er wurde in der Memel gehalten, auf einem Werder, auf dem der Orden zuvor ein Schloß gehabt hatte, Marienwerder genannt, welches aber zu damaliger Zeit schon zerstört war. Gegen Aufgang der Sonne über dem Fluß war der Ordensmarschall mit dem Heer des Ordens; auf der andern Seite gegen Niedergang war der Großkomtur mit dem fremden Heer. In der Mitte auf dem Werder war der Hochmeister mit den Fürsten, Herren und Rittern, unter einem herrlichen und fürstlichen Zelt. Unter diesem Zelt war auch der Ehrentisch für zwölf Personen prächtig zugerichtet. Als er fertig war, nahm man das Zelt hinweg, damit er von beiden Heeren möchte gesehen werden. Alles, was auf dem Tisch war, das war golden oder von Silber und vergoldet, und es glänzte schön, daß man es weit sehen konnte. Man trug zehn Gerichte auf und die Mahlzeit währte fünf Stunden lang, von neun Uhr morgens bis um zwei Uhr nachmittags. Zu jedem Gericht hatte man neue silberne Teller und Löffel. Auch hatte man köstliche Getränke aus fremden Landen, zu jedem Getränk waren besondere goldene und silberne Geschirre, und wer einen Trunk aus einem genommen hatte, der bekam ein anderes und behielt das, aus dem er getrunken, zu eigen. Während des Essens wurde einem jeden ein großer breiter Hut von goldenem Stoff über den Kopf gegen die Sonne gehalten. Auch kamen viele Herolde, die von allerlei ritterlichen Taten erzählten.

Die erste Stelle an diesem Ehrentisch hatte Cirodius von Richardsdorf, ein Ritter aus Österreich, denn er hatte in einem Krieg gegen die Türken ganz allein sechzig gerüstete Mann erlegt und umgebracht. Die andere Stelle hatte Markgraf Friedrich von Meißen, denn sein Geschlecht hatte den Orden in Nöten niemals verlassen. Die dritte Hildermundus, ein Graf aus Schottland, dessen Vater sich für seinen König töten ließ. Die vierte Rupertus, Graf von Würtemberg, der zum Kaiser erwählt worden war, aber aus Demut das Kaisertum einem andern übergab. Die fünfte Stelle hatte der Hochmeister selbst, Conrad von Wallenrodt, denn, obgleich reich und obgleich ihm eine schöne Jungfrau, eine Gräfin von Habsburg, zur Ehe vorgeschlagen wurde, nahm er doch den Orden an um Marien willen. Die sechste Stelle hatte Degenhardt, ein Bannerherr aus Westfalen, denn er hatte den Mördern seines Vaters vergeben, da sie ihn um Marien willen baten. Die siebente hatte Friedrich von Buchwalde, der niemanden in seinem Leben etwas versagte, wenn er um St. Georg bat. Und also fort saßen auch die andern fünf. Dieser Ehrentisch kostete 500000 Mark Preußisch. (24)

Die Schlacht bei Tannenberg 1410. Zeitgenössischer Holzschnitt

Die Tannenberger Schlacht

In der Nacht, die der Tannenberger Schlacht im Jahre 1410 vorherging, zeigte sich am Himmel ein wunderbares Zeichen, das deren Ausgang wohl verkünden mochte. In der Gegend des Mondes erblickte man einen Mönch, der eine Zeitlang mit einem König kämpfte, zuletzt aber besiegt und vom Himmel verjagt wurde. Auch während der Schlacht selbst sah man einen Mann in polnischer Kleidung über dem Heer Jagiellos schweben, der die polnischen Völker anfeuerte, wenn sie zu weichen begannen, sie segnete und ihnen den Sieg versprach. In diesem Mann glaubte man den heiligen Stanislaus, den Schutzpatron Polens, zu erkennen.

Nach der Schlacht bei Tannenberg ließ der siegreiche König von Polen, Wladislaus Jagiello, drei Tage auf der blutigen Walstatt verweilend, die Gefangenen und die dem Feind abgenommenen Banner vorführen. Das Banner des Bischofs von Pomesanien sandte er gleich als Siegeszeichen an seine Gemahlin und die mit der Hut des Krakauer Schlosses betrauten

Großen; die übrigen schmückten seine Feldkapelle, in der er den ersten
Dankgottesdienst abhalten ließ, während die Hauptfeier für Krakau vor-
behalten blieb. Nach langem Umherziehen kam der König endlich am 25.
November 1411 in seiner Hauptstadt an. (25)

Heinrich Reuß von Plauen

Nach der unglücklichen Tannenbergischen Schlacht waren von dem gro-
ßen Adel des Ordens in Preußen nicht mehr übrig geblieben als drei ihrer
Ritter; dies waren Heinrich Reuß von Plauen,* Statthalter und Komtur zu
Schwetz, Michael von Sternberg, Pfleger der Neumark, und Heinrich
Reuß von Plauen,* Komtur zu Danzig. Alle drei strebten heimlich nach
dem Hochmeisteramt. Die anderen geringeren Brüder überließen die
Wahl des Hochmeisters allein diesen dreien, möchten sie zum Hochmeister erwählen, welchen sie wollten.
Diese drei berieten sich deswegen untereinander, und schließlich trugen
Michael Küchmeister von Sternberg und der Komtur von Danzig die
Wahl einmütig dem Statthalter auf, sagend, welchen er erwählen würde,
den wollten sie willig als ihren Herrn anerkennen. Sie dachten dabei im
stillen, Heinrich Reuß von Plauen werde ja so unverschämt nicht sein und
sich selbst erwählen. Der Statthalter aber bemerkte wohl, wohin ihre Ge-
sinnung ging, und am andern Tag, als nun die Wahl vorgenommen werden
sollte, trat er mit den andern beiden Rittern und den geringeren Brüdern in
der Kirche vor den Altar und fragte sie alle, ob sie ihm mit den andern beiden die Wahl übergäben, was die Brüder alle mit ja beantworteten. Er
fragte weiter die beiden Ritter, ob sie ihm allein die Wahl anheimstellten
und ob sie unwiderruflich den für ihren Herrn annehmen wollten, den er
ihnen benennen werde, und sie sagten beide ja. Darauf er: »Wem ich den
Mantel umhängen werde, der soll Hochmeister sein!« Er nahm also den
Mantel vom Altar, hing ihn sich selbst um und sprach: »Ich, Heinrich
Reuß von Plauen, kraft eurer aller Bewilligung, erwähle mich selbst zum
Hochmeister, als den ich vor allen andern den Tüchtigsten erkenne.« Dem
durfte niemand widersprechen, und er war Hochmeister. (26)

---

* Simon Grunau erklärt die Namensgleichheit so: Dieses Adelsgeschlecht aus dem Vogtland
  hat alle männlichen Nachkommen Heinrich genannt, weil nach einer Prophezeiung einer
  seiner Söhne mit Namen Heinrich Kaiser werden, das Heilige Römische Reich in neuem
  Glanz errichten und über ganz Asien in Jerusalem regieren sollte.

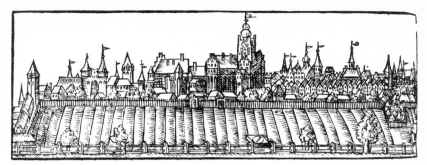

Marienburg. Holzstich aus Caspar Hennenberger, Erclerung der Preussischen grössern Landtaffel oder Mappen. Königsberg 1595

Der Seebischof

Im Jahre 1433 wurde in der baltischen See ein Wassermann gefangen, der in allem einem Bischof glich. Er trug eine Bischofsmütze auf dem Haupt und einen Bischofsstab in der Hand, hatte auch ein Kleid wie ein Meßgewand an. Der König von Polen behielt ihn etliche Tage bei sich, als er aber sah, daß der Wassermann wegen großer Betrübnis nicht lange leben würde, ließ er ihn wieder in die See setzen. Den Bischöfen erwies er besonders viel Ehre, ließ sich auch von ihnen anrühren, sprach aber nicht. Als der König von Polen ihn in einen Turm schließen und dort bewahren lassen wollte, setzte er sich dagegen und bat die Bischöfe durch Mienen und Zeichen, daß man ihn wieder in sein Element gehen lasse. Er wurde alsdann von zwei Bischöfen bis an die See geführt: als er das Wasser sah, zeigte er große Freude und sprang schnell hinein; drauf machte er ein Kreuz, beugte sein Haupt, wie wenn er sich hätte bedanken wollen, und tauchte unter, kam auch nie wieder zum Vorschein. (27)

»Amt gibt Kappen«

Der Hochmeister Heinrich von Richtenberg war anfangs sehr arm, denn die besten und unzerstörten Güter des Ordens waren von Söldnern versetzt, so daß er seine Conventsbrüder nicht ganz ausreichend versorgen konnte und etliche mit geflickten Kleidern einhergehen mußten. Unter ihnen war Bruder Mattheis von Beybalen, der oft dem Hauskomtur seine zerrissene Kappe zeigte. Er wurde aber stets vergeblich an den Hochmeister verwiesen. Einst saß der Hochmeister mit fremden Gästen auf der Brücke, da setzte dieser Bruder einen Kranz auf und ging da vorbei. Das bemerkte der Hochmeister und sagte zornig: »Willkommen, Fastnacht! Ist das des Ordens Weise, daß man Kränze tragen soll?« Da sprach Bruder Mattheis von Beybalen: »Gnädiger Herr, Gott sei Lob, daß Euer Gnaden sehen können. Ich habe oft zuvor mit meinem zerrissenen Mantel vor Euch gestanden, aber Ihr habt ihn nicht sehen können. Deshalb müssen diese edlen Blumen die Kraft haben, daß sie Euch die Augen auftun!« Der Hochmeister merkte wohl, um was es ihm zu tun wäre, und die fremden Gäste baten auch für ihn. Da gab er ihm das Amt, von den Schäfern die Zinskäse zu empfangen. Diese nahm er und legte sie in siedendheißes Wasser und zog ihnen so das Fett aus; das verkaufte er den Tuchmachern in Schlesien, die wollten damit krumpeln. Er kaufte sich also damit in Kürze gute Kleider und was ihm sonst vonnöten war. Da wunderten sich die andern und fragten ihn, wo er das her hätte, zumal er doch seine Zahl abliefere. Er aber sprach: »Amt gibt Kappen«, einen andern Bescheid aber wollte er nicht geben. (28)

Die Werwolf-Probe

Dem Herzog Albrecht wurde von den Bauern ein Mensch nach Königsberg gebracht, den man für einen Werwolf hielt. Seine verwilderte Gestalt machte ihn freilich einem Tier ähnlicher als einem Menschen. Im Gesicht hatte er verschiedene Wunden und Narben, die nach seinen Angaben von den Bissen der Hunde, da sie ihn als einen Wolf verfolgt, hergekommen sein sollten.

Der Herzog ließ ihn gründlich verhören. Der Mann bekannte frei, daß er zweimal im Jahr, nämlich um das Weihnachts- und Johannisfest, in einen wirklichen Wolf verwandelt und um diese Zeit durch einen innerlichen Trieb gezwungen würde, sich in den Wäldern mitten unter den Wölfen aufzuhalten, obwohl er eine große Ängstlichkeit des Gemüts und Schwachheit des Leibes empfinden müßte, ehe die Haare ausbrächen und er einen Wolfspelz anzöge. Man glaubte ihm dies, wollte aber eine Probe davon sehen, und er wurde im Königsberger Schloß sorgfältig verwahrt. Die Zeit seiner Verwandlung kam heran, er blieb aber ein Mensch. Man wartete noch länger und er blieb derselbe. (29)

Bernstein gegen Salz

Im Samland am Meer sind hohe weiße Berge von weißem Sand, auf diesen stehen Eichen, zuzeiten auch Fichten. Im Sand findet man eine Materie, die ist weich wie ein Teig, den man geformt hat und im Bratofen backen will, von bräunlicher und weißlicher Farbe. Treibt sie im gesalzenen Meer umher, wird sie hart wie ein Stein, ist teils lauter und klar, goldscheinend, teils brauner oder vielfarbig, aber der beste Stein ist der ganz helle, fast kreideweiße, den man wie Korallen verkauft.

Wie man ihn erlangte, ging so vor sich: Man sah ihn nachts im Wasser treiben, aber die großen Stücke liegen am Grund, und so mußten bei stürmischem Nordwind alle umliegenden Bauern zum Strand kommen und nackt mit den Keschern laufen, um die Tiefe abzufischen, wo der Bernstein schwimmt. Soviel Scheffel Bernstein einer fischte, soviel grobes Salz erhielt er. Bei diesem Bernsteinfischen ertranken viele Bauern. (30)

Hexentreiben

Die Hexen hielten auch in Preußen auf sogenannten Blocksbergen ihre nächtlichen Versammlungen; ein solcher lag bei Pogdanzig im Schlochauer Kreis. Zweimal im Jahr, auf Volbrecht (Walpurgis) und Johannis, versammelten sich dort Männer und Frauen. Sie ritten meistens auf einer Garstell, einem Werkzeug, dessen man sich bediente, um das Brot in den Ofen zu schieben, oft auch auf einem schwarzen dreibeinigen Pferd dorthin, und zwar durch den Schornstein und mit den Worten: »auf und davon und nirgends an«. Wenn alles zusammen war, wurde gespeist und dann auf einer gespannten Leine unrechts (linksherum) getanzt, wozu ein alter Mann auf einer Trommel und einem Schweinskopf musizierte.

Vor etwa 90 Jahren erzählte ein damals 80jähriger Invalide, daß ihm folgendes in seinen Jugendjahren gewiß und wahrhaftig passiert sei und nahm es übel, wenn man's ihm nicht glaubte: Ich stand an der polnischen Grenze in einem Dorf bei zwei einzelnen Frauen im Quartier, wo ich es recht gut hatte, denn beide waren gerade noch nicht sehr alt und pflegten mich aufs beste. In der Walpurgisnacht wache ich auf und sehe, daß in der Küche – meine Schlafkammer stieß nämlich gerad an die Küche, so daß ich alles, was darin vorging, übersehen konnte, ohne selbst bemerkt zu werden – ein helles Feuer brannte. Die Frauen setzten einen Kessel auf das

Teufel, eine Hexe davontragend. Holzschnitt aus Olaus Magnus, Historia de gentibus septentrionalibus. Venedig 1565

Feuer und warfen unter unverständlichem Gemurmel mehreres, was ich nicht unterscheiden konnte, doch namentlich eine ganze Partie Fett hinein. Als dieses tüchtig gekocht hatte, zogen sich zu meiner Verwunderung beide Frauen nackend aus und beschmierten sich mit dem Gekochten über und über. Hierauf nahm jede einen Besen zwischen die Beine und indem sie riefen »Hei op hei an, stött nernich an« flogen sie durch den Schornstein auf und davon. Im Augenblick war ich ganz starr und wußte nicht, was ich denken sollte, doch munter und lustig, wie ich damals war, sprang ich auf, warf das Hemd ab, beschmierte mich ebenso wie ich's gesehen, ergriff eine Schaufel, weil kein Besen mehr vorhanden, und fuhr auf dieselbe Manier meinen beiden Frauen nach. Es ging rasch über die Wolken hin im Stockfinstern. Endlich wurde ich auf einem hohen Berg abgesetzt. Hier brannte ein großes Feuer, und viele Frauen und Männer, doch größtenteils Frauen, waren lustig und fröhlich um das Feuer herum, wo gekocht und gebraten wurde. Ich versteckte mich hinter einem großen Stein, deren mehrere dort im Kreis lagen. Auf dem mittelsten Stein stand ein großer Ziegenbock. Nun faßten sich alle an und tanzten um den Bock herum. Als das eine Weile gedauert hatte, traten sie einzeln jeder zu dem Bock heran und taten, indem sie die Zunge herausstreckten, was von vielen oft angeboten, aber niemals getan wird. Als diese Zeremonie vorbei war, wurde tapfer geschmaust. Da der Geruch der Speisen mich verlockte, auch meine Wirtinnen in der Nähe standen, kroch ich hervor und sagte: »Na göff Se me doch ook Stökke Fleesch!« – »Ei Martin, wie kömmst du her?« sagten sie ganz erstaunt. »Na, so wie ju«, sagte ich, »eck si ook gefohre op Schöffel.« – »Na, so is good, bliew man hier on eet on drink driest. Du kannst je ook Fiddel speele, denn hernah wölle wi danze.« Ich aß nun tüchtig, noch mehr trank ich; dann gaben sie mir eine Geige und ich spielte tapfer auf. Sie jagten und tanzten wie toll, ich spielte und trank, bis ich einschlief. Ass öck opwaak, leech seck unner Galge, hebb seck Katz dooder, speel seck met Finger op Töttke. (31)

Die zerbissene Hexe

Eine Bauersfrau hatte das Unglück, daß jeden Morgen ihrer Kuh die Milch genommen war. Sie ahnte wohl, es müsse hier nicht mit rechten Dingen zugehen, paßte auch auf, allein sie konnte die Hexerei doch nicht ergründen. Endlich fiel dem Wirtssohn ein, die Kuh in der Nacht zu bewachen. Er versteckte sich also, als es dunkel geworden war, in dem Stall und sah auch bald, wie sich ein großes rundes Knäuel unter die Kuh rollte. Schnell springt er zu und findet zu seinem Erstaunen einen herrlichen Käse, der ihn so appetitlich anlächelt, daß er sogleich ein kräftiges Stück herausbeißt und den Rest, um vor Gästen sicher zu sein, in seinem Kasten verschließt. Morgens fand er jedoch statt des Käses eine alte Hexe im Kasten, der er die Nase abgebissen und aufgegessen hatte. (32)

Der Alf

Der Vogel Alf bringt Reichtum, doch muß man ihn anzunehmen verstehen. Gewöhnlich trifft er den Dummen und zieht wieder ab. Er sieht wie ein grauer Habicht aus. Wenn er zieht, so gleicht er einem Stern, der einen langen feurigen Besen hinter sich schleppt.
In dieser Gestalt haben ihn einst Hirten gesehen. Er ist immer mannshoch über der Erde fortgeflogen und endlich auf einer entfernten Wiese niedergefallen; aus falscher Angst haben sie ihm aber nicht weiter nachgespürt.

Besonders günstig ist er einer längst verstorbenen Frau S. aus Pokalkstein gewesen und hat sie steinreich gemacht; andere sagen, die Untererdchen hätten ihr Geld zugetragen.

In Labiau hatte zu Großvaters Zeiten ein Töpfer S. mit dem Alf vereinbart, daß ihm dieser einen Stiefel voll Geld zutragen sollte. Der Töpfer schnitt aber die Sohle des Stiefels aus und hängte ihn so in den Schornstein, daß der Alf den Betrug nicht merken konnte. Nun fing der Alf an zu tragen und zu tragen, bis er zuletzt ganz blaß wurde. »Ist noch nicht voll?« fragte er endlich. »Noch nicht!« antwortete der Töpfer, indem er die Haufen Geld weglegte. Da warf der Alf eine Menge Läuse durch den Stiefel und machte sich aus dem Staub.

Auch wurde einst in dem Nachlaß einer Frau ein großer Braukessel voll Geld gefunden, der mit Stangen auf das Gericht getragen werden mußte. Alles dieses Geld hatte ihr der Alf gebracht, und damit ihrem Sohn gleiches Glück zuteil würde, hatte sie ihm den Alf in den linken Fuß einimpfen lassen. (33)

Der Alp

Ein ganz anderes Wesen ist der Alp oder Mahr. Er hat nicht Vogelnatur, sondern ist gewöhnlich ein altes Weib, eine Hexe. Findet man die Kammhaare der Pferde morgens zerzaust und verknotet, so hat sie nachts der Mahr geritten. Bei den Menschen verursacht er das Magendrücken, indem er sich in Gestalt einer bleiernen Nähnadel auf das Zudeck legt.

Es wurde einst jemanden, den der Alp alle Nacht drückte, geraten, sich eine Hechel auf den Magen zu legen. Der Alp kehrte die Hechel aber um und drückte sie ihm mit den Spitzen in den Leib. Besser ist's man greift die bleierne Nähnadel, biegt sie zusammen und steckt die Spitze durch das Öhr. Morgens wird man dann die alte Hexe vor dem Bett liegen finden, den Kopf in den Po gesteckt. Ihr kann nicht mehr geholfen werden.

Die Weiber, welche einmal Alpe sind, haben eine wahre Wut auf das Geschäft. Ein Hausherr hatte z. B. bemerkt, daß sein Dienstmädchen alle Abend zum Fenster hinausstieg und die Nacht über fortblieb. Einst, als sie wieder entschlüpfen wollte, erwischte er sie. »Ach«, hat sie da geseufzt »wie wird das nun werden, ich bin ein Alp und muß alle Nacht drücken gehn.« Der Hausherr hat sie durch Schläge zu kurieren gesucht, es wird aber wohl nichts geholfen haben. (34)

Das Wafeln

An der Ostsee glauben die Leute, den Schiffbruch, das Stranden, oftmals vorherzusehen, weil solche Schiffe vorher spukten, einige Tage oder Wochen an dem Ort, wo sie später verunglücken, bei Nachtzeit wie dunkle Luftgebilde erschienen, alle Teile des Schiffs – Rumpf, Tauwerk, Masten, Segel – in bloßem Feuer vorgestellt. Dies nennen sie wafeln.
Es wafeln auch Menschen, die ertrinken, Häuser, die abbrennen werden und Orte, die untergehen. Sonntags hört man noch unter dem Wasser die Glocken versunkener Städte klingen. (35)

Preußischer Auerochse. Holzstich aus Caspar Hennenberger, Erclerung der Preussischen grössern Landtaffel oder Mappen. Königsberg 1595
Dazu Hartknoch 1684: »*Das Land Preußen hat auch Auerochsen von vortrefflicher Stärke und Geschwindigkeit, die an Größe den Elefanten wenig weichen, und sind so grimmig, daß sie weder des Menschen noch eines anderen Tieres, dessen sie ansichtig werden, schonen.*«

Die Sonntagsgespenster

Der große Reichtum, der während der Blütezeit des Ordens sich in vielen Gegenden Preußens angehäuft, hatte die früheren einfachen Sitten der Bewohner in Üppigkeit und Schlemmerei verkehrt. Besonders war des Trinkens und Essens kein Ende, und es war selbst Sitte geworden, die Sonn- und Festtage den Trinkgelagen zu widmen. Dieses Greuel konnte aber Gott nicht länger ansehen, und zur Strafe sandte er gräßliche Gespenster, welche an Sonn- und Festtagen in den Schlössern, Burgen und Wohnungen sich am hellen Tage zeigten, die Leute beim Essen und Trinken anfielen und sie dermaßen peinigten, daß viele während der Mahlzeit von Raserei ergriffen wurden, nach Art der Hunde auf den Straßen umherliefen und schrien: was wir suchten, haben wir gefunden; einige stürzten sich in Flüsse und Brunnen, andere ins Feuer und verbrannten bei lebendigem Leib. Die Gespenster verbreiteten ein solches Entsetzen, daß an den Sonn- und Feiertagen es überhaupt niemand mehr wagen mochte, etwas zu genießen. Um diesem Leiden ein Ende zu machen, hielten die preußischen Bischöfe 1430 eine Synode, wo bei strenger Strafe angeordnet wurde, daß an Sonn- und Festtagen vor verrichtetem Gottesdienst weder Bier noch Branntwein noch Wein verkauft werden sollte. Von dieser Zeit an verschwanden die Gespenster wieder. (36)

Die Erfindung des Spießbratens

Ein reicher Mann machte einst eine Reise und verirrte sich, denn auch reiche Leute wissen nicht immer den rechten Weg und Steg, und mußte eine ganze Nacht und mehrere Stunden des folgenden Tages in einem finsteren Wald zubringen. Nach langem, ermüdendem Kriechen durch Hochwald und Dickicht kam er endlich zu der Höhle eines Waldbruders, der sich aus dem Leben zurückgezogen und dem Dienst der Götter gewidmet hatte. Dieser nahm den Verirrten gern auf und setzte ihm das Beste vor, was er hatte, nämlich Wurzeln und Kräuter.
So hungrig nun auch der Fremdling war, wollte doch seinem verwöhnten Gaumen solche Kost nicht schmecken, was der Waldbruder an den Mienen und Gebärden ungern bemerkte. Er dachte nun sorglich nach, wie er wohl seinem Gast ein besseres Mahl bereiten könne. Ein einziges Kaninchen war sein Lebensgefährte und Schlafgenosse; aber dennoch würde er

es gern dem Gast geopfert haben, wenn er nur einen Topf gehabt hätte, um es darin zu kochen! Die Gastfreundschaft machte ihn erfinderisch. Er schlachtete sein Kaninchen, schnitzte aus einem Baumast einen Spieß, steckte daran das Kaninchen, drehte es über dem Feuer, bis es gar war, und setzte es dann dem Reisenden vor. Dieser fand die Speise so wohlschmeckend, daß er, zu den Seinen zurückgekehrt, sie mit der neuen Zubereitungsweise bekanntmachte und nun das Braten am Spieß bei den Reichen allgemeine Sitte wurde. (37)

Wie der Tabak nach Ostpreußen kam

Es lebte in Ostpreußen ein Bauer, der es durch List und Schlauheit zu großem Wohlstand gebracht hatte; aber das war ihm noch immer nicht genug. Als er eines Tages darüber nachdachte, wie er noch mehr zusammenraffen könnte, stand plötzlich der Böse vor ihm und sprach: »Alle Wünsche sollen dir in Erfüllung gehen, wenn du versprichst, die Früchte deines Feldes in den nächsten drei Jahren mit mir zu teilen.« Der Bauer überlegte einen Augenblick, dann erwiderte er: »Schon gut, mir soll's recht sein!«
Beide schlossen nun einen Vertrag. Danach sollte im ersten Jahr alles, was über der Erde wächst, dem Bauern gehören, während der Teufel alle Früchte ernten durfte, die in der Erde wuchsen. Im zweiten und dritten Jahr sollte jedesmal ein Wechsel stattfinden, damit niemand bei dem Geschäft zu kurz komme.
Als nun die Zeit der Aussaat herangekommen war, ging der Bauer hin und besäte seine gesamten Äcker mit Weizen. So konnte er bei der Ernte die goldene Frucht einheimsen, während der Teufel mit einem Fluch von den Stoppeln Besitz nehmen mußte. Er tröstete sich aber mit dem Gedanken, im zweiten Jahr dafür um so reichlicher entschädigt zu werden.
Der Bauer bestellte nun alle seine Felder mit Kartoffeln, so daß er im Herbst die schönsten Knollen heimbrachte. Der Teufel aber war wieder der Angeführte; denn er mußte sich mit dem Kraut begnügen.
Da trat er zornig vor den Bauern hin und sprach: »Zweimal hast du mich betrogen, das dritte Mal will ich säen. So es dir aber nicht gelingt, den Namen der von mir gesäten Pflanze zu erraten, so sollst du überhaupt keinen Anteil an der Ernte haben; und als besonderes Entgelt für meine Mühe will ich mir dann noch deine arme Seele holen.« Der Bauer dachte: Zweimal ist es mir gelungen, ich wag's auch das dritte Mal, und entgegnete:

Der Teufel sät Unkraut. Holzschnitt aus Geiler von Kaysersberg (Ausschnitt).
Augsburg 1517

»Gut, es mag sein, wie du gesagt hast!«

Im Frühling des dritten Jahres sproßten aus dem Acker lauter kleine Pflänzchen hervor, die rasch emporwuchsen und große runde Blätter hatten. Der Bauer erschrak. Er kannte alle Pflanzen der ganzen Umgegend sehr genau, aber solch ein Gewächs hatte er noch nirgends gesehen. Auch die zahlreichen Personen, die täglich aus nah und fern herbeieilten, um die wunderbare Pflanze zu sehen, konnten ihm keinen Aufschluß über ihren Namen geben. Indessen kam die Ernte immer näher und es überlief ihn heiß und kalt, wenn er an den Tag der Abrechnung dachte.

Endlich bot eine alte Frau dem Verzweifelten ihre Dienste an. In seiner Angst versprach er ihr alles, was sie von ihm verlangte, wenn sie ihm helfe. Die Frau aber entgegnete mit pfiffigem Gesicht: »Ich werd's schon rauskriegen, ich werd's schon rauskriegen!«

Am Abend desselben Tages, als die Sonne schon untergegangen war, ging sie hinaus auf das Feld, wo die geheimnisvollen Pflanzen wuchsen. Dann fing sie an, diese nacheinander langsam herauszureißen, als ob sie Unkraut ausjäte. Da fuhr der Böse plötzlich wie ein Wirbelwind daher, stellte sich drohend vor die Übeltäterin und schrie sie an: »Was hast du hier auf meinem Acker zu schaffen, und warum reißt du meinen Tabak aus?« Die Frau machte ein paar Bücklinge, entschuldigte sich mit ihrer Unwissenheit und versprach, nie wieder den Acker zu betreten. Dann eilte sie schnell heimwärts, um dem bekümmerten Bauern das enthüllte Geheimnis anzuvertrauen.

Als nun die Frucht zur Reife gelangt war, erschien der Böse wieder, um mit dem Bauern abzurechnen. Der aber empfing ihn und sprach: »Wenn du nichts Besseres säen kannst als Tabak, so ist es nicht der Mühe wert, sich mit dir in ein weiteres Geschäft einzulassen.« Da machte der Teufel ein langes Gesicht. Dann stieß er einen Fluch aus und verschwand.

Der Bauer brachte nun fröhlich auch die dritte Ernte ein. Der Tabak aber verbreitete sich bald in ganz Ostpreußen, wo er auch heute noch vielfach »Teufelskraut« genannt wird. (38)

Der alte Dessauer

König Friedrich Wilhelm I. schickte einst seinen General, den alten Fürsten von Dessau, nach Nordostpreußen, um dort lange Kerls für die Garde zu suchen. Bei dieser Gelegenheit lernte der alte Dessauer das Land gut kennen.

Einige Zeit darauf sagte der König, er habe doch viele Provinzen in seinem Land, mit denen er nichts anfangen könne, und dazu gehöre auch Ostpreußen. Da meinte der alte Dessauer, man tue dem Land unrecht; und er beschrieb nun dem König, was es in Ostpreußen Schönes und Gutes gäbe. Da wurde der König aufmerksam auf das Land und schaffte fortan in ihm viel Gutes. Aus Dankbarkeit aber schenkte er dem Fürsten die Herrschaft Norkitten in Nordostpreußen.

Der alte Dessauer war bekanntlich ein guter Wirt; und so richtete er auch in seiner neuen Herrschaft manches neu ein. Unter anderm ließ er in dem Dorf Bubeinen eine neue Mühle bauen. Als sie fast fertig war, kam eines Tages ein litauischer Müllergesell herbei und bat, an der Mühle arbeiten zu dürfen. Das wurde ihm aber abgeschlagen, weil der Fürst bloß Dessauer arbeiten ließ und glaubte, daß die Litauer nichts könnten. Darüber war der Gesell sehr entrüstet, und er schwur, daß man ihn noch zurückholen werde.

Der Müllergesell aber war ein großer Zauberer. Er brachte es nun zuwege, daß die Arbeit gar nicht mehr vorwärtsgehen wollte. Der Mühlenmeister mochte schimpfen soviel er wollte und die Arbeiter mochten schwitzen von morgens früh bis abends spät: die Mühle wurde durchaus nicht fertig. Da merkte der Meister endlich, wem er dies zu verdanken habe. Er rief den litauischen Gesellen zurück, und siehe da – die Mühle wurde ohne besondere Schwierigkeit bald fertig, daß es die schönste Mühle im Land war. Als aber der Gesell seine Bezahlung forderte, da wies ihn der Fürst schnöde ab und gab ihm keinen Pfifferling; denn der Fürst war selbst ein Zauberer und wußte, daß ihm in seinem Schloß der Gesell nichts anhaben konnte. Daß der alte Dessauer ein Zauberer war, ist ganz gewiß; denn keine Kugel konnte ihm was tun. Auch ist es bekannt, daß er einmal tief im Sommer von Memel nach Königsberg mit seinem Wagen und sechs Pferden davor mitten über das Haff reiste; und das Wasser hielt so fest, als ob es im strengsten Winter wäre.

Der Gesell aber war doch ein größerer Zauberer als der Fürst. Als dieser nämlich einige Zeit darauf nach Königsberg reisen mußte, da reiste ihm der Gesell dahin nach; denn er wußte wohl, daß er dort dem alten Herrn über war. Als er in Königsberg ankam und am königlichen Schloß vorbeiging, lag der Fürst gerade im Fenster und rauchte aus einer langen Pfeife Tabak. Der Gesell stellte sich vor ihn hin und forderte seinen Lohn für den Bau der Mühle. Der alte Dessauer aber lachte ihn aus. Da zauberte der Gesell ihm auf einmal ein Elchgeweih an den Kopf. Das wurde mit jedem Augenblick größer und immer größer. Anfangs merkte der Fürst gar nichts davon und rauchte lachend seine Pfeife weiter. Als aber die Leute auf der Straße verwundert stehenblieben und immer nach ihm sahen, da faßte er sich endlich an den Kopf und fühlte nun das große Geweih. Er erschrak darüber sehr und wollte in die Stube zurückgehen; aber das Geweih war zu groß; er konnte seinen Kopf nicht aus dem Fenster ziehen. Da lachte nun der litauische Gesell und ließ nicht nach, bis der Fürst durch einen Offizier ihm soviel Geld auszahlen ließ wie er forderte. Darauf verschwand dann das Geweih.

Seitdem hat der alte Dessauer sich mit keinem Litauer mehr in Zauberkünste eingelassen. (39)

Der Streit um die Sau

Zur Zeit Friedrichs des Großen lebte in der Provinz ein Bauer neben einem Adligen. Der Bauer versah alles ordentlich, der Adlige war in seiner Wirtschaft sehr nachlässig. Weder um seinen Garten, noch um seinen Hof, noch um sein Feld ließ er Zäune bauen. Eines Tages nun lief eine Sau des Bauern in den Garten des Adligen. Der nahm gleich das Gewehr und schoß das Schwein tot.

Als der Bauer eine Entschädigung verlangte, wies der Adlige ihn aus dem Hause. Da ging der Bauer zum Pfarrer, der Pfarrer sollte ihm eine Klageschrift an den König aufsetzen. Doch der wollte sich mit dem Adligen nicht verfeinden und erfüllte die Bitte nicht. Nun erbat sich der Bauer vom Küster einen Bogen Papier, machte mit einer Feder ein paar Linien und Kleckse darauf. Das ist meine Bittschrift, sagte er. Dann machte er sich auf und wanderte nach Berlin. Als er beim Schloß angelangt war, stellte er sich vor das Fenster des Königs und hob seine Bittschrift hoch. Der König bemerkte das und schickte seinen Diener nach dem Schreiben. Der König besah das Schreiben von allen Seiten, wußte aber nicht, was er davon halten sollte. Er ließ also den Bittsteller zu sich rufen. Der Bauer erzählte von seinem Unglück, dann zeigte er auf seine Bittschrift und sagte: »Diese Linie bedeutet den Garten des Adligen, die zweite den Hof und die dritte mein Haus. Der Klecks bedeutet meine Sau. Der zweite Klecks ist die Stelle, an der der Adlige stand und meine Sau totschoß.«

Als der König ihn angehört hatte, befahl er ihm, am nächsten Tag zur Mittagszeit wieder aufs Schloß zu kommen. Seine Minister und höchsten Generäle lud er ebenfalls zum Essen. Nach dem Essen wurde der Bauer in

Das Schloß in Königsberg. Holzstich um 1835

den Saal geführt. Der König zog die Bittschrift aus der Tasche, zeigte sie den Anwesenden und fragte sie, ob sie das lesen könnten. Keiner war imstande, die Striche und Kleckse zu erklären. Da winkte er dem Bauern mit dem Finger; der trat herzu und begann sogleich die Zeichen wie gestern zu erklären, so daß die Herren Mund und Augen aufsperrten. Darauf ließ der König dem Bauern zu essen und zu trinken vorsetzen, gab ihm Geld und befahl ihm, nach Hause zu gehen.

Bevor noch der Bauer wieder zu Hause war, erhielt der Adlige ein Schreiben, in welchem ihm strengstens angesagt wurde, dem Bauern reichlich für sein Schwein zu bezahlen und fortan besser mit seinen Leuten umzugehen. Es geschah, wie der König befohlen hatte. So ließ der Alte Fritz Gerechtigkeit widerfahren. (40)

Tausend Jahre und nicht tausend

Ehe das zweite Tausend, das wir schreiben, zu Ende ist, wird die Welt vergehen. Das erste Mal ging die Welt zu Wasser unter; das zweite Mal wird es mit Feuer geschehen. Damals hatte Gott dem Noah gesagt, er solle ein Schiff bauen und immer ein Männlein und ein Fräulein von allem, was da lebt, von allen, allen Tieren zu sich nehmen. Das übrige mußt' vergehen. Aber davon war nachher die Luft so erbärmlich schlecht geworden; es war ein schrecklicher Geruch entstanden, und darum beschloß Gott, das nächste Mal es anders zu machen. In den Wäldern ist es am deutlichsten zu sehen, daß die ganze Erde mal unter Wasser gestanden hat, denn die Bäume sind auf Beeten gewachsen und die Beete stammen noch aus der früheren Ackerei her. Als bei der Sintflut die Menschen verkamen, war niemand zum Beackern da. Nach und nach fanden sich die Bäume; Gott säte sie selber dorthin. Nun ist es immer so weitergegangen. Wenn aber die Menschen mit allen Erfindungen fertig sein werden, wird die Welt wieder vergehen, denn es steht geschrieben: »Tausend Jahre und nicht tausend Jahre«. Wir sind aber bald soweit. (41)

Samland, das Bernsteinland

Die Unterwerfung der Samländer

Als die Kreuzfahrer nach ihrer Ankunft in Preußen schon so weit gekommen waren, daß sie das feste Schloß Balga erbaut hatten, haben die benachbarten heidnischen Samländer, um zu sehen, was sie an solchen Nachbarn haben, einen von ihren Ältesten nach Balga zu den Deutschen Brüdern geschickt, welcher unter dem Schein eines Gesandten sollte auf deren Tun und Treiben und Sitten genau Achtung geben. Die Ordensbrüder haben diesen Gesandten auch freundlich empfangen und ihn ihre Eßstuben, Schlafkammern und Küche sehen lassen. Da dieser nun meinte, alles erkundet zu haben, was ihm von seinen Landsleuten aufgetragen war, kehrte er wieder nach Hause zurück und sagte zu seinen Samländern: »Die Deutschen Brüder haben etwas im Gebrauch, das uns den Hals brechen wird. Sie stehen alle Nacht aus ihrem Bett auf und kommen in ihrem Bethaus zusammen, darin sie ihrem Gott Ehre erweisen, welches wir nicht tun. Sie essen auch Gras (er hatte sie Salat essen sehen), wie das unvernünftige Vieh. Wer könnte ihnen widerstehen, die in den Wildnissen ohne Mühe ihre Speise finden können.« Als solches die Samländer hörten, haben sie beschlossen, sich freiwillig dem Orden zu unterwerfen. (42)

Die Bekehrung der Samländer

Den Göttern der alten Preußen waren alle Tiere verhaßt, welche eine weiße Farbe hatten, daher hielten, wie es auch jetzt noch in manchen Gegenden Preußens der Brauch ist, die alten Preußen auf ihren Höfen kein weißes Vieh.

Nun trug es sich zu, daß, nachdem der Deutsche Orden sich das Samland unterworfen hatte, dort ein Vogt war, der Thammin von Gersleben hieß. Der war gewohnt, einen weißen Gaul zu reiten. Eines Tages ritt er nun nach Galtgarben, wo der preußische Fürst Dorgo wohnte, mit dem er große Freundschaft hielt, und den er besuchen wollte. Er kam dort gegen Abend an und blieb die Nacht zu Gast. Dorgo geriet zwar in Sorge wegen des weißen Pferdes, allein er ließ sich nichts davon merken. Am andern Morgen jedoch wurde der weiße Gaul des Vogts tot im Stall gefunden. Da sprach Dorgo zum Herrn Vogt: »Der Unfall tut mir sehr leid, denn du bist zu mir in aller Freundschaft gekommen, mein lieber Gast; darum nimm meinen besten Gaul für den deinigen! Ich bitte auch, daß du deinen Freund oft wollest besuchen, aber daß du kein weißes Pferd mitbringest, denn meine Götter lassen es hier nicht lebendig bleiben.«

Nach einiger Zeit kam der Vogt wieder zum Dorgo, und ob aus Vergessenheit oder mit festem Fleiß, wiederum auf einem weißen Pferd. Auch dieses wurde am andern Morgen tot im Stall gefunden. Dorgo beklagte den Unfall wiederum sehr, der Vogt aber erwiderte ihm: »Ich sage dir, wenn es zum dritten Mal geschieht, werde ich an deine Götter glauben.« Dem entgegnete Dorgo: »Und ich verspreche dir, wenn du zum dritten Mal ein weißes Pferd zu mir bringst, und meine Götter lassen es am Leben, so will ich an deinen Gott und Jesum Christum glauben und mich taufen lassen!«

Als nun dreizehn Wochen vergangen waren, reitet der Vogt wiederum auf einem weißen Roß zum Dorgo. Er hatte aber seinen Dienern befohlen, den Sattel nicht von dem Gaul zu nehmen; an den Sattel hatte er ein Kreuz gehängt. Wie nun in der Nacht Herren und Knechte zur Ruhe gegangen waren, da erhob sich im Stall ein so großes Gerumpel und Getümmel, daß alle davon erwachten, und es war nicht anders, als wenn das ganze Schloß über den Haufen geworfen werden sollte. Wie man aber am andern Morgen aufstand, da war das weiße Pferd ganz frisch und gesund. Nun zeigte der Vogt dem Dorgo das Kreuz, welches am Sattel hing, und Dorgo glaubte an Christum von Stund an und er ließ sich taufen mit all seinem Volk. So sind die Samländer Christen geworden. (43)

Der Galtgarben

Galtgarben ist ein hoher Berg im Samland, auf dem man in Kriegszeiten Wache hält und stets einen großen Holzhaufen stehen hat. Wenn man ihn anzündet, kann man das Feuer über das ganze Samland, auch zum Teil in Natangen, sehen, und es dient als Signal zur Warnung und Bewaffnung gegen die Feinde.

Dem Bericht von Caspar Hennenberger von 1595 über die Warnfeuer auf dem Galtgarben schließen sich Sagen an, die Tettau und Temme 1865 wie folgt erzählen:

Der Galtgarben, oder, wie sein Name eigentlich lautet, der Rinau ist, wenn auch nicht der höchste Punkt in Preußen, so doch einer der bemerkbarsten des Landes. Zur Heidenzeit soll auf seinem Gipfel ein Heiligtum des Ligo, des Gottes des Frühlings und der Freude, gestanden haben, bei dem eine immerwährende Flamme brannte, die von keuschen Jungfrauen bewacht und unterhalten wurde. Zu diesem Dienst wurde auch einst ein Mädchen erwählt, dessen Schönheit das Herz eines Edlen aus dem Samland entzündet hatte. Dieser schwur, dem Spruch des Kriwen trotzend, die Erwählte dem Altar zu entreißen und als Gattin in seine Wohnung zu führen. Dreimal stürmte er das Heiligtum, dreimal wurden seine Scharen von den Wächtern zurückgeworfen. Endlich drang er durch die Pforte, schon umfaßte sein Arm das Mädchen, da brauste plötzlich eine wütende Windsbraut heran, Blitze zuckten und die Mauern des Heiligtums stürzten zusammen und begruben die Frevler unter den Trümmern. Die heilige Flamme aber war auf ewig erloschen. Seitdem hört man oft auf dem Gipfel des Berges um Mitternacht wirres Getöse wie Schlachtendrang und Rasseln der Waffen, bis plötzlich ein flammendes Licht aus dem Boden zuckt. Dann verstummt sofort das Toben.

Es wird auch berichtet, daß auf dem Rinau einst die Nachkommen des Samo, die Herren über Samland, gewohnt hätten. Deshalb und wegen der vielen mächtigen Eichen, mit denen er bedeckt war, wurde er für heilig gehalten und die Bilder der Götter Curche und Wurskaito auf seinem Gipfel aufgestellt. In seiner Tiefe barg man die Urnen, in denen sich die Asche der toten Fürsten befand mit ihren schönsten Kleinodien, vielen Münzen und anderen kostbaren Dingen. Von den Brüdern des Deutschen Ordens wurde nach der Eroberung des Samlands das Heiligtum zerstört. Die Schätze aber blieben in der Tiefe.

Eine weitere Sage vom Galtgarben erzählt Reusch 1838 folgendermaßen: Dort war ein verwünschtes Schloß, denn vor langen Zeiten haben sich zwei schöne Frauen auf seinem Gipfel oft sehen lassen, welche jetzt durch menschliche Einfalt verscheucht und auf ewig unglücklich geworden sind. Ein Bauer, dem die Frauen zu Herzen gingen, fragte sie nämlich einmal, was er wohl für sie tun könne, wenn er's wolle. Sie waren sehr erfreut und sagten, daß sie wohl noch zu erlösen seien, wenn sich jemand mit verkehrtem Wagen und Pferden auf den Berg zu fahren getraue. »Doch«, klagten sie, »wenn es jemand wagt und setzt es nicht durch, so sind wir auf ewig verloren.« Dem Bauern schien das eine Kleinigkeit. Er ging nach Hause, holte seinen Wagen, drehte auch – wie ihm die Frauen geboten – jedes Stück behutsam um, legte die Pferde verkehrt vor und schleppte das Fuhrwerk so rückwärts den Berg hinan. Obwohl der Galtgarb damals noch ganz mit Gestrüpp bewachsen und ohne Weg und Steg gewesen sein muß, hatte sich der Bauer doch schon fast auf die Höhe gearbeitet, als ihm ein jammervolles Geschrei entgegentönte, wobei der Ruf der Frauen »Auf ewig verloren! Auf ewig verloren!« ganz deutlich zu hören war. Lange konnte er sich das Unheil, das er angerichtet hatte, nicht erklären, bis er sein Gespann näher besah und entdeckte, daß er vergessen hatte, die Deichsel umzukehren. Seitdem haben sich die Frauen nie wieder gezeigt. (44)

»Schütt aus das Geld!«

Der Hausen ist nach dem Galtgarben der nächsthöchste Berg im Samland und liegt im Kirchspiel Germau. Ein großer Schatz soll in ihm sein, das ist kein leeres Gerede, sondern hat sich schon oftmals erwiesen. Denn die Großmutter der noch lebenden verwitweten Schulz L. aus Rauschen diente als Mädchen in Germau und wurde von ihrem Herrn mit einem Knecht auf den Hausen Pilze suchen geschickt. In dem dicken Gestrüpp verloren sich beide bald aus den Augen. Auf einmal gewahrte der Knecht einen großen Haufen Gold, der im klaren Sonnenschein herrlich glänzte und ganz offen vor ihm lag. Im Ring herum streckte sich ein schwarzer dicker Wurm, doch reichte er nicht völlig aus, sondern ließ zwischen Kopf und Schwanz noch etwa eine Spanne frei. Der Wurm sah den Knecht immer so an, als wollte er sagen: »Nömm doch det Gölt! Nömm doch det Gölt!« (Nimm doch das Geld), bis dieser endlich der Lust nicht mehr widerstehen konnte, sein Pilzkörbchen an die Stelle des Schatzes, welche der Wurm nicht umschlang, setzte und es ganz voll scharrte. Für den Knecht war's schon sehr viel, für den Schatz sehr wenig, denn ihm war gar nicht anzusehen, daß was genommen sei, und der Wurm sah noch eben so luchtern aus. Da besann sich der Knecht nicht lange, zog schnell sein Oberhemd aus und sackte es auch noch voll.

Nun konnte er aber nicht mehr fortschleppen und dachte: Das arme Mädchen hat noch nichts bekommen, du sollst sie rufen, damit sie sich den Rest auflädt. Kaum aber fing er an, seine Begleiterin zu rufen, so erhob sich ein Sausen und Brausen auf dem Berg, daß seine Stimme kraftlos verhallte, und aus den dicken Wolken kreischte es immer zu ihm herab: »Schöd ut det Gölt! Schöd ut det Gölt!« Darüber erschrak der Knecht heftig, und nachdem er eine Weile bald sein Geld, bald die Wolken angeglotzt hatte, ließ er alles den Henker holen und spickte das Geld aus dem Körbchen und dann aus dem Oberhemd auf den Haufen zurück. Augenblicklich war der Sturm vorüber, der Wurm senkte sich mit seinem Schatz in den Berg und über ihm schloß sich die Erde wieder zu; die Sonne fing an lieblich zu scheinen und auch das Mädchen konnte das Angstgeschrei des Knechts vernehmen. Freilich half es jetzt nichts mehr, daß sie hinzulief, denn der Schatz war fort und nur wenige Geldstücke, die außerhalb des Schlangenringes niedergefallen waren, lagen noch da. Hätte der Knecht das Geld weit ausgestreut, so würde er mehr behalten haben.

Später ist viel nach dem Schatz gegraben worden, aber man hat nichts gefunden. Nur ein Knecht hat noch einst ein goldenes Gerät dort entdeckt. Er fiel nämlich, als er den Hausen bestieg, wie über einen Wacholderast, aber genau besehen war es ein kostbares Jägerhorn, wie es die alten Heiden wohl besessen haben mögen, mit zierlichem Band. Er nahm es auf und lieferte es dem Amt ab, von wo es nach Berlin gesandt sein soll. (45)

Der Opferstein

In der Ebene, welche den Hausen umschließt, liegt an einem Sumpf der sogenannte Opferstein. Er ist nach einer Seite hin ausgehöhlt und soll der Altar gewesen sein, auf welchem die alten Preußen ihren blutdürstigen Göttern Menschenopfer darbrachten. Das Gütchen Romehnen, wohin Romove verlegt wird, ist eine kleine Viertelmeile davon entfernt. (46)

Der Name von Germau

Der Name des Dorfes Germau stammt her von dem alten preußischen Wort Gerimas, welches so viel heißt wie Trinker; denn die Einwohner des Dorfes haben von jeher den Trunk geliebt, und man findet noch jetzt Frauen dort, deren zehn eine Tonne Bier anzapfen und nicht eher voneinandergehen, bevor sie diese nicht bis auf den Grund ausgetrunken haben. (47)

Die Bernsteinküste im Samland. Kupferstich aus Christoph Hartknoch, Alt- und Neues Preussen. Frankfurt/Leipzig 1684

Der Stein am Pillberg

An der Abschrägung des Pillberges lag früher ein merkwürdiger Stein, der aber jetzt in die Höll (Schlucht zwischen Krahm und Plinken) gefallen und dort im Morast versunken ist. Er stellte einen Tisch dar. An jeder Seite saß gleichsam ein Kind mit Karten in der Hand, und besonders waren die am Tisch anliegenden Arme noch wohl zu erkennen, obgleich der Stein oben schon glatt geworden war. Auf ihm lag ein unberührtes Kartenspiel und waren auch Löcher auf beiden Seiten, in welchen das Geld gelegen haben mag. Es geht das Gerede, daß der Teufel hier mit Kindern der dortigen Gegend während der Predigt Karten gespielt hat. Die Kirchgänger haben die Kinder verwünscht, doch der Teufel ist gut davongekommen. (48)

69

Das Bernsteinrecht

In frühester Zeit hatte es jedem freigestanden, den von der See auf den Strand geworfenen Bernstein aufzusammeln; als aber die Brüder des Ordens das Land in Besitz nahmen, erkannten sie, wie großen Nutzen sie daraus ziehen könnten, wenn sie sich dies Recht vorbehielten. So ließ Bruder Anselmus von Losenberg, der Vogt auf Samland, ein Gebot ergehen, daß jeder, welcher unbefugt Bernstein sammle, mit der Strafe des Stranges belegt werden solle. Die Preußen aber, von denen viele ihren Unterhalt hieraus gezogen, besonders die Fischer, denen der Bernstein oft beim Fischen zur Hand kam, kehrten sich nicht daran. Da ließ der Vogt jeden, der beim Sammeln ergriffen wurde, ohne weiteres Urteil und Recht an dem nächsten Baum aufknüpfen, so daß viele jämmerlich ums Leben kamen. Für diese Tat hat aber Anselmus keine Ruhe im Grab gehabt. Noch mehrere Jahrhunderte hernach hat man zu Zeiten seinen Geist am Strand umherwandeln gesehen, ausrufend: »O um Gott, Bernstein frei! Bernstein!«

Im Jahre 1523 ereignete es sich, daß einige Strandbauern aus Not etliche Stücke Bernstein aufsammelten und an Bürger in Fischhausen verkauften, weil ihnen der Hochmeister Albrecht das Salz, was sie sonst bekommen, vorenthielt. Die Sache wurde aber ruchbar und die Täter wurden hart gestraft. Seit der Zeit nahm die Menge des Bernsteins so ab, daß man kaum den tausendsten Teil der früheren Menge erhielt. Wohl sah man den Bernstein noch in großer Menge am Ufer schwimmen, wenn man aber mit den Netzen und Keschern hinkam, so war er entschwunden. Da meinten die Ordensbrüder, Gott habe ihnen die köstliche Gabe nicht ferner gegönnt. (49)

Die Mückenpritscher

Das Städtchen Fischhausen, am schilfigen Ufer des Frischen Haffs gelegen, leidet in warmen Sommern sehr unter der Mückenplage. Zu diesem Schaden gesellt sich der Spott: In der Stadt erscholl einmal Feuerlärm. Mächtige Rauchwolken stiegen vom Kirchturm empor. Gar schnell rückten die Fischhausener mit ihrer Feuerspritze an. Als aber der erste Wasserstrahl den Turm erreichte, löste sich der vermeintliche Rauch in gewaltige Mückenschwärme auf. Daher werden die Fischhausener von argen Leuten in der Provinz die »Mückenpritscher« genannt. (50)

Fischhausen. Kupferstich aus Christoph Hartknoch, Alt- und Neues Preussen. Frankfurt/Leipzig 1684

Bischof Schlotterkopf

Im großen Krieg (1454–1467) war ein Bischof in Fischhausen, ein Herr von Schöneck, der alte Nicolaus Schlotterkopf genannt, weil er in einer Krankheit einen schlotterten Kopf bekommen hatte. Dieser hatte längere Zeit an die dreihundert Reisigen des Ordens bei sich, die ihm alles auffraßen und aufsoffen, was er hatte. Er wäre sie gern losgeworden, konnte das aber nicht mit Fug und Recht durchsetzen. Da machte er mit seinem Jäger einen Plan. Der kam also eines Morgens, fragte nach dem Herrn Bischof, er hätte dringend mit ihm zu reden. Nun wollten die Gäste auch wissen warum. Da sagte er, daß ein großer Posten Wildschweine aufgetaucht wäre und gute Aussicht bestände, sie alle zu fangen; aber bevor man die Bauern in Gang gesetzt hätte, wäre zu befürchten, daß die Schweine inzwischen entwichen.

71

Der Bischof kam herzu und sagte lachend: »Hela, hela, ein guter Braten in die Küche, nicht schlecht, wenn ihr wollt helfen.« Die Gäste antworteten: »Gnädiger Herr, was einem das Herz freut, wird gern wahr, wenn Ihr uns auch hinterher wieder einlassen wollt.« Er sagte: »Ei, bei meinem Eid und bei meinem Orden: das Schloß soll euch bei Tag und Nacht offenstehen.« Daraufhin zogen sie los. Als sie aber am Abend wiederkamen, war das Tor verschlossen und es half kein Klopfen. Da schalten sie übel auf den Bischof. Er hätte ihnen anderes geschworen. Der Bischof aber sagte: »Hela, hela, liebe Gesellen, ich habe doch gemeint, es solle gegen den Himmel offenstehen, nicht aber zu Felde.« So mußten sie abziehen. (51)

»Eck schmiet!«

Leute aus dem Städtchen Fischhausen fuhren einmal von Königsberg übers Haff nach Hause. Als sie um den Peiser Haken (Vorsprung des Ufers) segelten, schrie eine drohende Stimme von oben her, ohne daß sie den Schreier sehen konnten: »Eck schmiet!« (ich schmeiße, werfe), und zum andern Mal: »Eck schmiet!« und zum dritten Mal: »Eck schmiet!« – »Ei, so schmeiß einmal ins Teufels Namen!« antwortete ein Bootsmann. Praß fiel ein altes totes Pferd aufs Verdeck. Die Schiffsleute machten sich sogleich alle darüber her, zerrten, treckten und rollten es über Bord. Als sie nach Hause kamen, fanden sie überall, wo sich Haar oder Haut von dem Balg abgestreift hatten, Goldstücke. Sie hatten sich die Stelle, wo sie ihn ins Haff geworfen, wohl gemerkt, fuhren zurück und fischten, wo sie konnten und wußten, fanden aber nichts mehr. (52)

Der Gausup

Von der Brücke, welche unweit des Waldhäuschens auf dem Weg von Rauschen nach Georgenswalde liegt, führt eine herrliche Schlucht bis an die See. Diese Schlucht wird der Gausup genannt und ist abwechslungsreicher und schöner als die Warnicker Schlucht, aber es hausen Poltergeister in ihr.
Ein Mann aus Rauschen ging mit seiner Frau in den Gausup, um seine Pferde dort zu hüten. Bald nahm er ein entferntes Geklatsche wahr, als

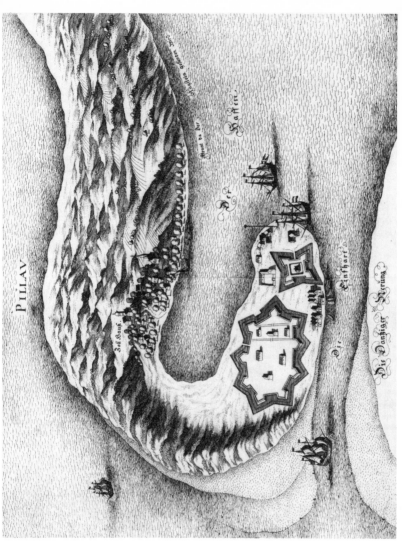

PILLAV

Zoll Hauß

Spalten Stamm Pricl

Kaffen

Der

Einfahrt

Die Danziger Nerung

Pillau und die Hafenbucht zwischen Ostsee und Frischem Haff. Kupferstich von Matthaeus Merian um 1646

wenn jemand mit Waschbrettern aneinanderschlüge. Dieses Geräusch mochte zuerst am Anfang der Schlucht (dem Wege von Rauschen nach Georgenswalde) begonnen haben, zog sich aber immer mehr nach der See zu. Man konnte durchaus nichts sehen, nur die Pferde müssen etwas gespürt haben, denn sie hoben die Köpfe, rissen die Nüstern gewaltig auf und schnarchten. Als das Geklatsche immer näher kam, duckte sich das Ehepaar in Todesangst unter das Gebüsch und hörte, wie es in die See ging und dort plätscherte, als ob Enten mit den Flügeln im Wasser schlagen. Dieses Wunder wiederholt sich oft und ist von vielen, besonders aber auch von dem Vater der verwitweten Schulz L. aus Rauschen wahrgenommen worden. Er ist dabei von zwei Pferden verfolgt worden, einem großen und einem kleinen, die ihm immer auf den Hacken gewesen sind. Die beiden Tiere schrien dabei ganz absonderlich, vor allem quickerte das kleine erbärmlich, bis sie endlich verschwanden. Da sie ihm bis auf den Sandweg nachgelaufen waren, ging er am andern Tag hin, um sich ihre Spuren zu besehen, fand aber nichts. (53)

Von den Erdmännchen

Bie demm fröhere Kreeger (Krüger) Hans en Allerwange, dei schonst sehr lang doht ös, hadde sick de Underhördschkes (Unterirdischen) angewennt, ehre Teppkes (Töpfchen) oppe Heerd te stelle on an sienem Fier te koke. De Knechts on de Mergelles (Mädchen) makte sich awer den Spaaß, uhtgekemmde Har en't Fier te schmiete, on da dei ohl Hans sehr vehl Gesind heel, sau kunne de Underhördschkes kein Bätke runderschluke, ane een Har dren te finde. Se beschwerde sick bie emm öftersch wegen disse Angetagenheit (Ungezogenheit) on badde, se afftestelle, awer emsonst. Teletzt tage se aff, bunde awer noch verheer de beide beste Peerd vom Kreeger an de Zagels tesamme on hengde se awer eene Balke em Stall sau opp, datt von jede Sied ent bommeld. (54)

Trampeltrinke

Im Samland lebte einst eine Frau, die ein schönes Kind gebar. Eines Tages schlief sie neben ihrem Kind ein, da schlich leise ein Untererdchen ans Bett und tauschte sein Kind gegen das der Frau aus. Als die Mutter erwachte, erschrak sie nicht wenig über den großen Kopf des Kindes, das sich gar nicht beruhigen wollte und unaufhörlich schrie. So ging das einige Tage lang.

Eines Morgens ging die Frau auf den Hof hinaus. Mit einem Mal wurde es in der Stube still, und die gequälte Mutter dachte: Gott sei Dank, daß der Tod es erlöst hat! Sie lief ans Fenster und blickte hinein. Vor Schreck blieb sie stumm stehen: das Kind tanzte auf dem Tisch und sang:
»Dat es man got, dat min Mutterke nich wet, dat eck Trampeltrinke het!«
Schnell eilte die Mutter in die Stube, und was fand sie da? Das Kind lag schreiend in der Wiege, so wie sie es verlassen hatte.

In ihrer Angst lief die Frau nun zu ihrer alten Muhme und erzählte ihr alles. Die wiegte den Kopf bedächtig hin und her und meinte: »Min Dochter! Dat es din Kind nich. Dat es e Wechselbalg.« Dann sagte sie der Frau leise, ganz leise etwas ins Ohr. Die Mutter ging nach Hause und heizte den Backofen ein, daß er ganz glühend wurde. Dann nahm sie das Kind aus der Wiege und stellte sich vor das Ofenloch, holte ordentlich aus und rief laut: »Eck schmiet!«

In demselben Augenblick erschien das Untererdchen und bat kläglich, sein Kind doch zu verschonen. Es brachte der Mutter ihr richtiges Kind zurück, ergriff das seine und verschwand mit ihm hinter dem Backofen. (55)

Die Untererdchen kaufen Fische

Der Großvater des bejahrten Schiffers L. aus Rauschen ging einst mit andern Fischern auf Zehrtenfang zur See. Ihre Mühe war aber diesmal vergebens, sie fingen nur etwa zwei oder drei. Betrübt und hungrig machten sie sich bei (Klein oder Groß) Kuhren am Strand ein Feuer, um die geringe Ausbeute gleich zu braten und zu verzehren. Da traten zwei Untererdchen zu ihnen und wollten Fische kaufen, denn sie hätten Kindelbier und brauchten solche höchst notwendig. Als sie erfuhren, daß heute der Fang nicht glücke, baten sie, doch nur noch einmal die Netze auszuwerfen, sicher werde es ein reicher Zug sein, und baten so lange und dringend, bis die mutlosen Fischer sich noch einmal an die Arbeit machten. Siehe, da zogen sie die Netze ganz mit Fischen angefüllt heraus.

Hoch erfreut boten sie den Untererdchen den ganzen Fang zum Aussuchen an. Diese packten sich etwa ein halb Scheffel auf und hießen die Fischer folgen und ihre Säcke mitnehmen. Sie gingen unter einen Stein und unter einen Stubben und sackten ihnen tüchtig ein, aber lauter Pferdemist. Die Fischer, welche nichts davon ahnten, bedankten sich gar sehr, aber gerieten in Wut, als sie wieder bei ihrem Feuer angelangt die Bescherung fanden. Sie fluchten den schlechten Zahlern und leerten die Säcke am Strand aus. Am anderen Tag stand die Sache aber ganz anders, denn aller Mist, der noch in den Säcken sitzengeblieben war, hatte sich in pures Gold verwandelt.

Hui, wie rannten die Fischer, daß ihnen der Kopf brannte, an die Feuerstätte, um den übrigen Mist zu holen, die Untererdchen hatten aber schon alles wieder beiseite gebracht. (56)

Fischfang mit Netzen und Reusen. Kupferstich von Jost Amman um 1580

Der Wolf verfolgt die Untererdchen

Von Wölfen müssen die Untererdchen wohl hart zu leiden gehabt haben. Denn als ein Mann aus Weiditten einigen Pferden nachritt, die sich verlaufen hatten, keuchte ihm ein Untererdchen nach und bat flehentlich, es aufs Pferd zu nehmen, weil ihm ein Wolf nachsetze und es nicht mehr zu laufen vermöge. Der Mann tat's gern, ritt mit ihm eine Strecke und setzte es dann auf sein Bitten wieder ab. Nach herzlichem Dank sprach das Untererdchen zu ihm: »Was du zuerst auf dem Weg finden wirst, das nimm auf und bewahr's, es soll dir gehören!« Der Bauer ritt weiter und fand bald einen Pferdefuß. Ihm schien solch Ding zwar wertlos, aber er nahm's sich mit für seinen Hund und schlengte es in die Peitsche. Als er jedoch nach Hause kam und bemerkte, daß der Pferdefuß ein großer Sack Geld geworden war, da behielt er ihn für sich selbst. (57)

Die Barstucken

Die Barstucken sind kleine Erdmännchen, welche entweder viel Glück oder Schaden bringen, je nachdem sie bei guter oder böser Laune sind. Man sucht sehr, sie zu Freunden zu halten. Abends wird ihnen in der Scheune ein Tisch gerichtet, den bedeckt man sauber mit einem Tischtuch und setzt darauf Brot, Käse, Butter und Bier; dann werden sie zur Mahlzeit gebeten. Wenn nun am andern Morgen auf dem Tisch nichts gefunden wird, dann freut man sich sehr und hofft auf großen Zuwachs im Hauswesen. Wenn aber im Gegenteil die Speisen über Nacht unberührt geblieben sind, dann bekümmert man sich und glaubt, die Barstucken seien davongezogen und werden nun Schaden anrichten. Dieser Aberglaube ist besonders im Samland verbreitet. (58)

Die Seejungfer

Der Einwohner L. aus Rauschen sah als Junge von neun Jahren, wie eine schöne Dame bei Georgenswalde sich badete. Sie hatte sich gleichsam mit einem Bein nachlässig auf einen Stein gesetzt, der in der See lag, wippte immer und ließ sich von den Wellen beschlagen. Sie hatte krauses, zotteliges Haar, gerade wie ein schwarzer Pudel, und striegelte es unaufhörlich. L. rief einen Knecht, der unfern auf den Seebergen pflügte. Auch dieser entsetzte sich über die Schönheit der Dame, besonders über ihre starke weiße Brust und rief ihr zu: »Willst uns wohl was tun?« Da schrie das Weib laut auf: »Ui!« und stürzte sich kopfüber in die See, so daß ihr Fischschwanz hoch aufschlug.
Auch auf dem Seegestade bei Warnicken hat man Seejungfern auf den großen Steinen, welche dort das Ufer in Massen bedecken und noch fern aus der See hervorragen, sitzen und das Haar striegeln gesehen. Ihre Erscheinung hat aber nichts Gutes zu bedeuten, denn das Fischerboot, von welchem sie gesehen werden, verunglückt innerhalb der nächsten drei Fahrten auf See. (59)

Der Gardwinger Grund

Zur Zeit als der Teufel noch auf Erden wandelte, lebte eine eitle Dirne in Gardwingen bei Pobethen. Nur denjenigen wollte sie heiraten, der ihr ein rotes Mieder zum Brautgeschenk verehren würde. Bald erschien auch ein stolzer Freier, übergab ihr das verlangte Geschenk und erhielt ihr Ja. Der Herr Bräutigam gab schon vor der Hochzeit die tollsten Streiche an, aber erst, als er den Reigen am Festtag anführte, sahen die Musikanten, daß er einen Ochsenfuß (oder Pferdefuß) hatte und fielen schnell mit dem schönen Lied ein: »Gott Vater sende deinen Geist«. Dem Teufel behagte das Lied nicht, er verließ die Braut, kroch in die Ofenröhre, warf Kluten über Kluten hinaus und blies so gewaltig, daß die ganze Hochzeitsgesellschaft abzog. Das frohe Haus wurde bald leer, nur die Familie blieb zurück und das neue Familienmitglied – der Teufel in der Röhre. Von dort her belästigte er die armen Leute entsetzlich. Sie konnten keinen Bissen genießen, den er nicht vorher beworfen hatte. Da half kein Beten, kein Bannen, denn alle Pfarrer der Umgegend konnten ihm nichts anhaben, weil sie selbst Schurkenstreiche begangen hatten.

Nun war damals ein sehr frommer und ehrwürdiger Greis Pfarrer in Pobethen oder Kumehnen, Bettsade mit Namen, und nach ihm wurde endlich auch geschickt. Als der Böse den Wagen des Pfarrers auf den Hof rollen hörte, frohlockte er in seiner Röhre und rief: »Hoho, da kommt der alte Bettsade, den werde ich auch noch kriegen!« Kaum daß der Pfarrer die Stube betrat, schrie er ihm auch schon entgegen: »Was willst du? Du hast ja schon als Kind gestohlen! Nahmst du nicht den Semmel aus der Brotbude?« Der alte Pfarrer aber machte ein ernstes Gesicht und entgegnete: »Als ich ein Kind war, tat ich wie ein Kind, als ich aber ein Mann wurde, legte ich die Kindheit ab, und der liebe Gott hat mir die Jugendsünden längst vergeben.« Dann fing er an sich mit dem Teufel zu streiten. Zwar warf ihm dieser noch vor, daß er einst eine Garbe von fremdem Feld im Vorübergehen abgestreift habe, der Pfarrer ließ aber nicht ab. Da der Teufel sich in der Röhre nicht länger halten konnte, bat er den Pfarrherrn recht demütig, daß er ihm erlauben möge, in eine tote Sau zu fahren, die an dem und dem Erlenbusch läge. Der Pfarrer wollte sich aber erst überzeugen, ob er dem Satan diesen Wunsch erfüllen könnte, und nötigte ihn mitzukommen. Unter dem angegebenen Erlenbusch fand er statt der toten Sau einen für tot angetrunkenen Mann liegen. Der Pfarrer erschrak über die Arglist des Bösen, hieß ihn auf seinen Wagen steigen und fuhr mit ihm ab. Er fuhr in den Gardwinger Grund und bannte den Bösen hinein.

Dort spukt es auch noch, denn obwohl der Bruch sprindig, verwachsen und überhaupt ganz unwegsam ist, fahren dort oft stattliche Kutschen in flottem Trab in Saus und Braus hin und her. (60)

Geister prügeln sich

Zu dem Wirt M. aus Weiditten kam ein Bettler, um eine Gabe zu erstehen, konnte aber nicht an das Haus, weil sich auf dem Steinpflaster davor gerade zwei Geister, ein schwarzer und ein weißer (dieser soll der gute, jener der böse gewesen sein), prügelten und stießen. Der Kampf währte lange, aber endlich besiegte der schwarze Geist den weißen und ging triumphierend über das Steinpflaster. Der Bettler erzählte sein Gesicht den Hausbewohnern und warnte sie, sich wohl in acht zu nehmen, da ihnen ein großes Unglück bevorstehe. Sie lachten aber den alten Mann mit seinem gutgemeinten Rat aus.
Am dritten Tag danach ging M. mit einem Bekannten auf die Lerchenjagd. Sie schossen lange und viel, bis der Gewehrlauf des M., welchen er überladen hatte, platzte und ihn tötete. (61)

Ein Geist kneipt

Eine Frau aus Rauschen lag mit einem kranken Kind im Bett, den Kopf nach der Tür gewandt. Nachts kam ein Gespenst und schnitt, wie sie über Kopf sah, schiefe Gesichter. Sie blieb aber ganz still. Die folgende Nacht kam es wieder und tat dasselbe. Die dritte Nacht aber faßte das Gespenst sie beim Kopf und schnürte ihr die Gurgel zu, indem es ihre schwarze Mütze, die unter dem Kinn zugebunden war, so lange anzog, bis das Band riß. Nun ging es an das Fußende und kneipte sie entsetzlich in die großen Zehen. Die Frau betete, was sie nur wußte und konnte, als aber der Geist nicht abließ und ihr die Zehen fast ausdrehte, sprang sie auf und rief: »Gott schlag, hilft denn kein Beten mehr? – Wo ist die krumme Krücke!« Der Geist wandte sich, ging hinaus und kam nicht mehr wieder. (62)

Das Wunschpferd

Der Name »Wunschpferd« ist nur gewählt, um unter ihm eine Klasse von Erzählungen zusammenzufassen, welche sämtlich darin übereinstimmen, daß sich jemand ein Pferd wünscht, es auch sofort findet, aber arg erschreckt wird, sobald er sich desselben bemächtigt.

Zur französischen Zeit, es mag 1807 gewesen sein, ging die noch lebende Witwe M. aus Rauschen mit dem jetzigen Wirt M. aus Rauschen, der damals schon ein hübscher Junge war, in den Gausup, weil ein starker Sturm wütete, und sie sehen wollte, ob etwa ein Schiff stranden werde. Von dem ewigen Hin- und Herlaufen wurde der arme Junge müde und hatte keinen sehnlicheren Wunsch, als irgendwo ein Pferd zu finden. Da sah er eines gerade vor ihm weiden und wollte, während die Frau vorauseilte, sich hinaufschwingen, kam aber bald im Galopp auf eigenen Füßen nachgerannt, denn das Pferd hatte keinen Kopf gehabt.

Ein Bauer aus Hubnicken wünschte sich ebenfalls ein Pferd, fand es auch sogleich, mußte es aber laufen lassen, weil es sich unter ihm vergrößerte. Er dachte indes bei sich: Wenn ich es doch nur einmal noch finden möchte! und ging mit dem Gedanken am nächsten Tag an dieselbe Stelle. Das Pferd stand wieder da; schnell legte er ihm einen Bastzaum um und es mußte mit ihm mit. Er spannte es ganz allein vor die größten Wagen: es zog sie im Saus fort. Er gab ihm Heu: es fraß nichts, auch nicht einmal Brot. So diente es ihm acht Tage, dann aber war es verschwunden und hat sich auch, so sehr er es sich wieder wünschte, nicht ferner von ihm antreffen lassen. (63)

Der Kösnicker Trompeter

Ein Mann aus Kösnicken bei Pobethen diente zur Zeit der Schwedenkriege im Preußischen Heer und wurde von den Schweden gefangen übers Meer geführt. In Feindesland erwarb er sich bald Vertrauen, man gestattete ihm viele Freiheiten und erlaubte ihm sogar auszureiten. Die Sehnsucht nach seinem Vaterland war bei ihm übergroß. Deshalb setzte er sich einst auf sein treues Roß, nahm seinen Säbel und seine Trompete zur Hand und ritt in die Ostsee auf eine Eisscholle, die sich mit ihm lostrennte und ihn wohlbehalten bei Rantau (eine starke Meile von Pobethen) an den Strand brachte, während er das erbauliche Lied: »Herr Jesu Christ mein Lebenslicht« blies.

Er lebte in seiner Heimat noch vier ganze Wochen und starb dann, aber noch werden seine Trompete und sein Säbel in der Kirche von Pobethen aufbewahrt. (64)

Die Pest in Stiegehnen

Das Jahr 1709 war ein bitterböses Jahr für unser Heimatland; denn da wütete die Pest und verschonte keine Gegend. Das Dorf Stiegehnen aber wurde besonders schwer heimgesucht. In ihm erkrankten alle Bewohner mit Ausnahme eines einzigen Jungen von zwölf Jahren. Die Leute starben wie die Fliegen, und es war keiner, der helfen konnte, keiner, der die Toten beerdigte. Die ganze Umgegend mied den Ort aus Angst vor der Ansteckung.

Schloß Lochstädt am Frischen Haff. Stahlstich um 1830

Es fanden sich aber doch einige mitleidige und beherzte Leute; die gingen bis an die Dorfgrenze und riefen dem gesunden Jungen zu: »Lege hier an der Grenze jeden Morgen so viele Steine hin wie Lebende noch im Dorf sind. Wir werden dann Essen und Trinken für sie an denselben Ort bringen, damit ihr nicht verhungert. Wenn wir uns dann entfernt haben, kannst du alles abholen.«

Der Knabe tat wie ihm geheißen. Als am nächsten Morgen die Leute kamen, um nachzusehen, fanden sie neun Steine liegen. Sie gingen zurück und brachten Essen und Trinken für alle neun.

Am folgenden Morgen fanden sie nur noch sieben Steine an der bezeichneten Stelle; und nach wenigen Tagen lag bloß ein einziger da. Da wußten sie, daß der unglückliche Junge allein übriggeblieben war. (65)

Widtlandsort

Lochstädt hat zuvor Widtlandsort geheißen, weil dort das Ende und der Ort des Samlands, das man Witelandt nannte, gewesen ist. Damals ging das Tief nahe unter dem Schloß durch. Dieses Schloß ist 1265 gebaut worden und erhielt den Namen Lochstädt, weil da zuvor ein heidnischer Preuße wohnte namens Laustite. Er hatte dort herrliche Felder und eine Bernstein-Kammer.

Im Jahr 1311 erhob sich im August ein so gräßlicher Sturm und furchtbares Gewitter, daß man meinte, das Land würde untergehen; dabei füllte sich auch das schöne Tief bei dem Schloß auf. (66)

Hans von Polenz in Lochstädt

Das alte Schloß Lochstädt liegt bei der Stelle des ersten Lochs oder Tiefs, wo bis zum Anfang des 14. Jahrhunderts das Seegatt war (eine Durchfahrt aus dem Haff in die See), welches aber damals nach einem heftigen Orkan versandete, worauf das Tief bei Pillau entstand.

An jenem Seegatt erbauten die Ordensritter auf einem 70 Fuß hohen Berg die alte Ordensburg, um die Durchfahrt aus dem Haff zu schützen, und hier erlitt auch Hans von Polenz den Märtyrertod. Er blieb allein in der von den Heiden berannten Feste zurück, während die Ordensritter durch einen unterirdischen Gang entwichen. Zwei Tage lang läutete er die Sturmglocke, um die Belagerer zu täuschen. Erst am dritten Tag, als die Glocke verstummte, stürmten die Heiden das Schloß und fanden Hans von Polenz tot, die Hand am Glockenseil, seine Ordensbrüder aber waren gerettet. (67)

Der schwarze Hund

Am Anfang des 19. Jahrhunderts lief ein großer schwarzer Hund zwölf Jahre hindurch in mitternächtlicher Stunde von Stadt-Pillau nach dem Alt-Pillauer Kirchhof. Viele haben den Hund gesehen, aber er tat niemand etwas zuleide. Das Merkwürdigste aber war, daß der Hund keinen Eigentümer hatte!
Sperrte am Zollhaus der Schlagbaum den Weg, so wartete er geduldig, bis der Weg wieder freigegeben war. Man hatte sich schon so an das Tier gewöhnt, daß man es nicht fürchtete. Aber man konnte sich eines geheimen Gruselns nicht erwehren, wenn man ihm begegnete.
Ein beherzter Mann strich ihm einmal mit der Hand über den Rücken und fand, daß er ein samtartiges Fell hatte. Ein anderer warf ihm Futterbissen hin, und als er am nächsten Tag nachsah, waren sie unberührt. Als der Pfarrer von dem merkwürdigen Tier hörte, beschloß er, es in Gemeinschaft mit dem Kantor am Kirchhof zu erwarten. Er bewaffnete sich vorsichtshalber mit einem starken Knüttel. Und siehe – der Hund kam! Nun wollte ihn der Pfarrer mit den Worten: »Alle guten Geister loben Gott den Herrn« aufhalten. Da richtete sich das unheimliche Tier in seiner vollen Größe auf und nahm eine drohende Haltung an. Feuerfunken sprühten aus seinem Maul. Der Pfarrer bekam einen so gewaltigen Schreck, daß er nachher sagte, nie und nimmer werde er dem Hund wieder in den Weg treten. (68)

Valtin Supplit

In dem Jahr 1520, als der Herr Albrecht der Ältere, Markgraf zu Brandenburg und zu der Zeit Hochmeister des Deutschen Ordens, mit dem Polenkönig Sigismund in offenem Krieg lebte, und von diesem in große

Bedrängnis getrieben war, ließen sich auch plötzlich Schiffe der Polen auf der See und im Haff sehen, und es drohte ein Einfall im Samland.

Dort lebte damals an dem Strand ein Freibauer namens Valtin Supplit, sehr angesehen unter allen seinen Landsleuten, denn er stammte ab von den alten Priestern des Landes und war auch im stillen der oberste Waidelotte oder Priester. Dieser sagte, daß er wohl Rat wisse, den Feind von dem Land abzuhalten, wenn er nur die Erlaubnis der Obrigkeit hätte. Das wurde dem Markgrafen überbracht, welcher in der großen Not des Landes zu allem seine Einwilligung gab. Als dies der Valtin hörte, versammelte er die Bauern aus allen benachbarten Dörfern, dann nahm er einen ganz schwarzen Stier und zwei Tonnen Bier, und alle begaben sich damit an den Strand. Als man dort ankam, hat er den Stier geschlachtet und abgestreift und dann zerhauen; das Eingeweide aber nahm er heraus und verbrannte es samt den Knochen, und das Fleisch wurde in einem großen Kessel gekocht. Dies alles begleitete er durch seltsame Gebärden mit Händen und Füßen, und dabei sprach er viele Gebete zu den alten Göttern des Landes. Darauf wurde das Fleisch und das Bier verzehrt, bis nichts mehr davon übrig war, wobei wiederum viele seltsame Gebete gesprochen wurden.

Einige Tage darauf ließen sich wieder die Schiffe der Polen sehen; sie versuchten zu landen, aber es gelang ihnen nicht, weder mit großen noch mit kleinen Schiffen, noch in den Booten, obgleich es das beste Wetter war und kein Feind sich ihnen entgegenstellte. Das konnten nun der Markgraf und seine Krieger nicht begreifen. Als aber nach Beendigung des Krieges mehrere, die in den Schiffen gewesen, nach Samland kamen, haben sie den Grund angegeben, wie sie nämlich durch seltsame Verblendungen abgehalten worden sind. Bald war ihnen der Strand wie ein grausamer und entsetzlicher Abgrund vorgekommen, bald wie hohe und unersteigbare Sandberge. So ist es ihnen überall ergangen, bis sie zuletzt unverrichteterdinge wieder umgekehrt sind.

Doch seit dieser Zeit ist den Bauern der Gegend das Unglück widerfahren, daß sie keine Fische mehr in der See haben fangen können, so viel Mühe sie sich deshalb auch gegeben. Das hat sieben Jahre gedauert, und es ist dadurch große Not in der Gegend entstanden. Da hat endlich Valtin Supplit bekannt, daß dieser Unfall aus seinem eigenen großen Versehen geschehen, da er bei der Opferung des Stiers alles zurückgewiesen, was sich dem Ufer nähere, und mit großer Unbedachtsamkeit die Fische auszunehmen vergessen habe. Um ihnen nun wieder zu helfen, hat er darauf eine Sau kaufen und wohl mästen, auch zwei Tonnen Bier anschaffen lassen; damit ist er in Begleitung der Bauern an den Strand gegangen. Dann hat er die fette Sau mit vielerlei sonderbaren Gebärden geschlachtet, sie reingemacht und die abgeschnittenen Zitzen in die See geworfen, das andere aber in einen Kessel getan und zum Trunk wohl gesalzen. Als dies nun gekocht war, haben alle davon gegessen, auch das Bier getrunken, bis nichts mehr davon übriggeblieben. Darauf sind die Fische wiedergekommen in größeren Haufen denn je.

Der Pfarrer zu Pobethen hat zwar die Sache angezeigt und Supplit und die Bauern haben Strafe zahlen müssen; allein dies haben sie gern getan, weil sie wieder Fische hatten. (69)

Das Blutwunder zu Rudau

In der Kirche des Dorfes Rudau im Samland befindet sich ein Kelch, der wegen des folgenden Wunders hoch in Ehren gehalten wird.

Als an einem Sonntag des Jahres 1615 der Pfarrer in der Kirche das

Das Blutwunder zu Rudau 1615. Flugblatt von Georg Kress (Ausschnitt). Kupferstich um 1620

Abendmahl austeilte und bereits fünf Personen von dem Wein aus dem Kelch getrunken hatten, ist nun auch die sechste Person zum Altar getreten, ein Junge von fünfzehn Jahren, der zum ersten Mal zum Tisch des Herrn ging. Sowie dieser aber den Kelch an den Mund setzte, ist aus dem gesegneten Wein, ehe er davon trank, an der Seite, wo der Junge hat trinken wollen, von unten eine Ader dunkelrotes Blut herausgequollen, welches sich in den halben Kelch verzog. Dieses hat ungefähr ein Vaterunser lang gedauert, und darauf ist der Wein wieder ganz klar und hell geworden. Der Pfarrer, der das alles mit Schrecken sah, hat zum Wahrzeichen ein Tüchlein, womit er nach dem Abendmahl den Kelch auszuwischen pflegte, in den Wein getaucht, und es ist blutrot geworden und geblieben. Dieses wird ebenfalls zu Rudau noch aufbewahrt. Daß der Knabe ein großer Sünder gewesen wäre, hat man nicht erfahren, und keines Menschen Sinn hat es bisher ergründen können, was mit diesem Wunder hat angezeigt werden sollen. (70)

Der samländische Bischof Dietrich von Cuba

Unter dem Hochmeister Heinrich von Richtenberg lebte im Jahr 1474 ein gelehrter und frommer Mann, genannt Dietrich von Cuba, Doktor in beiden Rechten und wohlgelitten vom Papst Paul dem Anderen und dessen Nachfolger, dem Papst Sixtus, welcher ihn deswegen auch, gegen den Willen des Hochmeisters und des Kapitels, zum Bischof von Samland machte.

Darüber gerieten der Hochmeister und die Ritter in großen Zorn, und als der Bischof gen Königsberg kam, wurde er empfangen wie man einen aufzunehmen pflegt, den man nicht gern haben will, und sie trachteten nur, wie sie ihn nach Gefallen demütigen könnten. Der Bischof aber gab nicht viel auf den Hochmeister, er tröstete sich seines Beschützers, des Papstes, und suchte nur zuvor sein bisher verwahrlostes Kapitel zu reformieren, hoffend, daß es dann auch auf gleiche Weise mit dem damals sehr verdorbenen Orden selbst zu machen. Als das bekannt wurde, ließ ihn der Hochmeister vermahnen, von seinem bösen und unbilligen Vorhaben abzusehen. Der Bischof aber wurde nur noch stolzer und hochmütiger, besonders gegen den Hochmeister; da berief dieser seine Gebietiger, legte ihnen des Bischofs Praktiken vor und fragte sie, was hieran nun zu tun sei.

So wurde beschlossen, man solle ihn gefangennehmen, und er wurde nach Tapiau ins Schloß gebracht. Dort hielt man ihn anfänglich in einem ehrlichen Gemach, wie es einem Bischof gebührt.

Es war aber damals zu Tapiau auf dem Schloß ein Kastellan, ein tückischer, böser Mensch. Dieser machte sich an den Bischof heran, besuchte ihn täglich und redete ihm zu, daß er entfliehen solle, seine Hilfe ihm anbietend. Der Rat gefiel dem Bischof und er willigte ein. Allein der Kastellan verriet alles den Rittern, und als der Bischof schon glaubte, wieder frei zu sein, wurde er von neuem gefangen. Der Hochmeister und die Ritter berieten nun wieder, was mit ihm anzufangen wäre, und sie beschlossen endlich, ihn verhungern zu lassen. Da wurde er durch zwei Kreuzherren heimlich in das finstere Gewölbe unter dem Schloß geführt, dort mit Händen und Füßen kreuzweise an eine Mauer angeschmiedet und ohne Essen und ohne Trinken gelassen. Acht Tage lang hat der arme Greis es ausgehalten, denn als am achten Tag während der Messe die Sakristei unversehens offengeblieben, hat alles Volk in der Kirche den Bischof mit heiserer Stimme rufen hören: »Mein Gott, mein Gott, erbarme dich meiner!« Die Leiche des Bischofs wurde nachher nach Königsberg gebracht, und als der Papst in Rom von der Untat hörte und Genugtuung verlangte, da traten sieben Männer, vom Orden mit Geld erkauft, vor den Papst mit aufgehobenen Fingern und schwuren, der Bischof sei eines rechten, natürlichen Todes gestorben, wodurch der Zorn des Papstes gelindert wurde. Aber man hört noch oft in dem Gewölbe des Schlosses zu Tapiau um Mitternacht die heisere Stimme eines alten Mannes, welche mit letzten Kräften ruft: »Mein Gott, mein Gott, erbarme dich meiner!« Man glaubt, daß dies die Stimme des Hochmeisters Heinrich von Richtenberg sei, der den Bischof ermordet hat; dessen Leichnam zwar im Dom zu Königsberg begraben liegt, dessen Seele aber in Tapiau keine Ruhe finden kann. Denn als dieser Hochmeister nachher von seiner schweren Krankheit schon wieder genesen war, hörte man ihn auf einmal rufen: »Auf, den Harnisch her, die Gäule gesattelt, die Pfaffen haben mich vor Gottes Gericht verklagt; wer wird sich meiner erbarmen!« Und mit diesen Worten starb er plötzlich.

(71)

Die Vierbrüdersäule

In der Fischhäuser oder Kapornischen Heide unweit von Königsberg steht eine hölzerne, zwölf Ellen hohe Säule, welche die Vierbrüdersäule genannt wird. Von ihrer obern Spitze gehen vier Arme kreuzweise aus, deren jeder einen bärtigen Kopf mit einem Helm trägt. Die Köpfe schauen alle nach dem Mittelpunkt der Säule, auf welchem ein schüsselförmiger Knopf steht. Wessen Köpfe das aber sein sollen, das weiß die Geschichte nicht, und die Sage ist darüber mit sich auch noch nicht einig geworden. Im Jahre 1295 – so erzählen einige – begab sich's, daß Martin von Golin, ein tapferer Ordensritter, mit vier seiner Waffenbrüder, Dyvel, Stobemel, Kudare und Nakaim, eine Mahlzeit im grünen Wald hielt. Wie sie nun arglos speisten, wurden sie unversehens von einer Schar Sudauer überfallen und vier von ihnen erschlagen, ehe sie sich aufraffen und zur Wehr setzen konnten. Nur Golin war mit Mühe entkommen. Der hinterbrachte dem Orden die traurige Kunde und verlangte, blutige Rache zu nehmen an den Sudauern; auf der Sterbestätte seiner erschlagenen Waffenbrüder aber errichtete er ein schwarzes Kreuz. Später ließ der Landmeister Querfurt stattdessen die Säule errichten.
Eine andere Sage lautet so: In stolzer Siegsgewißheit hatten die Ordensbrüder auf ihrem ersten Zug gegen die Sudauer nur wenig Volk ins Feld geführt und erlitten eine große Niederlage. Diese zu rächen, fielen vier starke Ordensbrüder, Martin Golin, Conrad Entkin, Jacob Stobemel und Malachias Koblenz, mit einer tapferen Schar bei Nacht in Sudauen ein, wo sie an die neunzig Vornehmen des Landes, welche sich auf einem Bankett berauscht hatten, in tiefem Schlaf erschlugen und reiche Beute wegtrugen. Zum Andenken an diese kühne Tat wurde den vier Ordensbrüdern die Säule gesetzt.
Auch sagen einige, es wären dort vier Brüder hingerichtet worden, andere wieder, es wären vier Brüder von dort aus in die Welt gegangen und hätten nach Jahren sich dort wieder getroffen. So ist die Sage nicht mit sich einig. Das Domänenamt in Kaporn muß die Säule, wenn sie umgeworfen oder beschädigt wird, wieder aufrichten und ausbessern lassen, wobei früher viele Zeremonien üblich waren, welche aber jetzt veraltet sind bis auf eine, nämlich daß die Zimmerleute, die an der Säule bauen sollen, diese zuvor feierlich grüßen. (72)

Pregelufer am Holländer Baum mit Blick auf Königsberg. Radierung um 1830

Das Storchenland

Nach einer samländischen Sage ist das Land der Störche von dem der Menschen durch eine hohe Mauer getrennt, über die noch niemand hinwegkam. Daher weiß auch niemand, wie es dort aussieht. Einmal hatte man einen Menschen auf die Mauer zu heben gewußt, und er sollte aussagen, wie es im Storchenland aussah. Voll Begeisterung rief er von der Mauer: Schön, schön! und sprang ins Land der Störche hinab. Nie wieder hat man etwas von ihm gehört. Man machte einen zweiten Versuch und band diesmal dem Kletterer eine Leine um den Fuß. Oben auf der Mauer rief auch er: Schön, schön! und wollte zu den Störchen hinüber. Er wurde aber zurückgezogen, konnte aber nichts erzählen, denn er hatte die Sprache verloren. So weiß bis heute niemand, wie es im Land der Störche aussieht. (73)

Königsberg

Die Anfänge von Königsberg

Königsberg hat, nach dem Bericht alter Chroniken, seine Erbauung gutteils dem böhmischen König Ottokar II. zu verdanken. Denn als dieser 1254 zur Zeit des Hochmeisters Poppo von Osterna dem Orden mit vielem Volk und Geld gegen die heidnischen Preußen zu Hilfe kam, hat er den Ordensbrüdern geraten, den bezwungenen Samländern durch Erbauung eines Schlosses einen Zaum anzulegen. Als diese nun den guten Rat ins Werk setzten und ein festes Schloß zu bauen begannen, hat man bald darauf bei diesem Schloß auch eine Stadt angelegt, und zwar da, wo später der Steindamm war, unweit der Nicolaikirche.

Als aber ums Jahr 1263 die heidnischen Samländer unter ihrem Feldherrn Nalube die damals noch schlecht befestigte Stadt überfielen und eroberten, wurde die Stadt 1264 an den Fuß des Schloßberges zwischen Schloß und Pregel verlegt, auch bald besser und fester aufgebaut.

Anfangs hat diese Stadt dem böhmischen König Ottokar zu Ehren Kunigsberch oder Königsberg geheißen, auch sogar noch 1455 diesen Namen geführt, ungeachtet dessen, daß die anderen beiden Städte Kneiphof und

Königsberg. *Kupferstich aus Daniel Meisner, Politisches Schatzkästlein. II. Buch, 1. Teil. Frankfurt 1627*

Löbenicht schon an die zweihundert Jahre angelegt waren. Danach ist ihr aber der Name Altstadt beigelegt worden, vermutlich zur Unterscheidung des Löbenichts, welcher anfangs den Namen Neustadt geführt, der Kneiphof aber Vogts-Werder geheißen hat. (74)

Prophezeiung einer Niederlage

Im Jahre 1261 am Agnesentage erfochten die heidnischen Preußen einen großen Sieg über den Orden unweit der Stadt Königsberg. Darauf stand ein alter Preuße auf und prophezeite, daß in dem folgenden Jahr am Tag des heiligen Vincentius, welcher ist am Tag nach St. Agnes, die Preußen eine um so größere Niederlage erleiden würden.

Nun trug es sich zu, daß in dem Jahr 1262 ein großes Preußenheer wieder vor Königsberg stand und das Schloß der Ordensbrüder hart belagerte. Der St. Annentag war schon wieder gekommen, aber es war noch kein Heer da, welches sich den Preußen entgegenstellen, den wenigen Belagerten zu Hilfe kommen und die Prophezeiung des alten Preußen wahrmachen konnte. Aber Gott hatte, ohne daß die Belagerten daran dachten, das Herz zweier tapferer Männer erweckt, daß sie das Kreuz nahmen und mit großem Volk nach Preußen zogen. Dieses waren die Grafen von der Mark und von Jülich.

Sie kamen mit ihrem Heer am Abend des Agnesentages vor dem Schloß zu Königsberg an. Noch am gleichen Abend griffen sie die Blockhäuser an, welche die Preußen vor Königsberg erbaut hatten, und stürmten sie auch. Am anderen Morgen aber, am Tag des heiligen Vincentius, fingen sie die Schlacht an. Sie teilten ihr Volk so, daß der von der Mark die Reisigen angriff, der von Jülich aber das Fußvolk. Die Schlacht dauerte viele Stunden, aber ehe die Sonne untergegangen war, hatten die Preußen das Feld räumen müssen und dreitausend Tote verloren. So war die Prophezeiung des alten Preußen in Erfüllung gegangen. (75)

Die Fürstliche Hauptstadt Königsberg. Kupferstich aus Braun/Hogenberg,

Der Läufer ohne Kopf

Als 1261 die heidnischen Preußen das Schloß zu Königsberg hart belagert
hatten, suchten sie auch die darin liegenden Ordensbrüder durch Hunger
zu zwingen. Daher bauten sie über den Pregel mehrere Brücken und auf
jeder Brücke einen festen Turm, so daß ohne ihren Willen auf dem Pregel
nichts in das Schloß gebracht werden konnte. Das litten aber die Ritter in

Beschreibung und Kontrafaktur der vornehmsten Städte der Welt, 1572 ff.

dem Schloß nicht lange, ihnen glückte ein Ausfall, sie drangen auf die arbeitenden Preußen ein, schlugen diese in die Flucht und zerstörten ihre
Arbeiten. Bei dieser Gelegenheit trug es sich zu, daß ein Ordensbruder
namens Gebhard, aus Sachsen gebürtig, einem flüchtigen Preußen nach-
eilte und diesem so geschwind den Kopf abhieb, daß, nachdem der Kopf
schon auf die Erde gefallen, der Preuße noch 29 Schritte weit ohne denselben gelaufen ist, bevor er zu Boden fiel. (76)

93

Der starke Ritter

Bald nach dem soeben erzählten Vorfall schickte der Komtur von Königsberg den Ordensbruder Ulrich von Magdeburg auf einem Schiff vor das Tief, um die dort liegenden Schiffe und Waren vor einem Überfall der heidnischen Preußen zu schützen. Auf einmal aber kamen fünf preußische Schiffe heran mit starker Mannschaft, die eilten sehr auf Bruder Ulrich zu, in der Hoffnung, da er nur wenige Leute bei sich hatte, ihn und sein Schiff leicht in ihre Gewalt zu bringen. Allein Ulrich geriet wenig in Furcht, denn es hatte ihm Gott eine solche Stärke des Leibes gegeben, daß er damit alle Männer übertraf. Sowie er daher die Gefahr sah und die Preußen ihm nahegekommen waren, ergriff er den Mastbaum seines Schiffs und schlug damit so heftig auf das nächste Schiff der Preußen, in dem fünfzig starke Männer waren, daß das Schiff Wasser schöpfte und unterging. Als das die anderen sahen, nahmen sie die Flucht. Dieser Ulrich hat oft zwei vollständig gerüstete Männer, wenn er sie nur beim Gürtel am Rücken erfassen konnte, auch wider ihren Willen mit zwei Fingern in die Höhe gehoben. (77)

Der Komtur von Königsberg

Im Jahr 1290 machte der Landmeister Meinhard von Querfurt den Barthel Bruhan von Österreich, damals Komtur zu Memel, zum Komtur von Königsberg. Als dieser Barthel von Österreich noch weltlich gewesen, fragte er, welches Gelübde im Deutschen Orden am schwersten zu halten sei. Da sagte man ihm: Gehorsam zu leisten, nichts Eigenes besitzen und keusch leben. Die ersten zwei achtete er als gar gering, vom dritten wüßte er allerdings nicht, ob er es halten könne. Um das zu erfahren, erwählte er sich ein säuberliches Mägdelein, lag ein ganzes Jahr nackt mit ihr in einem Bett, »in Unzüchten unberühret«, wonach er sich in den Orden begab. (78)

Schlechte Zeit für Müßiggänger

Der Hochmeister Werner von Urselen hielt 1330 sein letztes General-Kapitel ab und ordnete darin an, daß ein jeder Priester nach der Messe das St. Johannes-Evangelium mit der Kollekte lesen soll, und auch, daß man

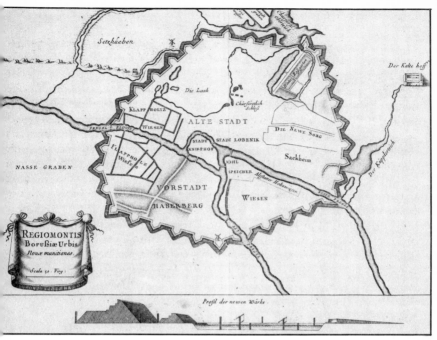

Plan der Festung Königsberg. Kupferstich aus Samuel Pufendorf, De rebus a Carolo Gustavo Sueciae regis gestis. Nürnberg 1696

keinen Müßiggänger dulden soll: So ließ man alle Quartal in einer jeglichen Stadt einen Wagen umgehen, darauf setzte man alle, die ohne Stellung waren, Mägde und Knechte. Diese mußten neben den Litauern und Schamaiten, wo immer man ihrer bedurfte, arbeiten. Wäre noch heute gut, denn dann gäb's vielleicht nicht so viel Diebe und Huren. (79)

Hans von Sagan

Der schönste Teil der Stadt Königsberg besteht bekanntlich aus dem Kneiphof, welcher früher eine Stadt für sich war und den Namen von ihrem Erbauer hatte, dem Hochmeister Winrich von Kniprode. Diese Stadt hat in ihrem Wappen eine Hand mit einem blauen Ärmel, welche eine

Krone trägt, von den Seiten sind zwei Hörner. Der blaue Ärmel schreibt sich her von folgender Geschichte:
In der Rudauschen Schlacht ging es hart her für den Orden, und seine Streiter fingen an zu weichen. Da trat ein Schustergesell auf, genannt Hans von Sagan, eines Bürgers Sohn aus dem Kneiphof; der ergriff die schon niedergefallene Fahne, richtete sie wieder auf und machte dadurch und durch sein Zureden das schon flüchtig gewordene Ordensvolk wieder beherzt und freudig, so daß die Schlacht gewonnen und das Feld behauptet wurde. Dieser Schustergesell trug aber einen blauen Ärmel, deshalb verlieh der Orden der Stadt in ihrem Wappen eine Hand mit einem blauen Ärmel und gab der Bürgerschaft alljährlich am Himmelfahrtstag auf dem Schloß ein großes Bankett mit Abendmahlzeit, welches das Schmeckbier genannt wurde. Das Bankett aber deshalb, weil Hans von Sagan, als der Hochmeister nach der gewonnenen Schlacht ihm befahl, sich eine Gnade auszubitten, nichts weiter verlangte, als daß jährlich am Himmelfahrtstag den Kneiphöfschen Bürgern zur Lust und Freude ein Gastmahl im Schloß, auf Unkosten der Herrschaft, gegeben werde. Auch auf dem Schloß soll sich früher das Andenken an Hans von Sagan erhalten haben, auf dem Turm nach der Schloßkirche hin soll nämlich sein Bildnis anstatt der Wetterfahne lange gestanden haben. (80)

Der Bote aus der andern Welt

Kurze Zeit vor der Schlacht zu Tannenberg waren in Königsberg zwei Ritterbrüder Philipp von Zwistelen und Wigand von Qualenburg. Diese, die sich innig liebten, machten einen Bund miteinander: derjenige von ihnen, der zuerst stürbe, sollte dem andern erscheinen und verkünden, wie es ihm in jener Welt ergehe. Und es geschah, daß sie von Königsberg fortgenommen wurden, der eine wurde eingesetzt als Hauskomtur auf Labiau; der andere aber als Mühlmeister auf Osterode. Und letzterer starb bei einem Kampf. In der Nacht nachdem er verschieden, kam Bruder Wigand zu Bruder Philipp, der sich in seinem Kämmerlein befand, und sprach: »Aus besonderer Gnade Gottes komme ich nach meinem Tod gemäß unseres Versprechens zu dir; so frage was nützlich ist, denn ich darf nicht lange weilen.« Bruder Philipp antwortete: »Wie geht es zu in jener Welt?« Der Tote sprach: »Wie es ein jeglicher verdient, so hat er auch Kurzweil.

Und wisse, daß die, welche Knechte bei uns gewesen, dort unsre Herren sind.« Der Lebendige frage: »Wo bist du, in welcher Kurzweil?« Der Tote antwortete: »Ich bin da, wo einer ausgeht und tausend eingehen, und unsre Kurzweil ist, daß uns eine Stunde zehntausend Jahre dünket, und uns dennoch unzählige Barmherzigkeit geschieht.« Philipp fragte weiter: »Und wie steht es um uns in Gottes Gericht; werden wir gewinnen oder verlieren?« Der Geist sprach: »Ich habe gesehen, daß man vor Gott unsere guten und bösen Werke gewogen; aber ich sah nicht, welche Schale niederging, denn ich wurde weggefordert. Aber eins noch zum letzten. In kurzem wird es geschehen, daß die Herren Knechte werden, und unser Fürstentum werden Fremde besitzen.« Danach verschwand er wieder. (81)

Das Kruzifix

Noch im Jahr 1526 befand sich neben dem Schloß in Königsberg ein Kruzifix, welches durch seine wundertätige Kraft weit berühmt war. Davon wird folgendes erzählt:
Zur Zeit, als Conrad von Feuchtwangen Meister des Deutschen Ordens war, befand sich unter den Ordensbrüdern ein frommer, gottesfürchtiger Ritter namens Michael Rimpitz. Er war ein großer Verehrer der Jungfrau Maria, und wer etwas von ihm begehrte, durfte ihn nur um der heiligen Maria willen bitten, so konnte er der Gewährung gewiß sein. Das wußten vor allem die Bettler recht gut, und wo sich Rimpitz nur blicken ließ, da sah er sich von Armen und Kranken umringt, die ihn alle um der heiligen Jungfrau willen um ein Almosen anriefen.
Einst gegen Abend ging der fromme Rimpitz übers Feld und traf auf einen Krüppel, der am Weg lag und ihn um Marien willen bat, daß er an ihm ein Werk der Barmherzigkeit tun möchte. Der Ritter neigte sich zu dem jammernden Bettler nieder, und obgleich er sah, daß er voll Aussatz und Schwielen war, scheute er sich davor doch nicht, sondern lud den Bettler auf seinen Rücken und trug ihn in seine Klause, wo er ihn in sein eigenes Bett, sich selbst aber auf den harten Fußboden zur Ruhe legte. Dann betete er laut sein Nachtgebet, der Bettler betete mit, und beide schliefen friedlich ein.
Aber kaum eine kleine Weile mochte der Ritter geschlafen haben, da

weckte ihn sein kranker Gast mit dem Ruf: »Um der heiligen Jungfrau willen, reicht mir einen Trunk Wasser, mich dürstet gar zu sehr!« Unverdrossen reichte ihm der Ritter das Begehrte und legte sich wieder zur Ruhe. Doch wieder über ein Weilchen, da wiederholte der Bettler seinen Wunsch und trieb es dergestalt die halbe Nacht hindurch, so daß der gute Ritter, obgleich es ihm Freude machte, den unruhigen Gast zu bedienen, weil ihn dieser um Marien willen bat, doch gegen Morgen so müde wurde, daß er unwillkürlich in einen festen Schlaf versank.

Als er erwachte, war er betroffen darüber, daß er geschlafen und so seinem kranken Gast vielleicht nicht die gehörige Handreichung getan habe. Er raffte sich auf von seinem harten Lager und sah nach dem Bett. Aber – o Wunder – der kranke Bettler voller Aussatz und Schwielen lag nicht mehr darin, sondern stattdessen ein Kruzifix, auf dem das Bild des Erlösers in wunderbarem Schimmer glänzte.

Da wußte der fromme Ritter Rimpitz wohl, wen er beherbergt hatte und war freudig darüber im Herzen und glücklich und gesegnet sein Leben lang. (82)

Die wandernde Traube in der Schloßkirche

In der Königsberger Schloßkirche, nicht weit vom königlichen Stuhl, sieht man oben am Gewölbe eine Weintraube von Kalk. Die hat der Maurermeister bei der Erbauung der Kirche nach vollendeter Arbeit dort angebracht; zum Wahrzeichen, daß ihm von dem ganzen Verdienst nichts übriggeblieben ist, da er alles vertrunken hat. Dafür soll aber der Maurermeister nicht eher selig werden können, als bis die Traube ganz von ihrem Platz abgefallen ist. Einst, am 16. Februar 1647, ging sie mitten während der Predigt los, und man sah, wie sie vom Gewölbe herunterkam und eine gute Handbreit von der Mauer in freier Luft baumelte. Da fürchteten sich viele Leute, und die, welche darunter gesessen, standen auf und gingen an einen andern Ort, denn sie dachten, die Traube werde jeden Augenblick ganz herunterfallen. Allein sie fiel nicht, sondern blieb schweben, und am andern Morgen wurde sie, ohne daß eines einzigen Menschen Hand sie angerührt hatte, an ihrem Ort wieder fest gefunden. (83)

*Huldigung für Kurfürst Friedrich Wilhelm von Brandenburg im Schloßhof in Kö-
nigsberg am 18. Oktober 1663. Kupferstich von Johann Gottfried Bartsch, nach einer Zeichnung von Christof Gercke, um 1680*

Die Leiter

Ein Wahrzeichen von Königsberg ist die sonderbare Leiter auf der Seite
der Domkirche, wo man von der Akademie zum alten Kollegium geht.
Dort liegt nämlich an der Kirchenmauer je ein Ziegel so an dem andern,
daß man daran hinaufsteigen kann. Dies rührt noch von der Zeit der Erbauung der Kirche her. Als man nämlich den dort arbeitenden Maurern
das Essen bringen wollte, so fehlte es an einem Gerüst, um zu ihnen hinaufsteigen zu können. Da hat ein Maurer etwas Kalk an die Mauer geworfen, und dieser ist so fest angeklebt an den daraufgelegten Ziegel, daß von
Stund an einer daran hinaufsteigen und den Arbeitern ihr Essen bringen
konnte. (84)

Der Dom in Königsberg. Stahlstich um 1830

Unter dem Dom

Aus der Domkirche hat früher ein unterirdischer Gang unter dem Pregel fort bis zu einem auf dem Münichhof gelegenen Kloster geführt, jetzt ist er verschüttet. Die kleine Tür, welche den Eingang von der Domkirche aus schließt, ist fünffach durchbohrt. Wenn es jemand wagt, durch diese fünf im Winkel stehenden Löcher die Finger durchzustecken, so springt von der andern Seite der Teufel zu und befaßt ihm die Hand, so daß er sie nicht wieder herausziehen kann. Auch soll jener Gang zu großen Schätzen führen. (85)

Kospoth

Im Dom befindet sich ein Denkmal, das dem 1665 verstorbenen Kanzler J. v. Kospoth gesetzt ist. Auf dem viereckigen Untersatz ruht seine lebensgroße Statue aus Marmor gehauen. Wenn er den Hahn dreimal krähen hört, so dreht er sich um.

Diese Sage wird auch von dem *Kaiser* erzählt. Es war nämlich die unerläßliche Mode der Königsberger Kaufmannschaft, daß die jungen Leute, die sich dem Handel widmen wollten, bevor sie in die Innung aufgenommen wurden, an einen Stein gestoßen werden mußten. Zu diesem Zweck hatte man einen Riesenstein gewählt, der auf einem grünen Platz linker Hand vor dem Friedländer Tor lag, nicht weniger als zehn Ellen im Umfang hatte und *Kaiser* genannt wurde. Wenn er nachts in der Mitternachtsstunde den Hahn krähen hört, so dreht er sich dreimal von selbst um. (86)

Die wunderbare Münze

In dem Münzkabinett der Bibliothek zu Königsberg befindet sich eine schwere goldne Gedenkmünze, welche 25 Dukaten Wert hat. Auf der einen Seite der Münze ist ein erhabenes Brustbild mit der lateinischen Umschrift: *Effigies Hieronymi Scoti Ploc.*, auf der andern Seite steht die Jahreszahl *1580*. Diese Münze stammt von einem berühmten Zauberer namens Hieronymus Scott, der mehrere Jahre in Preußen herumgereist war. Als er einst beim Herzog in Preußen an der Tafel gewesen und das Gespräch auf das Goldmachen gekommen, hat dieser Scott in Gegenwart vieler Herren ein Stück Brot, das neben ihm lag, genommen und daraus sofort diese große Münze gemacht zu aller Verwunderung. Er hat sie auch dem damaligen preußischen Kanzler Christoph von Rappen geschenkt, der mit bei der Tafel gewesen. Aus dessen Familie ist sie hernach in die Familie von Wallenrodt gekommen und von da in die Bibliothek. (87)

Die große Bratwurst und der Stritzel zu Königsberg

Es ist ein alter Brauch zu Königsberg in Preußen, dessen Ursprung man aber nicht kennt, daß die Fleischer eine sehr lange Wurst machen und diese am Neujahrstag in allen drei Städten Königsbergs herumtragen, daß sie jedermann sieht, und dann verehren sie sie den Losbäckern.

Neujahrsumzug der Fleischer mit der langen Wurst, die sie durch die Stadt trugen und anschließend den Bäckern verehrten. Kupferstich 18. Jh.

Im Jahr 1558 ist die Wurst 198 Ellen lang gewesen und 48 Personen haben an ihr getragen. Im Jahr 1583 haben sie wieder eine Bratwurst von 36 Schweineschinken zugerichtet. Sie hat auf der Kneiphöfer Wage 434 Pfund oder 11 Stein weniger 6 Pfund (den Stein zu 40 Pfund gerechnet) gewogen, ist 596 Ellen lang gewesen und 91 Personen haben sie getragen, ohne die Ältesten, die vorn und hinten, und andere, die daneben gingen. Sie ist aber so getragen worden: Es haben sich alle Fleischergesellen aus allen drei Städten fein und säuberlich angezogen, weiße Hemden oben über, gleichgemachte Schuhe an den Füßen. Der erste hat das eine Ende der Wurst etliche Male um den Hals gebogen und hinten etwas herabhängen lassen, dann folgten die andern alle, etwas weit voneinander, gleichen Trittes nach, die Wurst auf der Achsel tragend, zwischen ihnen etwas herunterhängend, und der letzte hat sie wieder etliche Male um den Hals gebogen und hinten herabhängen lassen; und so haben sie sie hinauf zum Markgrafen Georg Friedrich aufs Schloß getragen. Solche Wurst machte man aber nur, wenn man um große Herren trauern mußte und alle sonstigen Freuden verboten waren. Sie kostete auch zuviel, weil man sie jedes Jahr länger machen mußte und zur Fülle nur Schinkenfleisch von lauter

guten Schweinen nehmen konnte und sehr viel kleine Därme, die man in-
einanderbringen mußte, dazu brauchte.

Dafür verehrten nun am heiligen Dreikönigstag den Fleischern die Bäcker
einen großen Stritzel oder Wecken, aus drei Scheffeln Weizenmehl gebak-
ken. Im Jahr 1583 haben sie ihnen aber fünf verehrt. Um sie zu backen, hat
man auf dem Schloß zwei große Backöfen gebaut, mitten hinein ein Loch
gebrochen, dann dieselben geheizt und den Stritzel durch das Loch einge-
schoben, so daß er in beiden gleichzeitig gebacken worden ist. Zum Verzehren der Wurst und des Stritzels baten sich aber die Fleischer und Bäk-
ker gegenseitig zu Gast und aßen sie zusammen. (88)

Die Wette

Im Jahr 1558 hat sich zu Königsberg ein Bürger, Gregor Rummelaw genannt, vermessen, er wolle in einer kupfernen Braupfanne von Königsberg gen Danzig fahren. Obwohl man dies nun für unmöglich gehalten, da
er erst den tiefen Pregel hinab, das 14 Meilen lange Frische Haff, welches
wegen seiner Sandbänke und Stürme sehr gefährlich zu befahren ist, die
Länge hindurch, dann die Weichsel hinauf bis ans Haupt und die gefährli-
che Weichsel wieder hinab bis Danzig fahren mußte, so hat er doch, nachdem hierauf viel Geld gewettet, am 11. August mit noch zwei andern sich
wirklich in eine solche Braupfanne gesetzt und ist glücklich zu Danzig angelangt und hat seine Wette gewonnen. (89)

Osianders Grab

In der Altstädtischen Pfarrkirche befindet sich auf der Erde, unweit des
Altars, der Grabstein des Doktors der Theologie Andreas Osiander, der
zu Königsberg am 17. Oktober 1552 gestorben ist. Er war in seinem Leben ein großer Irrlehrer gewesen und hatte in vielerlei Streit gelebt mit den
Gottesgelehrten seiner Zeit. Obwohl er in Anwesenheit einer großen
Volksmenge und in Begleitung des Markgrafen Albrecht und dessen gan-
zem Hofstaat zu Grabe getragen wurde, hörte man doch einige Tage nach
seinem Begräbnis, der Teufel habe ihm den Hals umgedreht und seinen
Körper ganz zerrissen. Daher wurde der Herzog durch solch Gerücht

bewogen, den Körper durch das Altstädtische Gericht besichtigen zu lassen, um die Plauderer Lügen zu strafen. Aber als der Sarg geöffnet wurde, fand man die Leiche Osianders nicht darin, dagegen den Leichnam eines anderen Menschen, welcher im Leben Nickel Balthasar geheißen; darüber entsetzten sich alle; aber den Stein deckte man wieder über die Gruft. (90)

Die Hexe Stasy

Im Jahre 1570 am 15. März hat sich's zu Königsberg im Altstädtischen Gericht zugetragen, daß ein Weib mit Namen Stasy, welche um Waidelei (Zauberei) willen in das Gefängnis gesetzt worden ist, nach langer Verhaftung eine schreckliche Mißgeburt, an der alles verkehrt war, zur Welt gebracht. Sie hatte es mit dem Satan gehalten und, wie sie vermeint, dies Kind mit ihm gezeugt. Er ist in sichtbarer Gestalt wie ein feiner langer Gesell mit zerschnittenen Hosen und Wams unter dem Namen Junker Jacob zu ihr gekommen, wie der Diener, der sie bewachte, gesehen hat. Als er wieder weg wollte, hat sie gefragt: »Junker Jacob, wann wollt Ihr wiederkommen?« und er hat es ihr gesagt. Als sie gefragt wurde, wie sich der Satan gegen sie verhalten habe, hat sie geantwortet: Wie ihr voriger Mann, nur daß dieser warm, jener eiskalt gewesen. Diese Stasy ist aber hernach am 5. Mai hinter dem Steindamm auf der Palme verbrannt worden und hat ihr ihr Buhle nichts helfen können. (91)

Hans von Tieffen

Der zweiunddreißigste und zweitletzte Hochmeister des deutschen Ordens war Hans von Tieffen, ein Edelmann aus der Schweiz. Er war vorher Pfleger zu Schaaken und dann Komtur zu Brandenburg gewesen. Er war von einem ehrlichen und hohen Geschlecht, und wie man meint, der letzte davon. Er hatte von Jugend auf seinen Orden streng gehalten, hat nie in einem Bett geschlafen, auch kein leinenes Hemd getragen, ist immer fromm und gottesfürchtig gewesen. Wie treu er es mit seinem Land und den Untertanen meinte, beweist folgende Historie:
Er ritt eines Tages von Brandenburg nach Königsberg, und wie er auf den Haberberg kam, sah er die Stadt Königsberg an und seufzte heftig. Da ritt

Der Altstädtische Markt. Kupferstich um 1800

zu ihm einer von seinen Räten, fragend, was Ihre Gnaden so hart seufzen? Er antwortete: »Über die Torheiten meiner Vorfahren, welche das schöne Land verloren und so viele Schulden gemacht, die wir unser Leben lang nicht zu zahlen wissen.« Darauf hat der Rat geantwortet: »Gnädiger Herr, es sind jetzt herrliche Jahre gewesen, und es weiß vor großem Überfluß schier niemand, wie er sich kleiden solle. Da ist keine Dorfmagd, die nicht ihre silbernen Spangen und Knöpfe hat; da ist keine Handwerksfrau, die nicht eine Menge von Kleidern, großen Gürteln, Beuteln, Paternostern, silbernen Bechern, Löffeln hat. Und bei dem Adel ist des Prangens gar kein Maß. Diese Dinge sollen Euer Gnaden angreifen und eine Schatzung darauf legen, dann kommen Euer Gnaden zu Geld und können die Schulden bezahlen!« Aber darauf sprach der Hochmeister Hans von Tieffen: »Nein, da behüte uns Gott vor! Sollen wir unsern getreuen Untertanen nehmen, was ihnen Gott gab? Nein, aber wir wollen so regieren, daß man sagen möge: der Hochmeister ist ein reicher Fürst, denn alle seine Untertanen sind reich und haben Geld genug!« Als das der Rat hörte, schämte er sich, schwieg still und ritt beiseite. (92)

Strafe der Teufelsbeschwörer

Unter dem Hochmeister Hans von Tieffen taten sich in Königsberg zwölf zusammen, um dem Teufel ihre Armut zu klagen und ihn aufzufordern, sie reich zu machen. Sie hießen allesamt Johannes, denn solchen, die diesen Namen führen, vermag, wie man sagt, der Teufel nichts anzuhaben. So gingen sie hinaus auf den Glappenberg, der jetzt der Rollberg heißt, und nachdem sie sich in einen Kreis gestellt, beschworen sie mit mancherlei Formeln den Teufel herbei, daß er ihnen dreizehn Schillinge bringen solle, um mit deren Hilfe verborgene Schätze aufzufinden. Der Leibhaftige erschien ihnen denn auch wirklich in mancherlei Weise, drei Stunden hindurch, stets in fremden Sprachen mit ihnen redend; endlich sind vier von den Gesellen hingestürzt, daß sie sofort ihren Geist aufgegeben haben, vier andre sind rasend geworden, die vier letzten aber ergriff ein Entsetzen, daß sie fortrannten, und sie hatten nicht eher Rast, als bis sie eine Wallfahrt nach St. Jacob gelobt. (93)

Die Königsberger Börse am Pregel. Kupferstich aus Strahlheims Wundermappe, um 1830

Der Spitzbube und der Bernstein

Zur Zeit des Hochmeisters Hans von Tieffen hatte der Hauskomtur auf dem Schloß einen Schützen, das ist der, der Türme und Gefangene warten muß, Hans Lose genannt. Dieser wußte sich bei der Obrigkeit mit Schmeicheleien so beliebt zu machen, daß man ihm sehr vertraute, obwohl er doch ein Erzbösewicht war, der manch unschuldigem Mann schändlich zum Tod verholfen.

Er pflegte auszugehen, um Getreide oder anderes zu kaufen, gleichsam der Herrschaft zugute. Beim Besehen brachte er Bernstein (der damals nur dem Orden vorbehalten) in die Ware, was ihm mit Hilfe seiner breiten Ärmel, wie sie damals üblich, leicht gelang. Danach ging er dann weg, als Vorwand angebend, das Getreide wäre ihm zu schlecht oder zu teuer. Wenn es nun an andere verkauft worden war, merkte er sich, wer es kaufte, ging danach zur Herrschaft und erzählte, wie er da Bernstein bemerkt, man sollte dahin schicken, so würde man ihn finden. Das geschah dann auch und die armen Leute erschraken. Sie wurden so lange gepeinigt, bis sie sich dazu bekannten. So wurden Unschuldige gehenkt.

Mit der Zeit schöpften die Leute aber Verdacht. Es durfte jedoch niemand das geringste sagen, denn Hans Lose fand am Hof zu wohlwollendes Gehör. An einem Feiertag schlich er nun wieder einmal unterm Berg herum, fand ein Haus offen, wo niemand zu Hause war und ging hinein. Dort legte er ein Säckchen mit Bernstein unter den Schrank. Beim Herausgehen sah ihn aber die Hausfrau, die bei einer Nachbarin vor der Tür saß. Sie erschrak sehr und bat die Nachbarn, mit zum Haus zu gehen und zu sehen, was Hans Lose gemacht hatte. Nach vielem Suchen fanden sie den Bernstein und zeigten es beim Schloß an. Hans Lose wurde nun ins Gefängnis gesetzt, mußte alles bekennen, und darauf wurden ihm die Augen ausgestochen und die Kniekehlen entzweigeschnitten; er mußte bei den Zäunen liegen, Schelten und Fluchen von jedermann hören und so jämmerlich und schmählich sterben. (94)

Das Schmerlenfließ

Herzog Albrecht der Ältere hatte einmal in einem kleinen Fluß bei Königsberg, der für jedermann frei und gemein war, fischen lassen, wobei man so viel Schmerlen fing, daß sich alles gewundert hatte. Weil nun dieser Fisch als großer Leckerbissen galt, so wurde, damit solcher immer für die fürstliche Tafel hinreichend da wäre, das Fischen in dem kleinen Fluß den Untertanen verboten. Aber sofort verschwanden auch die Fische, und wenn man später Schmerlen für den Herzog hat fangen wollen, haben zwei einen ganzen Tag fischen können und doch kaum für eine Person genug gehabt; und was man fing, waren obendrein meistens Stechbüttel. Ähnlich sind auch an andern Orten die Fische plötzlich ausgeblieben; so haben, als über die Befischung eines Baches einmal Streit entstand und daraus ein Totschlag erfolgte, in dem Teil, um den der Hader sich erhoben hatte, nachher niemals wieder Fische gefangen werden können, während ober- oder unterhalb dieses Teils genug waren. An einem andern Ort verschwanden alle Krebse, weil der Herr die Untertanen anhielt, alle Krebse an ihn und für ein Geringes zu verkaufen. (95)

Lindenstraße/Lindenmarkt in Königsberg. Lithographie aus Neue Bildergallerie für die Jugend, um 1830

Der verlorene Sohn

Unter dem Herzog von Kurland wohnte ein reicher Pfarrer zu Durben, Johann Diemler genannt. Er hatte einen einzigen Sohn von ungefähr sechzehn Jahren, auch Hans genannt. Den hat er 1573 nach Königsberg einem vornehmen Mann, namens Christoph Ungermann, welcher der Universität an die dreißig Jahre als Sekretär gedient, in Kost gegeben, daß er ihn zur Schule anhalten und der Sohn fleißig studieren sollte. Als er nun im zweiten Jahr bei Ungermann gewesen, so war der Knabe mutwillig und ist deshalb von seinen Lehrern etwas scharf gehalten worden, worüber er oft auch um die Schule gegangen. Endlich hat er seinen Kopf aufgesetzt und ist am 10. Juli 1575 davongelaufen.

Wie nun der Junge aus dem Haus war, haben sich die guten Leute, bei denen er in Kost gewesen, sehr bekümmert, weil er sich auch nach etlichen Tagen, wie es sonst seine Gewohnheit war, nicht wieder eingestellt hat. Also schreibt Ungermann dem Pfarrer, sein Sohn sei abermals davongelaufen, er glaube auch, er werde nicht wiederkommen, denn er habe, wie er vom Gesinde gehört, zwei Hemden übereinandergezogen. Der Pfarrer aber antwortete, dies hoffe er nicht, er werde schon wiederkommen. Weil es sich nun aber lange hinzog, daß der entlaufene Junge nicht wiedergekommen ist, läßt der Pfarrer durch seinen Schwager, einen von Adel, der die Schwester der Frau des Pfarrers zur Ehe hatte, Bartholomäus von Hohenhusen genannt, einen Kürschner namens Max Hecht, auf dem Steindamm zu Königsberg wohnhaft, und der stets in Ungermanns Haus aus- und eingegangen, auch sein Gevatter war, nach Kurland zu sich holen, um sich bei diesem zu erkundigen, wo doch der Sohn geblieben.

Dieser Kürschner Max Hecht hat sich sonst allerwegen für einen Schwarzkünstler und Schatzgräber ausgegeben. Er hat dem Pfarrer gesagt, der Junge wäre tot, der Küchenmeister Matz Reuttel, der damals zur Zeit des Verschwindens des Jungen auch bei Ungermann in der Herberge gewesen, nachher aber seiner Mißhandlung wegen mit dem Strang hingerichtet worden ist, habe ihm die Kehle abgestochen und ihn ins Sekret geworfen, dort liege er noch und gar nicht tief, so daß man ihn fast bei den Füßen greifen könne.

Darauf ist der Pfarrer nach Königsberg zu Ungermann gekommen, hat ihn zur Rede gestellt, und dieser wieder hat dem Kürschner vorgehalten, wie er solche Lügen aussprengen könne. Der Kürschner aber hat geantwortet, es sei ihm im Traum offenbart worden und er wolle dies beschwören. Darauf ist zu dem Scharfrichter M. Peter in Königsberg geschickt und von diesem das Sekret geöffnet und aufgegraben, aber nichts gefunden worden; der Kürschner aber, nach dem man die Stadtdiener geschickt, ist flüchtig geworden. Später ist dieser Kürschner aber wieder zurückgekehrt und hat den Ungermann beim Hofgericht verklagt, der Knabe sei wirklich im Sekret gewesen, der Scharfrichter aber habe ihn im Keller durch die Mauer herausgehauen, ihn in ein Faß verspündet und in die See fahren lassen. Darauf ist Ungermann, der Scharfrichter, sowie die Familie Ungermanns und sein Gesinde gefänglich eingezogen und vor Gericht gestellt worden, obgleich es sich herausgestellt, daß es gar nicht möglich war, die starke Mauer, welche einen Teil der Stadtmauer bildete, durchzuschlagen. Es sind nun aber verschiedene falsche Zeugen aufgetreten, so hat Jacob Gottermann, der Heerpauker, bezeugt, er habe das Blut des Jungen auf den Steinen einen Tisch breit gesehen, welches sich nicht habe abwaschen lassen. Eine Seifensiedersfrau auf dem Steindamm, die Bralische genannt, hat gesagt, sie habe die blutigen Kleider gesehen, welche der Junge, als er ermordet worden, getragen, habe auch solches von Ungermanns Magd gehört. Auch der Hofkaplan Werner, an welchen sich der Vater des Jungen gewendet, damit er es dahinbringe, daß Ungermanns Knecht und Magd gefoltert würden, sowie der Prokurator Hans Braun, der falsche Zeugen herbeigeschafft hatte, waren tätig gewesen, den unschuldigen Mann zu verderben.

Indes ist Ungermann doch von den Richtern auf das Versprechen hin, daß er dem Pfarrer seinen Sohn wiederbeschaffen wolle, freigesprochen worden, die falschen Zeugen aber hat Gott gestraft. Der Kürschner ist im Gefängnis gestorben, nachdem ihn die Maden angefressen haben und er so gestunken hat, daß niemand hat bei ihm bleiben können. Als der Heerpauker Gottermann hat sterben sollen, ist ihm die Zunge kohlschwarz geworden und er hat die zwei Finger, mit welchen er den falschen Eid geschworen, nicht zutun mögen. Die Bralische hat der Schlag gerührt, ehe sie aber gestorben, hat sie den Ungermann um Gottes Willen um Verzeihung bitten lassen. Hans Braun, welchem Ungermann früher viel Gutes getan und der sich statt schuldiger Dankbarkeit doch gegen ihn in dieser ungerechten Sache hatte brauchen lassen, ist zu Riga geviertteilt worden. Der Kaplan Werner endlich hat seinen Herrn bestohlen und ist so unter dem Galgen begraben worden.

Nach sieben Jahren aber hat einmal der Pfarrer von Perßken im Hof der Witwe des Simon Pohl am Fenster einen Vers angeschrieben gefunden und gefragt, wer das geschrieben hat. Da hat die Bäuerin gesagt, ihr Knecht habe dies getan, und als er weiter nachgeforscht, hat dieser bekannt, er sei derselbe Junge, um dessentwillen Ungermann und seine Frau so in Not gekommen seien. Darüber hat sich der Pfarrer sehr entsetzt und es Ungermann mitgeteilt, und dieser hat den Jungen während der Nacht am 28. August 1582 durch einen Schotten, Thomas Guttri, entführen und nach Königsberg bringen lassen. In seinem Haus hat der Junge aber nicht bleiben können; ein solcher Volksauflauf ist entstanden, um den Burschen zu sehen, der so viel Unheil angerichtet, daß er ins Kollegium gebracht und dort festgesetzt wurde.

Mittlerweile hat er bekannt, daß er unter dem Namen Hans Funk die ganze Zeit bei den Bauern gedient und alles getan hat, was ein Knecht machen muß. Er ist sogar oft mit Getreide in die Stadt gefahren und hat beim Gerichtshaus zuweilen mit angehört, wie man Ungermann vorgehabt, al-

Oberer Schloßteich in Königsberg, mit Blick aufs Schloß und Umgebung. Stahlstich aus Meyer's Universum, Bd. 14. Hildburghausen 1850.

lein er war so verbaut, daß ihn niemand erkannt hat. Während er sich aber so versteckt gehalten, hat sich in Kurland bei seinem Vater ein anderer Junge an seiner Statt für ihn ausgegeben, ist aber, nachdem er bei solchen Lügen ertappt wurde, enthauptet worden. Ungermann hat nun aber dem Pfarrer mitgeteilt, sein Sohn sei wiedergefunden, und dieser hat ihn durch seinen Schwager und dessen Frau in Königsberg abholen lassen (24. Oktober 1582), an Ungermann aber 800 polnische Gulden für die Not, die er seinetwegen erlitten, bezahlen müssen. Der Bursche aber hat sich später in Kurland mit einer Vornehmen von Adel verheiratet. Es ist aber nie herausgekommen, warum er eigentlich so lange Zeit sich versteckt gehabt und weshalb sein Vater und dessen Anwälte also eifrig den angeblichen Meuchelmord verfolgt haben. (96)

Wunderzeichen

Vom 5. bis 6. September des Jahres 1589 haben sich zu Königsberg und auf dem Lande umher viele lichte rotfeurige Strahlen sehen lassen, welche je länger je mehr an Rot und Feuerfarbe zugenommen haben und auf und nieder, hin- und hergefahren sind. Ungefähr um ein Uhr in der Nacht hat sich der Himmel aufgetan und voneinander gleichsam in einer großen Kluft gerissen, inwendig voll Feuer, in welchem eine langgezipfelte Blutfahne schwebte und flatterte. Um diese Kluft herum aber schwebten zwei große Kriegsheere, einander gegenüber aufziehend bis fast um vier Uhr morgens. Siehe, da fiel aus der offenen Kluft auf die Erde hinunter ein grausam plötzliches Licht mit einem überaus großen und schrecklichen Knall oder Donnerschlag, davon die Erde erbebte und erschüttert wurde, so daß viele Schlafende von diesem Licht, Schlag und Erdbeben auch über viele Meilen weit erwachten, die Wachenden aber, und die auf dem Lande und zu Wasser reisten, sind darüber heftig erschrocken und haben gemeint, der Jüngste Tag sei gekommen. Mit diesem großen Knall und schrecklichen Licht ist zugleich eine große feurige Kugel aus der Kluft mit einem langen Schwanz herausgefahren und fast bis auf die Erde gekommen. Um dieselbe Stunde aber hat man nicht allein auf Natangen, zu Mühlhausen, Ramitten, Sausgarden, sondern auch im Barter Lande an vielen Orten feurige Kugeln fliegen sehen, zu Zeiten sehr niedrig, zu Zeiten auch etwas höher. Die zwei Kriegsheere um die Kluft haben sich aber nach dem Verschwinden der Kugel zusammengezogen und sind ineinandergefahren, daß man gesehen, daß davon gleich brennende Raketlein und große herabrinnende Blutstropfen fast bis hinunter auf die Erde gefallen sind, und diese Schlacht hat bis fast an den lichten Morgen gewährt. (97)

Die Neue Sorge

Die Königsstraße in Königsberg hieß zuerst Neue Sorge. Dieser Name aber hatte folgenden Ursprung: Als man diesen Teil der Stadt erbaut hatte, schickte man zu dem damaligen Statthalter des Markgrafen, dem Fürsten Radziwil und fragte diesen, wie die Straße heißen sollte. Der war ein sehr bequemer Herr und gab zur Antwort: »Abermals eine neue Sorge!« Und so wurde darauf die Straße benannt: Neue Sorge. (98)

Königstor. Holzstich um 1870

Am Pregelufer in Königsberg. Gezeichnet von A. G. Vickers, in Stahl gestochen von H. Wallis, um 1850

Der Schlittschuhläufer

Vor vielen Jahren lief ein junger Mann aus Königsberg auf dem Pregel nach der Kosse Schlittschuh. Die Fischer pflegen nun im Winter längs dem Damm, welcher von Königsberg nach Holstein den Pregel rechts einfaßt, Löcher in das Eis zu schlagen, damit die Fische Luft haben. In eine solche Wuhne fiel der Schlittschuhläufer und hatte einen so starken Ansatz genommen, daß das Eis ihm nicht allein den Hals abschnitt, sondern der Kopf über, der Rumpf unter dem Eis fortliefen, bis sie in einer anderen Wuhne wieder aufeinandertrafen und zusammenfroren. Der Schlittschuhläufer stieg nun aus dem Wasser, und da er die Kosse vor sich sah, ging er in das dortige Gasthaus. Er setzte sich an den Ofen, trank eine Portion Tee und sprach mit den übrigen Gästen. Indes wollte es der Zufall, daß ihm eine Prise Tabak geboten wurde, und beim Niesen fiel ihm der schon wieder abgetaute Kopf vom Rumpf. (99)

Die Heringe

In früheren Zeiten kamen die Heringe durch das Frische Haff bis in den Pregel nach Königsberg und boten den armen Leuten eine wohlfeile Kost. Einst gab es hier aber auf dem sogenannten Lizent einen Soldaten, dem nichts unangenehmer war, als daß er alle Tage Heringe essen sollte. In seiner Wut nahm er einen Hering, hängte ihn auf und schlug auf ihn ein, indem er fluchte: »Ihr infamen Racker, so muß ich euch denn immer fressen!« Seitdem kommen die Heringe nicht mehr her, sondern lassen sich mit Kosten herbeischaffen. (100)

Der Messerschlucker von Königsberg

Am 19. Mai 1635 litt ein Bauersknecht namens Andreas Grünheide aus Grünwald, sieben Meilen von Königsberg, unter Übelkeit im Magen und nahm daher ein Messer, faßte es bei der Spitze und wühlte mit dem Heft im Schlund, in der Absicht, sich so zu übergeben und zu erbrechen. Aber das Messer entfuhr ihm und ging bis in den Magen hinab. Er stellte sich nun auf den Kopf, drehte die Beine in die Höhe, annehmend, das Messer werde wieder herauskommen. Als dies aber nicht geschah, setzte er eine Kanne Bier darauf und spülte es vollends hinab.

Darauf wurde dieser arme Kerl nach Königsberg zum Doktor Becker gebracht, der ließ ihn am 9. Juli in Gegenwart anderer Ärzte auf ein Brett binden und nach vorhergehender Applikation des magnetischen Pflasters durch einen Schnitt zwei Finger breit in die Länge, erstlich die Haut, hernach das Fleisch, und drittens das Peritonäum, darin die Därme sind, öffnen. Darauf wurde mit einer krummen Nadel der Magen aufwärts gezogen, ein Loch an dem Ort, wo die Spitze des Messers sich fühlen ließ, hineingeschnitten und das Messer an dieser Stelle herausgezogen, da dann der Magen stracks wieder zuschnappte und die Wunden wieder geheilt wurden. Der Patient sah mit großer Herzhaftigkeit zu, und als der Wundarzt das Messer herauszog, rief er mit Freuden: »Das ist mein Messer!« Während Daniel Schwabe, ein Stein- und Wundarzt, dieses verrichtete, wurden dem Patienten die besten Herzstärkungen gegeben.

Das Messer wurde 1637 dem König von Polen Wladislaus auf Wunsch zugeschickt. Später hat es der König Johann Casimir dem Herzog Bogislaus

Porträt des »Preussischen Messerschluckers, wie er glücklich kurieret, in den Ehestand getreten und noch bei gesundem Leben ist«. Links: »Abbildung des verschluckten und wieder aus dem Magen geschnittenen Messers«. Kupferstiche aus Christoph Hartknoch, Alt- und Neues Preussen. Frankfurt/Leipzig 1684

Radziwil gegeben, welcher es endlich wiederum der Königsberger Churfürstlichen Bibliothek verehrt hat. Andreas Grünheide hat dann 1641 geheiratet und sich zu Landsberg in der Vorstadt niedergelassen. (101)

Der Katzensteig

In Königsberg führt von der Tuchmacherstraße nach der Löbenichtschen Bergstraße ein schmaler Steig, der den Namen Katzensteig führt. Der Steig scheint deshalb so zu heißen, weil wirklich, besonders im Winter, die Turnkunst einer Katze dazu gehört, um ihn herauf- oder hinabzusteigen. Der Name hat aber einen anderen Grund.

In der Bergstraße wohnte nämlich vor vielen, vielen Jahren eine Frau, welche die Brauerei betrieb und nebenbei die Hexerei. Sie und eine andere Frau verwandelten sich jede Nacht in Katzen und gingen mit einem Bräukessel den Katzensteig hinunter zum Pregel und gondelten dann in dem Kessel auf dem Wasser herum. Der Wächter, der früher an der Holzbrücke stand, sah dies sonderbare Schauspiel oft an, und von ihm erfuhr es der Brauknecht der Hexe. Dieser versteckte sich in der Brauerei und sah wirklich, wie die beiden Katzen mit seinem Braukessel abschoben und zum Pregel wanderten. Nun erzählte er es diesem und dem, und das Gerede kam endlich auch zu Ohren der Frau, die darüber sehr böse auf den Brauknecht wurde und sich an ihm zu rächen vornahm. Eines Tages nun, als der Knecht am Braukessel stand, kam eine große Katze, umwand ihn schmeichelnd, versuchte ihn aber dabei in den Kessel zu werfen. Ihm wurde ganz bange zumute, er hatte aber doch noch so viel Fassung, daß er das heilige Kreuz schlug, die Katze sodann mit beiden Händen ergriff und sie in das siedende Gebräu stürzte. Andern Tages fand man die Brauerin im Kessel liegen, schon ganz verkohlt. (102)

Das wundertätige Marienbild in Juditten

Eine Meile von Königsberg liegt das Dorf Juditten, hier wurde zur Zeit des Deutschen Ordens eine Kirche erbaut, in welcher sich heute noch ein Bild von Maria mit dem Jesuskind auf den Armen von übermenschlicher Größe befindet, grob aus Holz geschnitzt und angestrichen. Hierher sind als zu einem wundertätigen Heiligtum sehr viele Wallfahrten gemacht worden, ja noch zur Reformationszeit sind Pilger aus Rom hierhergekommen, welche sich von den hier angestellten lutherischen Geistlichen Zeugnisse geben ließen, daß sie diese ihnen als Buße auferlegte Wallfahrt vollendet hätten. (103)

Am Kurischen Haff und im Memeltal

Neringa, die Strandriesin

Vor vielen hundert Jahren, als noch die ganze Kurische Nehrung eine fruchtbare Gegend war, grün von Wiesen, Äckern und Feldern, da ragte an der Stelle, wo das Dorf Karweiten verschüttet liegt, ein mächtiges Schloß aus dunkeln Kiefern empor. Von dicken Baumstämmen zusammengefügt, war es doch mit viel Schnitzerei, Bernstein und Seemuscheln reich verziert und von luftigen Hallen und schattigen Gärten umgeben. Auf einem Hügel in der Nähe stand das Heiligtum der Laima, der hilfreichen Göttin der heidnischen Preußen und Litauer.

Der Herr des Schlosses und der Nehrung war Karweit der Große, im ganzen Land berühmt wegen seiner Körperkraft und Kühnheit als Heerführer und Seefahrer. Seine Frau war ebenso tugendreich wie schön. Sie hatten aber keine Kinder.

Einst erlegte Karweit einen starken Elchhirsch. Den opferte er der Göttin Laima und bat um einen Nachkommen. Zwei Jahre später wurde ihm von seiner Frau ein wunderschönes Mädchen geboren. Die Freude der Eltern war unbeschreiblich. Unter der großen Opferlinde wurde der Laima ein Dankopfer dargebracht und ein großes Fest gefeiert.

Das Mädchen wurde größer und schöner mit jedem Tag. Aber seltsam! Als es vier Wochen alt war, zwang die Wärterin es kaum zu tragen. Mit Milch allein war es nicht zu sättigen; es verlangte Grütze, Brei, zuletzt sogar Brot und Braten. Und als es neun Monate zählte und zu laufen anfing, war es so groß wie sonst ein Mädchen von fünfzehn Jahren und hatte Zöpfe zwei Arme lang.

Da entsetzten sich die Eltern und ließen Priester und Wahrsager kommen, damit sie dies Wunder erklärten; denn die Leute im Lande sagten: »Das hat Lauma, die böse Fee, getan! Sie hat das rechte Kind in der ersten Nacht geraubt und einen Unhold dafür gebracht.« Die klugen Männer aber schüttelten ihre weisen Köpfe und sagten schließlich: »Das Kind ist ein Wundergeschenk der guten Laima und wird noch weiter wachsen. Darum baut ein neues Haus, mindestens zehnmal so groß als das alte. Im übrigen seid ohne Sorge. Das Kind wird keinem ein Leid antun, sondern nur euern

Der Elch. Kupferstich aus Christoph Hartknoch, Alt- und Neues Preussen. Frankfurt/Leipzig 1684.
Dazu der Verfasser: »Es gibt ihn in Preussen, Litauen, Norwegen und anderen nordischen Ländern, wo viel morastige Orte sind. Er schwimmt sehr gut, so daß er die breitesten Seen überschwimmen kann.«

Ruhm und euer Glück vermehren.« Da waren die Eltern wieder froh und ließen eine Halle erbauen so hoch und so weit, wie es sich für ein Riesenkind und eine Riesenjungfrau schickt.
Als nun Neringa – denn so hieß das Riesenfräulein – achtzehn Jahre alt war, erfüllte sich alles, was die Wahrsager vorausgesagt hatten: sie brachte Glück, wo sie hinkam. Wenn ein Schiff an der Seeküste oder auf dem Haff in Gefahr war, so watete sie durch die aufgeregten Wogen und zog es an der Ankerkette ans Land. Die armen Schiffbrüchigen, die dem Ertrinken nahe waren, griff sie auf und trug sie in ihrer Schürze nach Hause. War ein Bauer mit seinem schwerbeladenen Wagen oder Schlitten steckengeblieben, so war es Neringa ein Kinderspiel, das Gefährt mit den Pferden dahin zu tragen, wo der Weg besser war.
Die Kunde von Neringa verbreitete sich durch alle Lande, und manch stattlicher Fürstensohn begehrte sie zur Frau. Sie aber wollte nur den wählen, der einen Stein über das Haff bis zur Windenburg werfen konnte. Ein großer Wall von Steinen lag am Haffstrand. Hierher eilten die Freier und warfen um die Wette. Dem jungen Burgherrn von der Windenburg gelang der Wurf, und er wurde Neringas Bräutigam.

Bald darauf brauste von Westen ein Sturm heran und wütete ohne aufzuhören dreizehn Jahre lang. Die See warf gewaltige Sandmassen an den Strand, und der Wind jagte sie als Dünen über die Nehrung weiter. Das Wasser der Memel und die Wellen des Haffs wurden auf das Uferland getrieben. Sie ersäuften wie ein Meer die Felder und Wälder, Wiesen und Höfe.

Auch der Windenburg drohte der Untergang. Als Neringa das merkte, raffte sie schnell ihre Schürze voll Sand, watete über das Haff und schüttete einen Damm um die Burg ihres Bräutigams.

Weil das Waten durch den Sumpf des Haffes nicht angenehm war, baute Neringa kurzentschlossen querüber einen Damm nach der Windenburg. Die tiefen Stellen füllte sie mit den Steinen, die die Freier übriggelassen hatten. Im flachen Wasser war der Damm noch leichter zu bauen. Dazu strich sie einfach eine Düne in ihre Schürze. Als sie jedoch mit dieser Last das Haffufer hinabschritt, riß das Schürzenband, und ihr schöner Sandberg rutschte zu früh ins Haff. Ärgerlich raffte sie noch soviel zusammen, wie zur Vollendung des Dammes nötig war, und schritt nun wohlgemut hinüber und herüber. Im folgenden Jahr wurde bei Met und Gesang frohe Hochzeit gefeiert.

Was aber die Priester von dem dreizehnjährigen Sturm geweissagt hatten, erfüllte sich auch: »Dem Sturme gleich werden von Westen und Süden her starke Eroberer das Preußenland bezwingen.« Und so geschah es. Gepanzerte Ritter des Deutschen Ordens zogen heran, um die heidnischen Preußen zum Christentum zu bekehren. In erbittertem Kampf wurde ein Gau nach dem andern erobert und schließlich auch der Gau Schalauen, in dem die Windenburg stand. Neringas Riesensöhne und ihr ganzes Geschlecht fielen im Kampf, und ihre Burg wurde zerstört. Die letzten Trümmer sanken ins Haff, und mancher Schiffer weiß heute noch zu erzählen von Mauerresten, die auf dem Haffgrund bei Windenburg im klaren Wasser sichtbar sind, und von der großen Steinbank quer durch das Haff, einst geschüttet von Neringa, der Strandriesin. (104)

Die singende Meerjungfrau

Zu Nidden am Gestade des Kurischen Haffs wohnt in dem Wasser eine Jungfrau, die mit süßen Klängen den Wanderer zu sich heranlockt, die Schönheit ihres Aufenthalts rühmt, und ihm, wenn er ihr folge, ein Leben voller Freuden und das Glück der Liebe verheißt. Wenn nun aber der Gelockte, betört von den Verheißungen und dem zauberischen Gesang sich in die Flut stürzt, um nach dem Eiland, auf dem er die Jungfrau vor sich zu sehen glaubt, hinüberzuschwimmen, so öffnet sich plötzlich der Abgrund und verschlingt den Schwimmer nebst der Insel. Schon viele Opfer hat die Jungfrau so zu sich hinabgezogen. (105)

Die Riesensteine im Kurischen Haff

Die großen Steine, die beim Leuchtturm von Rossitten auf dem Haffgrund liegen, sollen durch Riesen dorthin geraten sein. Wo jetzt der Leuchtturm steht, hat sich vor langer Zeit nämlich das Schloß eines Riesen erhoben. Auf der andern Seite des Haffes, Rossitten gegenüber, soll der Bruder des Riesen gelebt haben. Aber obwohl er auch in einem Schloß wohnte, wollte er doch das Schloß des Rossittener Bruders dazu haben. Und daher war immer Streit zwischen den beiden. Als sich der Rossittener nun einmal Fische zur Mahlzeit aus dem Haff nahm, geriet der andere so in Wut, daß er alle Steine, die er erreichen konnte, nach ihm schleuderte. Der aber sprang gewandt hin und her, so daß ihn keins der Geschosse traf. Die Steine liegen heute noch vor Rossitten, und die Dampfer müssen die Stelle im weiten Bogen umfahren, wenn sie am Landungssteg von Rossitten festmachen wollen. Sehr leicht zerschellen Fischerboote im Sturm an den Steinblöcken. Das Schloß des Rossittener Riesen soll bald darauf durch Feuer, das der Bruder hatte legen lassen, zerstört worden sein. (106)

Die Pestmänner

Eine alte Fischerfrau von der Kurischen Nehrung erzählte: Es war hier einst ein Pfarrer gewesen, der wurde von den Fischersleuten hoch geachtet, denn er war ein guter und frommer Mann. Der konnte eines Nachts nicht schlafen, denn der Tauwind war gekommen und hatte das Eis überm Haff zerschmolzen, und das Eis krachte laut, und das Schneewasser floß vom Dach, die Krähen flogen ganz niedrig, schreiend über das Dorf. Das Eis taut auf, dachte der Pfarrer, nun kommt der Frühling, der bringt meinen Fischern wieder Arbeit. Da, um Mitternacht fuhr ein starker Sturm um das Haus, und die Tür sprang auf. Zwei fremde Männer traten an des Pfarrers Bett und befahlen ihm, schnell aufzustehen und ihnen in die Kirche zu folgen.

Als der Pfarrer Licht schlug, bemerkte er, daß die Fremden verschleiert waren, pechschwarze Tücher hingen ihnen tief um die Köpfe. Auf des Geistlichen Frage, woher sie kämen und was sie von ihm begehrten, sagten sie, daß er das nicht zu erfahren brauche, aber er solle schnell den Talar überwerfen, den Kirchenschlüssel nehmen und mitkommen, um ein junges Paar zu trauen; sie beide seien die »Guten Männer«, die Trauzeugen, die anderen Hochzeitsgäste ständen schon mit dem Brautpaar an der Kirchentür.

Dem Pfarrer kam dies wohl wunderlich vor, aber er ging zwischen den Männern mit aus dem Hause. Da lag ein großes Schiff mit schwarzen Segeln; auf dem Wimpel zierte es ein runder Totenkopf. Als das der Pfarrer sah, schlug er ein Kreuz, lief so schnell er konnte und versuchte, sich an der Friedhofspforte zu stützen. Aber da verbanden ihm die beiden Männer mit schwarzen Schleiern die Augen und führten ihn in die Kirche geradeaus auf den Altar. Dort sollte er nun das Brautpaar trauen, das er nicht mit Augen sehen konnte. Und es spielte jemand die Orgel und ein anderer trat Balgen, und die Lichter auf dem Altar wurden angezündet. Und das Brautpaar hat auf dem Kissen gekniet und sich mit Ringen trauen lassen. Die Ringe aber waren so heiß wie rotes Eisen, und die Hände waren so klamm wie Eis.

Dann führten die »Guten Männer« den Pfarrer wieder in sein Haus und warfen ihn aufs Bett. Da aber hat mit einemmal die Sterbeglocke geläutet, und der Pfarrer ist leise ans Fenster gegangen und hat hinausgeschaut. Da sind viele Leute in schwarzen Kleidern und mit verschleierten Köpfen auf das Schiff gestiegen, haben die Segel gewendet und sind mit Wind übers Haff gefahren, sehr schnell, und bald waren sie außer Sicht.

Der Pfarrer legte sich darauf zur Ruhe, er konnte aber keinen Schlaf finden, er hat sich unruhig herumgeworfen, als schüttele ihn das Fieber; da hat er geglaubt, der Tod käme ihn holen. Der nächste Tag war ein Sonntag, und der Pfarrer ging in die Kirche. Wie sie aber alle nacheinander hineingeschritten waren, da stand auf dem Altar ein offener Sarg, darin lag die junge Braut mit Kranz und Schleier, am Finger einen eisernen Ring. Da hielt der Pfarrer eine Totenfeier, und die Fischer holten Spaten und begruben die Tote, die niemand kannte. Der Sand und das Wasser sind um den Sarg geflossen, und der Hügel ist bald verschwemmt und zerfallen. Aber von der Nacht an war die Pest im Dorf zu Hause, und alle Leute mußten sterben, zuerst der Pfarrer, dann all die Fischer, die das Grab geschaufelt hatten, mit Weibern und Kindern. Und das Dorf ist ganz ausgestorben, der Sand hat alle Häuser zugeweht und die Kirche begraben, und der Wind hat alles verjagt. (107)

Die Eiche des heiligen Jodocus

In der Nähe der Stadt Labiau stand hart am Wasser in früheren Zeiten eine Eiche, die dem preußischen Heiligen Jodocus gewidmet war. Sie war groß und inwendig hohl, jeder Schiffer, der an ihr vorbeisegelte, unterließ es nicht, einen Pfennig in ihre Höhlung zu werfen, denn der heilige Jodocus war der Beschützer der Gewässer, und wer ihm opferte, hatte kein Ungemach auf dem Wasser zu befürchten. Den Schatz wagte niemand anzurühren. Es hatte sich aber ein böser Mensch aus der Gegend die Sache gemerkt, und er nahm eines Tages den ganzen Schatz fort, welcher sich auf mehr als vierzig Mark belief. Der Stamm ist nachher verdort. Die Stelle, wo er gestanden hat, ist noch bekannt, und gottesfürchtige Schiffer, wenn sie vorbeikommen, werfen noch immer einen Pfennig hin. (108)

Die Milchhexe

In Labiau wohnte früher ein altes häßliches Weib, die ein Werwolf war und allerlei Hexerei verstand. Sie ging täglich mit ihrem Töpfchen durch die Straßen und sprach in jedem Haus um Milch an. Wer ihr nichts gab oder ihr Salz nachzustreuen vergaß, dessen Kühe behexte sie. Die Leute waren schon in der größten Angst, wenn sie ankam, und gaben ihr alles, was sie unter der Seele hatten; das Weib wurde aber immer noch unverschämter. Denn wenn sie glaubte, daß ihr jemand noch mehr hätte geben können, so lief sie wütend nach Hause und melkte seine Kühe an einem Strick, den sie mitten in ihrer Stube an den Balken der Decke befestigt hatte, nicht allein rein aus, sondern melkte so lange fort, bis das helle Blut aus dem Euter stromweise floß. (109)

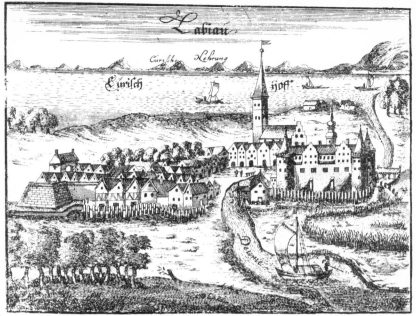

Labiau. Kupferstich aus Christoph Hartknoch, Alt- und Neues Preussen. Frank-furt/Leipzig 1684

Der entdeckte Dieb

In Labiau lebte eine böse Töpferfrau, die vermißte einst Ölblau und glaub-te, daß ihr Dienstmädchen es gestohlen haben müsse. Das Mädchen be-teuerte zwar seine Unschuld, obwohl es hart genug angelassen wurde, aber die Töpferfrau beruhigte sich dabei nicht, sondern stieg auf ihren Wagen und fuhr zu einem Hexenmeister, der in der Rautenburgschen Ge-gend hauste und den Dieb entdecken sollte. Der Hexenmeister verstand seine Kunst wohl und sprach: »Ich kann machen, daß derjenige ver-krummt und verlahmt, der Euer Ölblau hat, aber bedenkt Euch sorgsam, denn ich kann ihn nicht wieder gerade und gesund machen.« – »Mag die diebische Elster verkrummen!« sprach die Töpferfrau, sie meinte nämlich das unschuldige Dienstmädchen. Als sie nach Hause kam, konnte sie vom Wagen nicht mehr herab und war selbst verkrummt und verlahmt, denn in ihrem Ärger hatte sie vergessen, wie sie das Ölblau mit eigner Hand in ihrem Schrank verschlossen hatte.

Sie fuhr nun zwar wieder zum Hexenmeister, und er hat sie auch noch etwas gestrichen und gezogen, sie ist aber doch nie mehr ganz zurechtgekommen. (110)

Die Feuersbrunst in Labiau

Die Grafen von der Trenck auf Schakaulak konnten jede Feuersbrunst ausreiten. Als im Jahr 1809 die Vorstadt von Labiau abbrannte, kam plötzlich der um 1836 verstorbene Graf von der Trenck auf einem schäumenden Schimmel angesprengt, jagte dreimal um das Feuer herum, wobei sich hinter dem Pferd ein feuriger Streifen zog, der den Schweif des Rosses hinauf und längs dem Rücken des Pferdes bis an die Lehne des Sattels lief, und stürzte sich in das nächste Wasser. Als er auf der andern Seite wieder herausritt, war das Feuer aus und die übrige Stadt, die wegen des Windes in großer Gefahr schwebte, gerettet. (111)

Der Teufelstanz in Schakaulak

Eine der Ahnfrauen des Hauses von der Trenck, bei welcher es immer in Saus und Braus hergehen mußte, und welche nichts mehr liebte als Fahren, Reiten, Jagen und Tanzen, veranstaltete einmal ein großes Fest. Es dauerte schon mehrere Tage. Am vierten Abend, eben als der Tanz mit einer Polonäse beginnen sollte, fährt eine elegante Equipage vor; ein sehr reich gekleideter junger Mann steigt aus, tritt in den Saal und bittet um die Erlaubnis, an dem Tanz mit teilnehmen zu dürfen. Es war ein interessanter Mann, obwohl er etwas wild aussah, und seine Bitte wurde gewährt. Er forderte die Gräfin zur Polonäse auf und unterhielt sie sehr angenehm. Aber auf einmal sehen die Musikanten, daß er einen Pferdefuß hat und erschrecken so heftig, daß sie wie auf Verabredung alle auf einmal das Lied anheben: »Es wolle Gott uns gnädig sein.« Wie der Fremde das hört, steht er plötzlich in Flammen und fährt durch die Wand und verschwindet draußen samt Wagen und Pferden. Die Stelle in der Wand, wo der Teufel durchgefahren ist, sieht man noch jetzt. Man hat oft versucht, sie zuzumauern, aber immer vergeblich. Die Hand der Gräfin aber, an welcher der Teufel sie gehalten, und die ganze Seite ihres Körpers, neben welcher er gestanden hatte, blieben von Stund an schwarzblau und wie verbrannt. Darauf bekehrte sie sich und ist eine fromme Hausfrau geworden. Ihre Nachkommenschaft aber starb mit ihren Kindern aus, und die Besitzungen ihres Hauses fielen daher bald an die ungarische Seitenlinie. (112)

Das Marienfischchen

Die Jungfrau Maria wollte einmal von Labiau nach Memel reisen. Als sie an das Haff kam, fand sie weder eine Brücke noch ein Schiff zum Übersetzen. Da füllte sie ihre Schürze mit Sand und Steinen und warf davon eine Handvoll nach der andern vor sich in das Wasser. So entstand ein Damm, auf dem sie glücklich nach Memel gelangte. Die Reste dieses Dammes sind in dem Riff enthalten, das noch heute das Haff durchsetzt.
Unterwegs aber wurde die Jungfrau Maria sehr hungrig. Sie griff in das Wasser, erhaschte einen Fisch und aß die eine Hälfte auf. Als sie satt war, setzte sie ihn in das Wasser zurück mit dem Wunsch, daß er weiter lebe. So entstand die Flunder; die Leute nennen sie noch heute das Marienfischchen. (113)

Der Glomssack in Memel

In früherer Zeit war an der äußeren Festungsbrücke in Memel ein sogenannter Glomssack zu sehen, aus Metall gegossen, der zwei Zentner wog. Er diente zum Aufziehen und Niederlassen der Brücke. Von seiner Entstehung und Bedeutung wird erzählt: König Erich von Schweden hat einst das Schloß Memel belagert, die Besatzung hielt sich aber tapfer so lange, daß der ganze Mundvorrat bis auf einen einzigen litauischen Glomskäse aufgezehrt worden war. Die Belagerten hielten nun Rat, wie sie wohl dem Feind vorgaukeln könnten, daß sie noch großen Vorrat an Lebensmitteln hätten. Der Beschluß fiel dahin aus, den Glomskäse in das Lager der Feinde zu schleudern. Es geschah, und der Feind verzweifelte nun, das Schloß auszuhungern und hob sofort die Belagerung auf. Zum Andenken an die gelungene List wurde der metallene Glomssack gegossen und an der Stelle der Mauer aufgehängt, wo man den wirklichen Käse über die Mauer geworfen hatte. (114)

Der schwarze Mann zu Memel

Am 19. Februar 1595 um 9 Uhr abends hat Hans von der Heide, ein Kriegsmann aus Dithmarschen, auf der Festung zu Memel auf dem Wall am vordersten Rondell die Wache gehabt und gesehen, wie eine Brücke über den Graben bis ans Rondell entstanden und darüber ein schwarzer Mann in einem langen Talar gekommen ist. Der hat ihn auf Sächsisch mit harten Worten angesprochen und gefragt: »Was stehst du hier?« Der Kriegsmann antwortete: »Ich stehe hier von Gottes und meines gnädigsten Herrn wegen.« Da versetzte der schwarze Mann: »Das hieß dich Gott reden«, und fragte weiter: »Habt ihr auch noch da in dem Ding zu fressen?« Hans antwortete: »Ja, Gott sei Dank, genug zu essen und zu trinken und guten Vorrat.« Da sprach der schwarze Mann: »Aber Korn und Holz wird euch mangeln.« Darauf sind er und die Brücke verschwunden, und die Schanzkörbe haben sehr gekracht. (115)

Die drei Särge

Es war im Jahre 1913 in der Gegend von Memel. Als da einmal ein Nachtwächter in der Nacht die Mitternachtsstunde auspfiff, trat aus dem Schatten ein kleines Männchen zu ihm und bat: »Pfeif doch dreizehn!« Der Nachtwächter lachte und sagte: »Das gibt es doch gar nicht!« Da verschwand das Männchen. In der nächsten Nacht kam es wieder und bat ihn diesmal viel eindringlicher: »Pfeif doch dreizehn!« Der Wächter wies es wieder ab. Aber die Sache kam ihm doch merkwürdig vor, und er ging am nächsten Morgen zum Amtsvorsteher und erzählte ihm alles. Der riet ihm: »Wenn das Männchen wiederkommt, dann pfeif ruhig einmal dreizehn.« In der dritten Nacht tat es der Nachtwächter wirklich. Da sah er drei Särge vor sich stehen. Einer war voll Blut, einer voll Wasser, und der dritte war leer. Und das war eine Voraussagung des Krieges. In dem ersten Sarg, da war das viele Blut, das fließen sollte; in dem zweiten waren die Tränen, und der dritte Sarg bedeutete das arme, leere Ostpreußenland, das die Russen ausplündern würden. (116)

Die Stadt Memel mit Kurischem Haff und Kurischer Nehrung. Kupferstich aus Christoph Hartknoch, Alt- und Neues Preussen. Frankfurt/Leipzig 1684

Slomspetters

Am Algawischker Teich im Kreis Niederung konnte in alten Zeiten niemand vorbeigehen, ohne mit Wasser und Schlamm bespritzt, ja auch oft mit lebenden Fischen beworfen zu werden. Man wußte aber nie, wer diesen Schabernack ausführte. Ein in der Nähe wohnender Wirt, der eines Tages auch vorbeiging und wie gewöhnlich mit Wasser begossen wurde, faßte sich endlich ein Herz und sprach: »Wer ist da?« – »Ich«, antwortete es aus dem Teich. »Wer bist du?« – »Der Wassermann!« – »Wie heißt du?« – »Slomspetters!« – »Nun, Slomspetters, was sind das für Streiche, weswegen läßt du die Leute, die hier vorbeigehen, nicht in Ruhe?« – »Aus Langeweile. Ladet mich zu euern Gastereien ein, und ich halte Frieden!« – »Das soll geschehen, aber du mußt uns dann auch gehen lassen.« – »Sicher, haltet ihr nur euer Wort!«

Des Wirts Abenteuer wurde bald in der Gegend bekannt und jedermann war gespannt, den Wassermann kennenzulernen. Nun wollte ein Nachbar einen Kindtaufschmaus geben und ging an den Teich. »Slomspetters!« rief er. »Ja!« – »Morgen feiere ich Kindtaufe und lade dich zu Gast!« – »Schön, ich werde kommen!« Am andern Tag, nachdem die kirchliche Handlung vorüber war, in der Dämmerstunde trat ein etwas seemännisch, aber fein gekleideter, breitschultriger, brauner Mann mit einem großen Korb voll lebender Fische am Arm ins Haus des Kindtaufvaters. »Hier ist mein Patengeschenk!« sagte er. Dann wandte er sich zu dem Säugling, sah ihn lange an, küßte ihn zärtlich auf die Stirn und sprach: »Jüngelchen, ein Fischer sollst du werden wie wenige. Immer viel Fische, viel Fische im Netz!« Und nun ging er zu der übrigen Gesellschaft. Seine Späße waren zwar etwas derb, aber voll sprudelnder Laune, und wer nicht wußte, daß er der Wassermann Slomspetters war, hielt ihn ganz gewiß für einen lustigen Steuermann. Lange war in der ganzen Gegend keine so fidele Kindtaufe gewesen.

Viele Jahre hindurch hat nun Slomspetters bei allen Hochzeiten und Kindtaufen als der unvermeidliche Gast mit figuriert, hat nie ein Fest verdorben und niemanden seit jener Stunde mehr zum Besten gehabt, aber eines Tages, als er wieder eingeladen wurde, antwortete er nicht, kam auch nicht zum Fest und seit diesem Tag ist alles Rufen nach ihm vergebens gewesen, und obwohl der Algawischker Teich heute noch seine Wellen kräuselt, von Slomspetters hört man nichts mehr und gesehen hat ihn auch seit jenem Tag niemand. (117)

Tilszatis, Wilmantis und Rombinus

Die drei Brüder Tilszatis, Wilmantis und Rombinus, jeder ein gewaltiger Riese, waren Söhne des Burgherrn von Ragnit. Einst verabredeten sie, auf Wanderschaft zu gehen. Das haben sie auch getan; und als sie von ihrer Reise zurückkehrten, brachte jeder etwas Merkwürdiges mit: Tilszatis eine Axt, Wilmantis ein Glöckchen und Rombinus einen Stein. Sie beschlossen nun, beisammen zu bleiben, jeder von ihnen erbaute eine Burg und ersah sich dazu einen Berg: Tilszatis den Schloßberg bei Tilsit, Wilmantis den nach ihm benannten Wilmantis und Rombinus den nach ihm benannten Berg am anderen Ufer der Memel. (118)

Die Memelhexe

Einst ist Tilszatis Burg auf dem Schloßberg bei Tilsit von Feinden in Brand gesteckt worden und stand bereits in Flammen. Man versuchte zu löschen, noch hätte durch Wasser das Schloß gerettet werden können, aber die Memelhexe bezauberte das Wasser, daß es seine löschende Kraft verlor. Bald entstand ein Sausen, wie von einem Sturmwind; furchtbar klirrten die Waffen und Entsetzen erregte das Geschrei und Geheul, als feurig blinkende Männer das Schloß verwünschten, so daß es als eine Glutmasse samt den Bewohnern versank. Zur Strafe wurde aber die Zauberin in die unterste Tiefe des Flusses gebannt, wo sie auf einem glühenden Dreifuß sitzend von der über ihrem Kopf rauschenden Memel Linderung erfleht und der Befreiung von ihren Höllenqualen entgegenharrt. (119)

Der Schloßvogt

In der Nähe der Stadt Tilsit, hart am Ufer der Memel, erhebt sich ein runder Berg, der Schloßberg genannt. Auf diesem hat vor alten Zeiten ein Schloß gestanden. Es muß sehr fest und groß gewesen sein; denn es liegt auf dem höchsten Punkt der Gegend, und noch sieht man deutlich die Spuren des großen Grabens und der doppelten Wälle, die es umgeben haben.

Ganz oben auf dem runden Berg, und gerade in dessen Mitte, sieht man ein breites, dunkles Loch, dessen Tiefe unergründlich sein muß, denn auch mit dem längsten Seil kann man den Boden nicht erreichen, und niemals hört man etwas zum Grunde kommen, was man hineinwirft. Das Schloß soll einmal plötzlich versunken und das Loch der Schornstein des versunkenen Schlosses sein. Tief unten in dem Berg, in dem Gemäuer des Schlosses, sollen unermeßliche Schätze verborgen liegen. Ein Kastellan bewacht sie, ein altes Männchen mit schneeweißen Haaren. Unter welchen Bedingungen die Schätze zu heben sind, ist noch keinem Menschen kund geworden, obgleich der Kastellan schon einige Male gesehen worden ist.

Das letzte Mal hat man ihn vor noch nicht langen Jahren gesehen. Mehrere Hirtenjungen aus dem Tilsiter Kämmereidorf Preußen hüteten auf dem Schloßberg das Vieh. Sie standen an dem tiefen Abgrund in der Mitte des Berges, sahen in die dunkle, bodenlose Tiefe hinab, und erzählten sich von

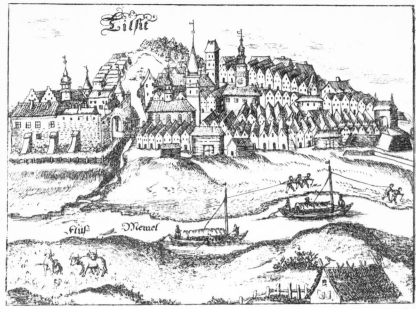

Tilsit. Kupferstich aus Christoph Hartknoch, Alt- und Neues Preussen. Frank-
furt/Leipzig 1684

den Schätzen, die da unten liegen. Da fiel es ihnen ein, sie müßten etwas
davon haben, und sie holten nun ein langes Seil herbei, daran banden sie
den jüngsten von ihnen, so sehr der Junge, welcher große Furcht hatte,
sich auch wehrte und schrie und ließen ihn in die Tiefe hinunter. Das Seil war
so lang wie der Turm auf der Deutschen Kirche in Tilsit und noch länger,
wohl noch einmal so lang, aber es hing noch immer straff und schwer, und
das war ein Zeichen, daß der Knabe noch nicht auf dem Grund war, obgleich sie schon lange sein Schreien nicht mehr hören konnten. Auf einmal
wurde es leicht und krümmte sich. Jetzt war er auf dem Grund; die anderen Jungen riefen hinunter, aber sie bekamen keine Antwort; sie legten das
Ohr an den Rand des Abgrunds; aber sie hörten nichts, da unten war alles
still. Sie warteten lange, endlich zogen sie das Seil wieder in die Höhe, allein es war und blieb leicht, und als das Ende oben wieder ankam, war es
leer. Da wurde ihnen entsetzlich Angst und sie liefen davon, und als sie am
andern Morgen das Vieh wieder austrieben, da wagten sie nicht zum
Schloßberg zu gehen.

Aber wie sie noch die Straße entlang trieben und überlegten, wohin sie sich wenden sollten, da kam in vollen Sprüngen ihnen der Knabe entgegen, den sie für tot hielten. Alle seine Taschen, seine Mütze, seine Hände waren voll Gold, und er erzählte ihnen voller Freude, wie er an dem Strick, mit dem sie ihn in den Abgrund des Berges hinuntergelassen, tief unten in eine große Küche gekommen sei, wo ein heller Schein gewesen wäre von all dem goldenen und silbernen Küchengeschirr, welches dort beisammengelegen. Auf einmal sei ein altes, graues Männlein zu ihm gekommen, das habe ihn freundlich angeredet, er solle keine Furcht haben, ihn von dem Strick losgebunden, und ihn nun durch eine Menge Gemächer geführt, von denen eins schöner war als das andere, und die alle voll Gold gelegen hätten. Und wie er nun müde geworden ist, da habe das Männlein ihn zu einem Bett geführt, auf dem er die Nacht geschlafen habe. Am andern Morgen aber, als er aufgewacht, habe das Männlein wieder vor ihm gestanden und ihm die Taschen und die Mütze und die Hände voll Gold gesteckt, soviel er habe tragen können, und dabei gesagt: »Das verehrt dir der Schloßvogt.« Dann habe das Männlein von der Seite ein enges Tor geöffnet und ihn durch dieses gehen lassen, und wie er hinausgetreten, sei er im Tal gewesen; das Tor und der Schloßvogt aber waren verschwunden.

Als das die andern hörten, und als sie dabei den Reichtum ihres Gefährten sahen, da wollten sie auch dergleichen erwerben und priesen den alten Schloßvogt und eilten alle zu dem Berg. Jeder wollte an dem Seil früher hinuntergelassen werden als der andere. Zuletzt warfen sie das Los, und wen es traf, der band sich selbst das Seil um den Leib und die andern ließen ihn hinunter. Das Seil blieb lange straff und schwer. Endlich wurde es leicht und schlaff. Sie zogen es in die Höhe, es war leer. Sie gingen vergnügt nach Hause und dachten, der Hinabgelassene werde am andern Morgen wiederkommen. Allein er kam nicht, und sie sahen und hörten nie wieder etwas von ihm. Da hat auch keiner mehr den Mut gehabt, in die Tiefe hinunterzusteigen. (120)

Die Geister in Tilszatis Schloß

Bei der Zerstörung und dem Untergang des Schlosses von Tilszatis waren auch junge Männer aus der Nachbarschaft zugegen, die mit dem Burgherrn freundschaftlich verbunden waren und mit denen er sich auch beraten hatte. Sie halfen ihm, die Burg zu verteidigen und kamen dabei ums Leben. Diese gehen heute noch dort nachts als Geister um.

Man erzählt sich nun aber, daß sich auf jenem Berg zuweilen ein schönes Fräulein sehen läßt, das man anreden kann und das selten einen Bittenden abweist. Einst weidete auf den fetten Triften am Schloßberg ein Hirt seine Schafherde. Er war ein guter und treuer Knecht; dennoch konnte er es nicht verhindern, daß sich schnell hintereinander von seiner Herde mehrere Lämmer verliefen und nicht wieder aufzufinden waren. Natürlich wurde er von seiner Herrschaft beschuldigt, nicht genügend aufgepaßt zu haben, und er beschloß, sich an das Fräulein auf dem Schloßberg zu wenden; vielleicht würde sie ihm helfen können. Es gelang ihm auch, sie zu treffen, er erzählte ihr von seinem Unglück, aber obwohl sie ihn freundlich anhörte, konnte er keinen anderen Rat bekommen als den, daß er auf seine kranken Tiere gut acht haben sollte.

Nun geschah es, daß sich wieder einmal ein krankes Lämmchen von der Herde entfernte, aber diesmal hatte er besser achtgegeben, er folgte ihm und sah, daß es in einer Öffnung des Berges unter Gestrüpp verschwand. Er trieb also seine Herde nach Hause, kehrte aber am andern Tag mit Hacke und Spaten zurück, fand richtig die Öffnung wieder und warf soviel Erde aus, daß er bequem hinein konnte. Bald sah er sich in einem Stall der versunkenen Burg, hier standen in langen Reihen die schönsten Pferde, Stiere, Böcke und Schafe, und mitten unter ihnen waren auch seine Lämmer, aber wohl und gesund und labten sich an würzigem Heu. Er ging immer weiter und kam durch kostbare Gemächer in einen von Gold glänzenden Saal. Hier saßen an einer langen Tafel regungslos schöne Frauen köstlich geputzt und stattliche Männer, in der Rechten das geschwungene Schwert, in der Linken den geleerten Becher haltend, obenan aber saß ein Greis mit weißem Haar, dessen Bart bis zur Erde durch den Tisch gewachsen war und der starr gen Himmel blickte. Das war der Burgherr Tilszatis mit seinem Hofgesinde und den jungen Männern, die mit ihm versunken waren. Dem Hirt wurde es grausig ums Herz, er suchte den Rückweg und sah sich auf einmal in einer Küche, da war alles noch Leben, an den Wänden glänzte goldenes Geschirr, die Küchenjungen liefen umher, ein mächtiges Feuer loderte auf dem Herd, und dort briet in großen Pfannen leckeres Schwarzwild und Geflügel. Der Koch aber rief ihn zu sich, hieß ihn sich setzen und bot ihm einen vollen Humpen herrlich duftenden Wein an. Das ließ er sich nicht zweimal sagen, er aß und trank, bis er toll und voll war, dann aber tappte er nach dem Stall, wo seine Lämmer standen. Die trieb er vor sich her, vergaß aber nicht, einen Korb mit würzigen Kräutern als Futter für den morgigen Tag mitzunehmen.

Als er wieder ins Freie kam, traute er seinen Augen kaum, denn das Körbchen hatte sich in Gold verwandelt, ebenso die Kräuterbeeren und Gräser. Noch oft ist er an den Ort zurückgekehrt, den Eingang in den Berg aber hat er nicht wiederfinden können. (121)

Die Seejungfern im Tilsiter Schloßteich

Vor langen Jahren soll Tilsit ganz anders ausgesehen haben als jetzt; vor allem hatte es noch nicht so schöne Häuser. Da trug es sich zu, daß ein Bauernsohn aus der Umgegend zum Soldaten ausgehoben und zum Trommler bestimmt wurde. Um sich ungestört zu üben, ging er gewöhnlich hinter einen Busch am Schloßteich.

Eines Abends im Hochsommer ging er auch nach seiner Gewohnheit dorthin und sah plötzlich, als er zufällig durch die Gebüsche blickte, drei schöne Mädchen an dieser sonst stets einsamen Stelle baden. Gleichzeitig sah er auch am Ufer ihre Kleider, bestehend aus grünen Gewändern und Schleiern von gleicher Farbe liegen. Er dachte gleich, es könne nicht mit rechten Dingen zugehen, sprang also auf die Sachen zu, raffte sie zusammen und ging damit davon. Kaum hatten dies die Mädchen gesehen, als sie, die Schönste voran, dem Ufer zuschwammen und flehentlich um Rückgabe ihres Eigentums baten. Als aber der Soldat davon nichts hören wollte, versuchten sie zu handeln und ihn dahin zu bestimmen, daß er ihnen wenigstens die Schleier zurückgeben möge, die andern Kleider könne er behalten. Nun wußte der Schlaue aber, daß diese gerade für die Mädchen den meisten Wert haben müßten, und um sich der Sache zu vergewissern, packte er diese in ein Bündel und tat, als wolle er es ins Wasser werfen. Als dies die Mädchen sahen, erhoben sie schon ein Freudengeschrei, er aber steckte ganz ruhig das Bündel unter seine Jacke. Da wurden die Mädchen ärgerlich, bespritzten ihn mit Wasser und als er ausreißen wollte, hingen sie sich an ihn und umklammerten ihn mit ihren schönen weißen Armen. Jetzt wurde ihm selbst bange, er sprach also: »Laßt mich los und tretet etwas zurück!« Als sie dies taten, nahm er erst den einen Schleier, hielt ihn in die Höhe und fragte, wem er gehöre. Als nun die eine sich als Besitzerin meldete, reichte er ihn ihr hin und verfuhr ebenso mit dem zweiten, den dritten aber, der der Schönsten gehörte, behielt er und lieferte ihn seiner Eigentümerin trotz allen Bittens und Flehens nicht aus. So sprangen denn die beiden andern schnell ins Wasser und tauchten augenblicklich wieder als zwei große weiße Fische auf der Oberfläche des Wassers auf.

Zu der dritten aber, von der er natürlich jetzt wußte, daß es eine Wassernixe war, sagte er: »Folge mir nach Hause, du mußt meine Frau werden!« Es half nichts, sie mußte in ihrem grünen Kleid, aber ohne Schleier, in das Haus seiner Eltern folgen, die über die Braut, welche sich ihr Sohn ausgesucht hatte, nicht wenig erstaunt waren. Er ließ ihr hier Bauernkleider anziehen, verschloß die grünen Gewänder in eine feste Kiste und ging dann wieder in seinen Dienst. Von diesem Augenblick an aber gedieh seinen Eltern alles wie nie vorher, die Felder gaben den dreifachen Ertrag, die Kühe milchten wie nie zuvor, und im Haus machte sich die Arbeit von selbst, so daß das väterliche Gut sehr bald das beste im ganzen Dorf wurde. Der Soldat selbst nahm seinen Abschied und die Hochzeit wurde bald mit großem Gepränge vollzogen.

So freundlich aber die junge Frau auch gegen jedermann war, das Schwatzen war nicht ihre Sache, sie saß ganze Nachmittage, wenn sie ihre Arbeit gemacht hatte, einsam im Garten und sang mit wunderlieblicher Stimme Lieder, deren Sprache niemand verstand, oder sie stand ernsten Blickes am Ufer des Schloßteichs und schaute traurig in dessen klaren Spiegel. Nach Verlauf eines Jahres gebar sie ein Kind, und während der Wohlstand der Familie von Tage zu Tage zunahm, wuchs in den folgenden Jahren auch die Zahl der Früchte ihrer Zärtlichkeit, welche sie ihrem Manne schenkte, doch ihr Äußeres, ihre blasse Farbe und ihr trauriges, verschlossenes, obwohl stets freundliches Wesen blieb sich gleich.

Da trug es sich zu, daß der junge Ehemann, der seine schöne Frau wie seinen Augapfel hütete, verreisen mußte. Er übergab seiner Mutter den Schlüssel zu der Kiste, in welche er die Kleider und den Schleier seiner Frau verschlossen hatte und machte es ihr zur heiligen Pflicht, weder irgend jemandem die Kiste zu öffnen noch auch selbst einen Blick hineinzutun. Die junge Frau hatte bald Kenntnis davon bekommen, tat also alles mögliche, was sie ihrer Schwiegermutter nur an den Augen absehen konnte, und da sie sich auch sonst bei ihr sehr beliebt gemacht hatte, so rückte sie endlich mit der, wie es schien, unbedeutenden Bitte heraus, sie möge ihr doch nur noch einmal erlauben, sich mit ihren alten Kleidern zu schmücken. Zwar erinnerte sich die Mutter des strengen Befehls ihres Sohnes, allein sie glaubte, es könne ja doch nicht viel auf sich haben, wenn sie ihrer Schwiegertochter diesen kleinen Wunsch gewähre, schloß auf und packte die Sachen aus. Hastig und unter lauten Freudenrufen kleidete sich die junge Frau an, warf den Schleier über, ein blendendes Licht durchflog das Zimmer, so daß die alte Frau die Augen schließen mußte, und als sie sie wieder öffnete, war ihre Schwiegertochter verschwunden. Tränen und Wehklagen erfüllten nun das Haus, der zurückkehrende Sohn war untröstlich, die alte Mutter siechte vor Kummer dahin, nur die Kinder trockneten bald ihre Tränen, vergaßen ihre schöne Mutter und spielten wie früher miteinander im Garten. Am liebsten waren sie jedoch in der Nähe des Schloßteiches, und bald fingen sie an, in einer allen unbekannten Sprache seelenvolle Lieder zu singen. Den Leuten war es freilich ein Rätsel, wo die Kinder ihre Kenntnisse her hatten, nur ihr Vater wußte recht gut, daß ihre Mutter heimlich ihre Hand über ihre Lieblinge halten werde. Er hat sich nie wieder verheiratet und starb in hoher Achtung bei seinen Nachbarn und großem Wohlstand hochbejahrt, aber heiter ist er seit dem Verlust seiner Frau niemals wieder gewesen. (122)

Ragnit. Kupferstich aus Christoph Hartknoch, Alt- und Neues Preussen. Frankfurt/Leipzig 1684

Das fischreiche Schloß bei Ragnit

Nicht weit von der Stadt Ragnit an der Memel hat vor Zeiten ein Schloß
gestanden, welches sehr fest war und von den heidnischen Preußen als der
letzte Zufluchtsort gegen die benachbarten Russen gehalten wurde. Viele
Jahre vor Ankunft des Deutschen Ordens hatten einst die Russen mit großem Volk einen Überfall in Preußen gemacht; sie hatten die Preußen geschlagen und in dieses Schloß zurückgetrieben. Sie belagerten es nun neun
Jahre lang und hatten es so fest eingeschlossen, daß keine Maus, ge-
schweige ein Mensch, heraus oder hinein konnte. Dennoch konnten sie es
auf keine Weise erobern. Da gingen sie endlich an die Mauern heran und
fragten die Preußen, wovon diese denn die ganzen neun Jahre über gelebt
hätten. Wurde ihnen zur Antwort, es wäre ein Teich im Schloß, der wäre
so fischreich, daß die Belagerten alle sich davon ernähren könnten. Darauf
sahen die Russen ein, daß sie nichts ausrichten könnten, und sie hoben die
Belagerung auf und zogen ab.
Der Teich ist noch unweit Ragnit, aber es sind keine Fische mehr darin,
sondern nur Frösche und Kröten, und die Litauer sagen: das seie so, seitdem bloß Christen im Lande wären. (123)

Die Leichenflugbahn

In Ragnit gab es zwei Gottesäcker, der eine südwestlich von der Stadt gelegene für die deutsche, der andere östlich von der Stadt gelegene für die litauische Gemeinde. Auf dem Strich zwischen beiden Gottesäckern aber –
so erzählt man – leidet es weder Baum noch Strauch, weder Haus, noch
Mauer, noch Zaun oder Hecke, denn die Toten, die im Leben miteinander
befreundet gewesen sind, besuchen sich in stürmischen Nächten und fliegen in der Luft von einem Gottesacker zum andern. Sie fliegen aber nicht
hoch über der Erde, und deshalb leiden sie keinen auch nur wenige Ellen
hohen Gegenstand auf ihrem Weg.
Einst baute ein Fremder, ohne die Warnungen der Ragniter zu achten, ein
Haus auf der Südseite der Stadt, wo es also im Bereich der Leichenflug-
bahn lag. Ehe aber das Sparrwerk aufgesetzt wurde, da kam einmal eine
stürmische Nacht, und – am Morgen lagen die starken Mauern des neuen
Hauses in Trümmern, wo doch etliche armselige und wandelbare Hütten,
die wenige Schritte davon, aber den Leichen nicht im Weg standen, den

Sturm ohne allen Schaden ausgehalten hatten. Da ergriff den Bauherrn ein heimliches Grausen, aber er schämte sich, jetzt durch Schaden klug werden zu sollen, nachdem er das viel wohlfeiler durch die Ragniter Warnung hätte werden können, und er versuchte, den Toten zu trotzen. Er ließ also das Haus noch einmal aufbauen, und noch stärker und fester als zuerst; aber – wie es wieder bis an das Dach war, trat eine stürmische Nacht ein, und am Morgen lag das Haus wieder in Trümmern. Nun wich der Bauherr der Macht der Toten und baute sein Haus ein wenig seitab, so daß es nicht mehr in dem Strich zwischen den Gottesäckern lag. Dort hat es viele stürmische Nächte unbeschadet ausgehalten und steht heute noch.

Es muß aber die Flugbahn der Toten sehr genaue Grenzen haben. Denn einmal wollte ein Bürger von Ragnit eine Scheuer südlich von der Stadt bauen; und da er ein Sonntagskind war und ihm also die Geister sichtbar wurden, so beobachtete er in einer stürmischen Nacht den Flug der Toten genau und steckte sich ein Zeichen ab, damit er mit seinem Bau ihnen nicht in den Weg geriete. Er mochte dabei aber doch um ein paar Ellen zu knapp gekommen sein, denn als die Scheuer fertig war und in einer Nacht der Sturm tobte, da war am Morgen darauf die Ecke des einen Scheunengiebels morsch weggerissen. Gleich ließ der Besitzer den Giebel einrücken, und nun blieb er unbeschadet. Aber eine kleine Dachspitze der Scheune ragt heute noch in die Flugbahn der Toten, und so oft eine stürmische Nacht ist, reißt es diese herunter, so daß der Besitzer sie wohl hundertmal im Jahr ausbessern lassen muß. (124)

Ragaine

In der Nähe von Ragnit (litauisch Ragaine), bei dem etwas östlich gelegenen Gut Hagelsberg, künden drei tiefe Schluchten am Ufer die Gegend an, wo einst die bekannte Heidenburg Ragaine lag, mit deren ebenso rasch als schrecklich vollführter Erstürmung 1276 durch Dietrich von Liedelau, Vogt von Samland, der Grund zu Schalaunens Unterjochung gelegt wurde. Von diesem Heidenschloß wird erzählt:

Als die drei Söhne des Riesenfürsten von Ragnit ihre drei Schlösser auf der Wilmantis-, Tilzsatis- und Rombinus-Höhe erbaut hatten, wollte ihnen ihr Vater nicht nachstehen und erbaute auf dem gegenüberliegenden Uferberg das mächtige Ragaineschloß. Glücklich und lange wohnte er darin, und geraume Zeit hatten hier Riesen ihren Hauptsitz, bis endlich nach ihrem allmählichen Aussterben nur noch der Riesenfürst und seine Tochter übrig waren. Als, wie er meinte, die Stunde seines Todes nahe war, erklärte ihm seine Tochter zu seiner innigen Freude, daß sie ihm folgen wolle. Er schritt also noch einmal durch die Straßen des Burgorts, schloß alle Häuser zu und tat dasselbe mit den Toren. Nachdem er dann auch den Haupteingang verschlossen hatte, legte er den Schlüssel außerhalb vor diesem auf den Weg, so daß jeder, der die Straße nach dem Schloß ziehe, ihn sehe und von seiner Bestimmung Gebrauch mache.

Hierauf zog er sich in sein Gemach zurück, um sein letztes Stündlein abzuwarten; seine Tochter trat aber noch einmal auf die Zinnen des Schlosses, um ein letztes Mal hinauszuschauen auf den Memelstrom und von der schönen Gegend auf immer Abschied zu nehmen. Da zog eine Schar Männer mit Gesang die Straße daher, und als sie die prächtige Burg erblickten und ihr Anführer den offen daliegenden Schlüssel gewahrte, da hielten sie dies für eine glückverkündende Einladung, sich für immer hier niederzulassen. Der Anführer wollte also den Schlüssel aufnehmen, aber der war, wie klein er auch schien, wie mit tausend Ketten an den Boden gefesselt, und wie sich auch die Stärksten aus der ganzen Schar bemühten ihn aufzuheben, niemand vermochte es.

Mittlerweile hatte die Jungfrau ihren Vater von der Ankunft der Fremden unterrichtet. Er trat heraus auf die Zinne, begrüßte sie und sprach: »Ihr könnt hier bleiben, doch nur dieser Schlüssel öffnet Euch das Tor, und dieser ist durch einen Zauberspruch festgebannt. Ein Name kann ihn wieder lösen, wer ihn errät, der hebt ihn spielend von der Erde auf. Darum frage ich: Wie heißt die Jungfrau, die zum ehrenden Zeichen unserer uralten himmlischen Abkunft ihr Haupt mit des Mondes goldenen Hörnern umkränzt und an Stirn und Achseln die Himmelszeichen trägt? Wer den Namen nennt, bekommt das Schloß und Land und dann meiner Tochter Hand.«

Sie rieten vom Morgen bis zum Abend, aber keiner kannte den Namen. Und schon war der neunte Tag angebrochen und noch war der Name nicht geraten, da schritt ein junger Mann in schlechter Kleidung, eine Brottasche umgehängt, durch die Reihen der Männer und sprach: »Die Jungfrau, deine Tochter, heißt Ragaina!« Da rief der Fürst laut aus: »Du hast es getroffen, du wirst mein Nachfolger und Schwiegersohn, jetzt hebe den Schlüssel auf und öffne das Tor. Ihr andern Fremdlinge aber könnt auch in die Burgstadt ziehen und euch hier niederlassen, nur muß sich euer Anführer meinem Schwiegersohn unterordnen. Zum Andenken daran aber, daß du dich mit einer Jungfrau aus dem Geschlecht der Riesenfürsten verbunden hast, mögen deine künftigen wie deines Volkes Töchter die Hornflechten (Ragas Horn) und die Himmelszeichen fortan tragen.« So ist es bis in unsere Zeit geblieben: die Mädchen aus den drei Kirchspielen Ragnit, Willischken und Wischwill zeichnen sich durch die sehr sauber gelegten Buckel- oder Hornflechten, das himmelblaue oder jetzt gewöhnlich schwarze Samtband mit goldnen Sternen, welches um die Stirn unmittelbar unter den Flechten getragen wird, und endlich durch die reiche Stickerei an den weiten Hemdärmeln aus.

Nachdem der alte Fürst alles geordnet, legte er sich zur ewigen Ruhe nieder. Zehn Jahre lebte der neue Herrscher in ungestörtem Glück, da riß ihn Giltinos Neid aus den Armen Ragainas. Noch lange aber blieb die Herrschaft bei den Ragainern, die in friedlicher Gemeinschaft das Schloß und Land bewohnten und verwalteten. Da zog ein fremder Fürst mit einem starken Heer vor die Burg Ragaine und verlangte unbedingte Unterwerfung. Doch die Bewohner widerstanden ihm mit der größten Tapferkeit, und er konnte, so viel er auch stürmte, die Burg nicht erobern. Er beschloß also sie auszuhungern, doch da wurde im Schloßbrunnen ein Hecht von riesenhafter Größe gefangen, den hingen die Belagerten wie eine Siegesfahne an einem langen Speer über das Schloßtor hinaus, den Feinden zum Spott und Ärger, indem sie sagten, die alles ernährende Mutter Natur lasse sie nicht darben, und da hob der Fremde nach neunjährigem Kampf die Belagerung auf und zog von dannen.

Auf dem Platz, wo einst die Burg Ragaine stand, erbauten die Deutschordensritter das feste Ordenshaus Landshut, von dem noch einige bewohnbare Reste übrig sind, die als Strafanstalt dienen. Von den alten Gräben und Wällen sieht man nicht mehr viel. Nur auf dem Schloßberg zeigt sich eine im Halbbogen aufsteigende Erhöhung, innerhalb der sich eine zwanzig Fuß tiefe Rundhöhlung befindet, durch die man früher bis zum Fluß und auch zu dem nach der Daubas (Schlucht) bei Tussainen führenden Gang soll gelangt haben können. Später hat man sie verschüttet, und jetzt sieht man in jener Vertiefung noch ein senkrecht hinabgehendes Loch, welches aber nicht sehr tief zu sein scheint. Im schwedischen Krieg ist dieser unterirdische Gang von neugierigen Offizieren untersucht worden, aber als man den Eingang das erste Mal öffnete, strömte eine so bestialische Ausdünstung heraus, daß die meisten Arbeiter betäubt zu Boden fielen. Nach mehrtägiger Lüftung drang man endlich in das Innere ein und fand hier ein gemauertes, unabsehbares Gewölbe, an dessen Decke in der Mitte große Lampen an Eisenstäben hingen. Es hatte überdies noch eine Breite für zwei nebeneinander fahrende Wagen, und man fand Waffen und

Gerippe, welche auf einen an diesem Ort stattgefundenen Kampf schließen ließen.

Später hat man hier noch mehrmals vergeblich nach Schätzen gesucht. Einer der Besitzer ließ deshalb die Mauerstücke vollends abbrechen. Er verfiel aber in eine schwere Krankheit, aus der er erst genas, nachdem er gelobt hatte, den Berg fernerhin unberührt zu lassen. Sein Nachfolger wollte die Tiefe der Öffnung untersuchen und ließ zu diesem Zweck einen starken Wiesenbaum hinab, der jedoch pfeilschnell mit Brausen wieder emporfuhr, so daß alle erschreckt davonflohen. Ein dritter ließ trotzdem abermals Nachforschungen hier anstellen. Da erschien ihm im Traum eine weißgekleidete Gestalt, die ihn mit milden Worten von seinem Beginnen abmahnte, und als er doch nicht davon abstand, da erschien sie ihm ein zweites und ein drittes Mal, aber mit so gesteigert drohender Miene, daß er endlich wirklich sein Vorhaben aufgab. (125)

Der Opferstein vom Rombinus und der Auszug der Laumen

Schräg der Stadt Ragnit gegenüber an der anderen Seite der Memel erhebt sich hart am Ufer des Stroms ein Berg mit vielen Spitzen und Löchern und mit Fichten bewachsen. Der Berg heißt der Rombinus. Hier war vor Zeiten der heiligste Ort, den die alten Litauer hatten, denn dort war der große Opferstein, auf welchem ganz Litauen dem ersten seiner Götter, dem Perkunos, opferte. Von dort aus wurde Heil und Segen über das ganze Land verbreitet.

Der Opferstein stand auf der Spitze des Berges. Der Gott Perkunos hatte ihn sich selbst dort hingelegt. Unter dem Stein war eine goldene Schüssel und eine silberne Egge vergraben, denn Perkunos war der Gott der Fruchtbarkeit; darum begaben sich auch bis in die späteste Zeit die Litauer zum Rombinus und opferten dort, besonders junge Eheleute, um Fruchtbarkeit im Haus und auf dem Feld zu gewinnen. Eine Überlieferung besagt, daß das Glück nicht von dem Land weichen werde, solange der Stein noch stehe und der Berg; der Berg aber werde zugrundegehen, wenn einmal der Stein von ihm genommen würde. Da geschah es nun 1811, daß in dem Dörfchen Barten, welches nordöstlich am Fluß des Rombinus liegt, ein Müller namens Schwarz zwei neue Windmühlen anlegen wollte, wozu er zwei Mühlensteine haben mußte. Er besah sich den Opferstein auf dem

Preußischer Bauer und seine Braut im 17. Jh. aus der Gegend von Tilsit. Kupferstich aus Christoph Hartknoch, Alt- und Neues Preussen. Frankfurt/Leipzig 1684

Rombinus und hielt ihn für ausreichend, um daraus die beiden Steine hauen lassen zu können.

Der Müller war ein Deutscher. Weil er nun wußte, daß die Litauer im Guten den Stein nicht hergeben würden, ging er zum Landrat des Kreises und erhielt von ihm eine schriftliche Genehmigung, daß er den Stein nehmen könne. Die Bauern in den benachbarten Dörfern erhoben zwar ein großes Geschrei, als er anfing, den Stein wegzunehmen, aber dem Befehl des Landrats mußten sie gehorchen. Dennoch dauerte es lange, ehe der Müller Schwarz zu dem Stein kommen konnte, denn es wollte sich kein Arbeiter zu dem Wegnehmen finden. Die Leute fürchteten, es würde ein Unglück geschehen, wenn man es wage, das letzte Heiligtum der Götter im Land anzutasten. Endlich fand der Müller drei Arbeiter, starke und mutige Gesellen, die für großen Lohn bereit waren, den Stein zu sprengen und in die Mühle nach Barten zu schaffen. Die Leute waren nicht aus der Gegend, sondern einer von ihnen war aus Gumbinnen, der andere aus Tilsit und der dritte aus dem Dorf Preußen bei Tilsit. Mit diesen dreien begab sich der Müller auf den Rombinus, und sie fingen an zu arbeiten. Als nun aber der Mann aus dem Dorf Preußen den ersten Schlag nach dem Opferstein tat, flog ihm ein Stück davon ins Auge, daß er noch am gleichen Tag auf beiden Augen blind wurde. Darauf fing der Geselle aus Tilsit an zu hauen, aber nach dem zweiten Schlag brach er sich den Arm, daß er nicht weiter arbeiten konnte und nach Hause zurückkehren mußte. Dem Gesellen aus Gumbinnen gelang es endlich, den Stein zu sprengen und in die Mühle zu schaffen. Aber als er drei Tage später in seine Heimat zurückkehrte, wurde er unweit von Gumbinnen plötzlich krank. Er mußte liegenbleiben und starb auf dem Weg, bevor er noch sein Haus erreichte.

So rächte der Gott Perkunos die Wegnahme seines Opfersteins, an dem er mehr als tausend Jahre verehrt worden war. Die goldene Schüssel und die silberne Egge hat man nicht gefunden, obgleich genug danach gesucht wurde.

Seitdem der Stein fort ist, frißt der Memelstrom von unten in den Rombinus hinein, und oben auf dem Berg weht der Wind den Sand auseinander, so daß bald die Stelle nicht mehr sein wird, wo einst der berühmte Opferstein stand. Dann wird, sagen die Litauer, großes Weh über das Land kommen.

Das Obige wurde 1834 niedergeschrieben. Seitdem, nämlich Anfang September 1835, hörte man in einer Nacht ein gewaltiges, weit schallendes Getöse, welches vom Rombinus herkam. Am andern Morgen fand man einen erheblichen Teil des Berges eingestürzt. In dem vorbeifließenden Memelstrom war dagegen eine große Erdzunge entstanden. Das Wunderbare dabei war, daß ein Weg zwischen dem eingestürzten Berg und der Memel unversehrt geblieben war. Der Berg schien also ganz in die Tiefe hineingestürzt zu sein, und das Erdreich hatte sich wohl dort unten nach dem Strom zu gedrängt, so daß es unter dem Weg im Strom wieder zum

Vorschein kam. Der Teil des Berges, auf dem der Opferstein gestanden hat, ist noch verschont geblieben. Die Litauer fürchten aber jetzt wieder doppelt, daß auch er bald einstürzen und dann die unglücksvolle Prophezeiung in Erfüllung gehen werde.

Man sagt, daß kurz vor jenem Bergfall am Rombinus 1835 einmal in der Nacht der Fährmann über die Memel aus dem Schlaf geweckt worden ist. Als er erschreckt fragte, wer da sei, wimmelte es vor seinen Augen von einer großen Menge kleiner Leute. Es waren die Laumen, die kleinen Berggeister, welche mit ihren Schätzen und all ihrer Habe aus dem Spalt des Rombinus herausgezogen waren und sich in seinen Kahn drängten und übergesetzt zu werden verlangten. Kaum vermochte er den Kahn ans andere Ufer zu bringen, denn er hatte bereits Wasser zu schöpfen begonnen. Hier angekommen, sprangen sie alle heraus und sagten ihm, sie verließen den Berg, weil die Menschen, welche lange schon ihre Götter vertrieben hätten, nun auch ihren letzten Altar umstürzen wollten. Als sie den Kahn verlassen hatten, durchstöberte der Fährmann alle Ecken nach dem versprochenen reichen Lohn, aber er fand nichts als Kohlen und Sand. Er warf dies mit Schelten über Bord und ruderte nach Hause. Als er aber hier den Seinigen von dem, was ihm begegnet war, erzählte, sahen seine Kinder, die in den Kahn gestiegen waren, in der Ecke etwas Glänzendes blinken. Es war Gold. Leider hatte er in seiner Einfalt fast alles mit den Kohlen und dem Sand hinausgeworfen, und nur wenige Überreste waren an den Kahnwänden hängengeblieben. (126)

Die beiden Linden zu Jauninen

Nahe beim Dorf Jauninen liegt ein steiler Berg, auf drei Seiten von dem Flüßchen Titzeln umflossen, eine halbe Meile südwestlich von Ragnit. An seinen mit Gestrüpp bewachsenen Ufern erblickt man zwei uralte Linden. Dies sind eigentlich zwei Liebende gewesen und hiervon wird folgendes erzählt.

Einst stand auf diesem Berg ein prächtiges Schloß, bewohnt von einem mächtigen Heidenfürsten, der nur eine einzige Tochter namens Jaunina hatte. Ihr Bräutigam war ein heidnischer preußischer Ritter, der herbeieilte, für seine Braut zu kämpfen, als die Christen hierherkamen, um ihren Glauben mit Feuer und Schwert den Bewohnern dieser Gegend aufzudringen. Doch alle seine Tapferkeit konnte den Fall des Schlosses nicht verhindern. So verbargen sich die Schloßbewohner in den tiefen Klüften des Berges, und der Ritter erklärte, er wolle den Christenglauben annehmen, um das Leben seiner Braut und ihres Vaters zu retten. Er zog also zu den Christen, doch seine Abwesenheit dauerte länger, als man gedacht hatte, und so kam es, daß Jaunina eines Tages, als sie ihr Versteck verlassen hatte, um nach ihrem Geliebten auszuschauen, von einem Christenritter überrascht wurde. Sie lief den Berg hinauf, und ihr Verfolger hatte sie fast erreicht, da verwandelte sie Laima, die Glücksgöttin, in eine Linde, so daß die Hände des Frechen nur einen toten Stamm berührten. In dem Augenblick kehrte aber auch ihr Bräutigam zurück, es war zu spät, sie zu retten, aber nicht, um sie zu rächen. Allein er unterlag den Streichen des gewandteren Gegners, doch Laima kehrte noch einmal aus den Wolken zurück und verwandelte auch ihn in eine Linde. (127)

Die Geisterschlacht am Kaukarus

Nördlich von dem Gut Karlsberg am Memelufer bilden tief eindringende Schluchten nicht weniger als fünf miteinander gleichlaufende Bergrücken. Unter diesen ist der bedeutendste der sogenannte Kaukarus, der seinen Namen von dem gleichnamigen Berggott haben soll, der hier thronte. In seiner Nähe hielten sich viele Geister auf, ihm zu dienen; und Schlösser, die mit Gärten umgeben waren, schmückten sein Gebiet. Sie wurden aber duch die Christen während ihrer Kämpfe gegen die heidnischen Litauer zerstört.

Man erzählt auch, daß in der Johannisnacht jene Kaukarushöhen, auf denen einst die erwähnten Schlösser standen, in wunderbarem Licht schimmern. Wenn dann aber die Jahrestage der hier ausgetragenen Schlachten wiederkehren, tönt schauervoller Kriegsgesang durch die Lüfte, und von dem Jodkalnas, dem schwarzen Berg (so genannt aus Haß gegen die hier beerdigten Feinde), saust es heulend dahin nach der graslosen, seit jener Hauptschlacht wüst liegenden Ebene, wo dann die bleichen Streiterscharen in den durch Sturmwirbel emporgewehten Sandwolken wild durcheinanderjagen und in wütendem Kampf einander aus der Höhe herabstürzen. Unterdessen werfen sich auf dem Blocksberg an der Scheschuppe Jungfrauen in lichterlohen Gewändern, vor den Kriegern fliehend, in die lodernden Flammen. Der anbrechende Tag scheucht dann alles zur Ruhe. (128)

Von der Inster zur Angerapp

Der Kamswikus

Unfern Insterburg, am rechten Ufer der Angerapp, kurz bevor sie sich mit der Inster vereinigt, erhebt sich jäh ein ziemlich bedeutender Berg, der Kamswikus. Er besteht aus einem fast felsenharten Erdreich; niedriges Gestrüpp bedeckt ihn. Noch finden sich Überbleibsel einstiger Bewehrung.

Schon vor der Ankunft des Ordens hat hier eine Burg gestanden, deren Besitzer ihr und dem Berg den Namen gegeben haben soll. Diesen Kamswikus schildert die Sage als einen harten und wüsten Mann, der seine Untertanen auf das Grausamste behandelte. Zuletzt ließ ihn seine eigene Frau fesseln und lebendig in den Gewölben des Schlosses einmauern. Aber sie selbst trieb es noch ärger; noch wüster und frevelvoller wurde das Leben auf der Burg, noch grausamer verfuhr sie gegen das Volk. Da sollen endlich die Götter erzürnt die ganze Burg haben versinken lassen. Aber die Besitzerin, obwohl so begraben, fand doch keine Ruhe. Sie wurde verdammt, in Gestalt einer schwarzen Kuh umzugehen. Ihr Mann, als schwarze wilde Katze, treibt sie vor sich her. Andere erzählen, sie werde von einem schwarzen Ritter verfolgt, der beständig über ihr die Geißel schwinge. So will man beide oft um Mitternacht durch das Dickicht streifen gesehen haben.

Der Sohn des Kamswikus soll sich des Volkes oft gegen die Grausamkeit seiner Eltern angenommen haben, dies habe ihn aber einst das Leben gekostet. Aus Dankbarkeit wurde ihm ein Denkmal errichtet. Ein Eisenkreuz, das man später gefunden hat und jetzt in der Kirche zu Insterburg aufbewahrt, wird für dieses Denkmal gehalten. Als seine Grabstätte wird ein fünfundzwanzig Fuß langer und vierundzwanzig Fuß breiter Stein unterhalb des Berges bezeichnet.

Nachts waschen die Bergfeen des Kamswikus ihre Wäsche in dem nahen Fluß; doch lassen sie sich nie in diesem Geschäft belauschen; nähert sich ihnen ein Mensch, so fliehen sie in den Berg zurück, wo sie in herrlichen Prunkgemächern wohnen. (129)

Insterburg. Kupferstich aus Christoph Hartknoch, Alt- und Neues Preussen. Frankfurt/Leipzig 1684

Der rote Hahn

In Insterburg gab es früher Freimaurer. Wer Freimaurer werden will, muß mit seinem Blut die Seele dem Teufel verschreiben. Wer zu den Freimaurern kommt, zu dem kommt ein roter Hahn gelaufen, der hackt in die linke Hand, daß die Pulsader läuft. Mit dem Blut muß man unterschreiben. Der Freimaurer kann leben so lange wie er will, er darf aber nicht über einhundert Jahre leben wollen. (130)

Die Einäugigen von Narpischken

Unweit von Insterburg liegt ein Dorf mit Namen Narpischken an einem kleinen Fluß, die Golbe genannt. Dieses Flüßchen haben die alten Preußen besonders in Ehren gehalten und ihm Ehrfurcht bezeugt. Die Bewohner des Dorfes taten das auch noch lange nachher, als sie schon Christen geworden waren. Da begab es sich merkwürdigerweise, daß zu einer Zeit in dem Dorf viele Menschen einäugig wurden. Dies hielt lange Zeit an, denn noch vor zweihundert Jahren fand man in dem Dorf viele einäugige Leute. (131)

Gut gemeint

Als einmal vor langer Zeit der König nach Ostpreußen kam und hierbei sich besonders Neunischken ansehen wollte, worauf er sehr großen Wert legte, ließ sich der dortige Gemeindevorsteher zum feierlichen Empfang des Königs einen neuen Frack machen. Er hatte eine lange Begrüßungsrede ausgearbeitet, fein säuberlich vom Lehrer aufschreiben lassen und lernte nun fleißig daran. Als aber der Empfangstag da war, konnte er sie noch nicht, denn er war eben ein Neunischker. Darum steckte er sich die geschriebene Rede in die hinterste Fracktasche, um unterwegs das Schriftstück noch einmal zu überlesen.
Als der König da war, hielt der Gemeindevorsteher seine eingelernte Begrüßungsrede, bei der er jedoch gleich nach den ersten Worten steckenblieb. Nun wurde er verlegen und rot im Gesicht und wußte nicht, was er machen sollte. Schließlich kam er auf den guten Gedanken, dem König seine ausgearbeitete Empfangsrede zu übergeben, damit der hohe Herr sehen könne, wie gut es die Neunischker meinten.
Der König nahm huldvoll das Schriftstück, las es durch und gab es lächelnd seinem Adjutanten.
Nach etwa drei Wochen brachte der Postbote dem Gemeindevorsteher eine Postanweisung über hundertundfünfzig Mark. Absender war die königliche Schatullenverwaltung in Berlin. Auf dem Abschnitt stand oben: »Laut Schneiderrechnung für einen gelieferten Frack«. Jetzt sah der Gemeindevorsteher in seinen Fracktaschen nach und entdeckte, daß er dem König anstatt der großen Rede seine Schneiderrechnung übergeben hatte. (132)

Der Name Stallupönen

Die Stadt Stallupönen hat ihren Namen aus folgendem Anlaß: Es gibt dort mehrere kleine Teiche und Dämme. An einem hat vor Zeiten eine dicke Eiche gestanden und darauf soll oben ein Tisch befestigt gewesen sein, an dem haben die vornehmen heidnischen Preußen ihre Zusammenkünfte und Mahlzeiten gehalten, während das geringere Volk unten an der Erde, ebenfalls an Tischen, gesessen hat. Sie sind fröhlich mit dem gewesen, was ihnen die Vornehmen von oben herab zugeworfen haben. Weil nun in der alten Sprache Stahletz ein Tisch und Uppön ein Teich heißt, so ist daher der Name entstanden. (133)

Napoleon in Stallupönen

1812 zogen die Franzosen den ganzen Sommer und Herbst hindurch nach Rußland hinein. Kaiser Napoleon selbst traf eines Morgens in Stallupönen ein, um hier kurze Rast zu halten und eingegangene Briefschaften in Empfang zu nehmen. Was er las, verbesserte seine schlechte Laune nicht, zumal ein Schreiben seiner Mutter Lätitia angekommen war. Sie war gegen das geplante kriegerische Unternehmen und beschwor ihren Sohn, noch im letzten Augenblick von seinem Vorhaben abzustehen, da ihre Seele von banger Ahnung um den Ausgang erfüllt sei.
Napoleon warf den Brief zur Seite, ohne ihn zu Ende zu lesen. Da klopfte es und General Duroc trat ein. Er meldete, daß der Bürgermeister des Städtchens um eine kurze Unterredung bitten lasse, da er die auferlegten Beitreibungen nicht beschaffen könne. Die Gelegenheit seinem Ärger Luft zu machen, kam dem Kaiser gerade recht, und er befahl, den Bürgermeister eintreten zu lassen.
Er empfing den alten, ehrwürdigen Mann mit einer Flut von Vorwürfen. Der Gescholtene aber verharrte in unbeweglicher Ruhe, und das vermehrte Napoleons Zorn. In seiner Wut ergriff er schließlich ein vor ihm stehendes Trinkglas und warf es dem Bürgermeister vor die Füße, so daß es klirrend in Scherben zersprang. Da bewegten sich zum ersten Mal die Lippen des Alten, und halblaut sprach er ein paar Worte vor sich hin.
Der Kaiser war des Deutschen unkundig und wandte sich zu Duroc mit der Frage, was der Mann gesagt habe. Der General zögerte.
»Sire«, sagte er endlich, »ich glaube, der Alte hat von den Äußerungen Eu-

rer Majestät nichts weiter verstanden, als daß Eure Majestät ihm ein Glas vor die Füße warfen.«

Napoleon biß sich auf die Lippen. Er hatte wahrhaftig nicht daran gedacht, daß das Stadtoberhaupt eines kleinen Grenzortes nicht Französisch zu verstehen brauche. Auf die Frage Durocs bestätigte der Bürgermeister dann auch, daß er kein Wort verstanden habe.

Napoleon zuckte unmutig mit den Achseln. Er fühlte sich zwar beschämt, aber dennoch war der Sturm in ihm nicht vorüber; er wollte sein Opfer haben. Vielleicht hatten die Worte des Bürgermeisters eine Beleidigung gegen die französische Nation oder gar gegen ihr kaiserliches Haupt enthalten! Bei seiner Ungnade befahl er daher Duroc, die Worte des Alten getreu zu übersetzen.

»Sire«, entgegnete der General, »es ist ein harmloses deutsches Sprichwort. Es lautet: Glück und Glas, wie bald bricht das!«

Napoleon, der bekanntlich an Vorzeichen glaubte, wurde bleich und befahl, daß man die Stadt unbehelligt lassen solle. Er selbst aber beeilte sich, die Stätte so unliebsamer Mahnung hinter sich zu lassen. (134)

»Adjee, Herr Far, nu foahrt er af möt mi!«

Det ös all e lange Tiet her, doa vertellde de Lied, dat öt önne Stallpeener Körch spoke deit.

An een orntlich diestere Harfstoawend kömmt de Kläckner ganz oppgeregt tom Far un secht: »Herr Far, de Lied segge schonn ömmer, dat öt ön onse Körch spoke deit, obber hiete ös dat durt warraftig nich röchtig! Wie öck anne Körch varbie keem, doa heerd öck ganz dietlich, wie öt drönn gegnorrt un gebrommt hett. Wi ware doch moal sehne motte, wat doa los ös!«

De Far titt sich fix dem Iberzier an, nömmt de Lichtern önne Hand – un nu goahne de beide noa de Körch räwer. Wie se durthenn koame, steiht de Körchedär e bösske op. Se bliewe stoahne un horche, ob wat to heere ös. Röchtig, doa geiht all wedder dat Bromme un Gnorre los! Wer geiht toeerscht önne Körch rön? De Far wöll nich, un de Kläckner ok nich. To goderletzt lett sich de Kläckner doch beräde un wöll goahne. Wie he geroads de Där e bösske wieder opmoakt un de Näs ganz värsichtig önne Körch rönstöckt, doa kömmt op eenmoal wat mang siene Beene, häwt em önne Höcht un galoppeert möt em dem Körcheberg runner.

De Kläckner weet nich, wat em passeert ös un denkt, de Leibhaftige reist möt em los. Dem Far es uck all ganz schuchrig to Mod. Obber wie er de Lichtern hochhäwt, doa sitt er dem kleene Kläckner varkehrt oppe grote Su hucke un sich am Zoagel fest hole. Un de Kläckner reppt tom Far torick:
»Adjee, Herr Far, greesse Se mine Fru un mine Kinder! Nu foahrt er af möt mi!« (135)

Der Pfaffenberg

In alter Zeit war die ganze Gegend um Mehlkehmen und Nassawen im Kreis Stallupönen von dichtem Wald bedeckt. Auf dem Berg, der heute der Pfaffenberg genannt wird, stand eine starke Ordensburg. Von hier aus unternahmen die Kreuzritter ihre Kriegszüge gegen die Heiden und brachten oft Gefangene heim.
Auf der Burg lebten zwei Priester, die wegen ihres grausamen Eifers um den Christenglauben bekannt und gefürchtet waren. Wieder wurden gefangene heidnische Preußen auf die Burg gebracht, und die Priester befahlen, sie in Eisen zu legen und ihnen nicht eher Essen zu reichen, als bis sie sich zur Taufe bequemt hätten. Die Heiden hungerten, aber sie blieben verstockt.
Nach mehreren Tagen ließen die beiden Pfaffen einen Tisch herbeitragen und setzten sich daran zum Essen nieder, so daß die vor Hunger stöhnenden Gefangenen es ansehen mußten. Da ging ein furchtbares Gewitter nieder. Der Berg bebte und tat sich auf. Er verschlang alles! Burg und Menschen.
Die beiden Pfaffen aber sitzen noch heute unten im Berg vor ihrem reichbesetzten Tisch. Sobald sie aber zugreifen, verschwindet die Speise. Sobald sie ihren Durst löschen wollen, ist der Becher leer. Und doch ist Wasser im Berg im Überfluß vorhanden. Als klare Quelle kommt es an seinem Fuß hervor. Der Berg aber heißt bis auf den heutigen Tag der Pfaffenberg. (136)

SACERDOS ORD
TEUTONICI

Ordenspriester. Kupferstich aus Christoph Hartknoch, Alt- und Neues Preussen.
Frankfurt/Leipzig 1684

Die tote Frau als Katze

In einem Dorf im Kreis Pillkallen lebte ein Fleischer mit Namen Schneider. Der hatte in seinem Leben viel gesoffen, und in seinem Suff hat er immer seine Frau geschlagen. Da wurde die Frau krank und starb; aber in ihrer Todesstunde hat der Mann sie auch noch geschlagen. Da sagte die Frau in ihrem Schmerz: »Du wirst an mich denken.«
Nach dem Tod, als die Frau schon begraben war, zeigte sich des Nachts immer ein weißes Kätzchen; aber an den Stellen, wo die Frau zerschlagen war, war die Katze schwarz. Die Katze saß immer auf einem kleinen Tisch vor des Mannes Bett und guckte nach ihm. Der Mann konnte noch so betrunken sein, er konnte nicht schlafen.
Einmal hatte sich der Mann auch ordentlich eingesoffen, und als er schlafen ging, nahm er sich eine Peitsche mit. Und als die Katze wiederkam, wollte der Mann die Peitsche nehmen. Als die Katze das sah, drohte sie mit einer Vorderpfote, aber er schlug doch nach ihr. Da bekam er rechts und links eins ins Gesicht geschlagen, aber er wußte nicht von wem. Am anderen Tag war er grün und blau im Gesicht. Von da an hatte der Mann Angst, ins Haus zu gehen. Er hatte noch eine sechzehnjährige Tochter, die konnte schlafen, der hat die Katze nichts getan. Da mußte der Pfarrer aus Pillkallen kommen und auch Leute aus dem Dorf. Es wurde gesungen und gebetet. Da blieb die Katze allmählich weg. Zuletzt zeigte sie sich gar nicht mehr, nur an ihrem Todestag zeigte sich ein heller Schatten an der Wand, und das ist auch so geblieben. (137)

Die Moorhexe und der Schwarzkünstler

In dem Kakschener Moor im Kreis Pillkallen hält sich seit alten Zeiten eine Teufelin auf, die in einer der Untiefen auf einem eisernen Stuhl sitzt. Einst zog sie aus einer Wolke, die über das Moor zog, ein Schiff nieder, und in dem hält sie sich jetzt auf. Die Mastspitze des Schiffes ragte aus dem Moor empor, und die Alten haben sie noch gesehen; jetzt aber ist auf der Spitze oder über ihr ein kleines Inselchen von Moos. Die Teufelin pflegte oft auf die Oberfläche zu kommen, und die Altvordern konnten sie recht gut sehen.
Einst ließen sich die Vorfahren einen Schwarzkünstler kommen und verlangten von ihm, er solle die Teufelin aus dem Moor vertreiben. Als der zu

ihr hinging und ihr ankündigte, er werde sie von da vertreiben, da gab sie ihm zur Antwort, wenn sie dieses Moor, in welchem sie solange geherrscht habe, verlassen müsse, so werde sie ihre Herrschaft über alle Insterwiesen bis an die Brücke von Kraupischken ausdehnen und bei Laugallen unter der Brücke ihren Thron aufschlagen und da ihren eigentlichen Wohnsitz nehmen.

Als der Schwarzkünstler das von ihr vernommen hatte, ließ er sie in Ruhe; denn es sei besser, sagte er, wenn sie im öden Moor bliebe, als wenn sie über die schönen Wiesen herrschte und besonders unter einer Brücke ihr Wesen triebe, über welche viele Leute ihren Weg nehmen müssen. Außerdem sagte die Moorhexe ihm, daß sie, wenn sie das Moor verlasse, das Loch aufmachen werde, das mit einem großen Pferdekopf verstopft sei und durch welches alles Wasser des Moors und alle Untiefen abfließen könnten; und dann würden alle Dörfer, welche dieser Strom treffen werde, im Wasser ihren Untergang finden. Als der Schwarzkünstler alles dies den Altvordern hinterbrachte, erschraken sie heftig und ließen die Teufelin fortan in Ruhe. Und so sitzt sie noch jetzt in einer der Untiefen, aber zu sehen bekommt sie niemand mehr. Wenn sie aber einst ihren eisernen Thron zusammengesessen haben wird, dann wird der Jüngste Tag sein. (138)

Der Sohn der Moorhexe

In derUßballer Forst liegt die Balis, die oft nach dem nahe gelegenen Dorf Kakschen die Kakscher Balis genannt wird. Die Balis ist ein Hochmoor. Die Anwohner des Torfbruches haben manchmal das seltsame Schauspiel, diesen Moosbruch bald etwas höher, bald niedriger liegen zu sehen. Im Scherz spricht man sogar von Ebbe und Flut dieses Stückchen Landes. »Die Hexe schläft; seht, wie sie atmet!« sagen die alten Leute, »unter ihren Atemzügen hebt und senkt sich der Boden.«

Wie aber eine schöne, blonde Königstochter in die Tiefe gekommen ist, ins Reich der Moorhexe, das ist so zugegangen: Hier hatte ein König sein Schloß, und seine goldhaarige Tochter kam oft ans Moor, um weiße Wollblumen zu pflücken oder rotes Heidekraut. Da hatte der schwarze Moorprinz, der Sohn der Moorhexe, sie gesehen, und sein Herz war in heftiger Liebe zu ihr entbrannt. Die alte Hexe, deren Herz ebenso schwarz war wie ihr Antlitz, haßte zwar alles, was rein und licht war, aber

Drei Hexen unterwegs zu einem kranken Freund. Holzschnitt 1612

sie hatte ihren Sohn lieb und wollte ihm darum gern seinen Wunsch erfüllen, er sollte die goldhaarige Prinzessin zur Frau haben.
Sie sandte alle ihre Diener, nämlich Frösche, Molche, Salamander, aus,
um das Mädchen in die Tiefe zu locken, aber es fürchtete sich vor diesen
Geschöpfen der Tiefe und lief eilends davon. Doch einmal, als sie wieder
nach den Blumen gekommen war, sah sie einen gelben Falter übers Heidekraut fliegen. Seine Flügel schimmerten in der Sonne wie Gold. Da vergaß sie das Verbot der Eltern, hörte nicht auf den Angstruf der Spielge-
fährten, die sie warnen wollten. Immer weiter lief sie ins Moor hinein,
dem Falter nach, und plötzlich fühlte sie, wie der Boden unter ihr wich.
Immer tiefer und tiefer sank sie, bis sie auf den Grund des Moores kam.
Als sie die Sonne nicht mehr sehen konnte, nicht mehr den blauen Himmel, wurde ihr Herz still und traurig, und sie sank in tiefen Schlaf. Mit ihr
entschliefen aber auch der Moorprinz, der sie nun doch nicht haben konnte, die Moorhexe und ihr ganzes Gesinde. Kein Molch, kein Salamander
zeigte sich mehr an der Oberfläche; alle schlafen sie, bis ihre Herrin einmal
erlöst wird. (139)

Der Otternstein

Bei Lasdehnen liegt im Scheschuppefluß ein großer, etwas gewölbter Stein. Er tritt bei niedrigem Wasserstand groß und breit heraus und bietet guten Schwimmern beim Baden Ziel und Ruhepunkt. Wenn man vom »Otternstein« reden hört, darf man aber nicht an Fischottern denken, die freilich auch schon in der Scheschuppe gesehen worden sind; nein, es ist der Name, den das Volk für die Nixen gefunden hat, für jene sagenhaften Geschöpfe, halb Jungfrau, halb Fisch. Nach solch einem Fabelgeschöpf, nach einer Nixe, wird dieser Stein benannt.

In Vollmondnächten durften die Nixen menschliche Gestalt annehmen. Dann stiegen sie zur Erde herauf und sangen und tanzten; doch durften sie nicht zu lange da verweilen, denn wen die ersten Sonnenstrahlen trafen, der konnte nicht mehr hinunter in die Tiefe und mußte als Mensch weiterleben.

So geschah es denn einmal, als die Nixen in einer schönen Sommernacht auf der Waldwiese tanzten, daß ein junger Bursch, der sie dort belauschte, sein Herz an eine von ihnen hängte. Und auch sie fand Wohlgefallen an dem hübschen Jüngling, ließ ihre Gefährtinnen und gab sich ihm hin. Aber über dem Reden und Kosen achtete sie nicht darauf, daß die Nacht verging und die Sonne aufstieg, bis sie endlich gewahrte, daß es zu spät geworden war, daß sie nicht mehr in die kühlen Fluten zurückkonnte und nun ein Menschendasein führen mußte.

Aber sie war nicht traurig darüber. Über dem Mann, den sie liebte, vergaß sie Heimat und Gespielen, und gern folgte sie ihm in sein Haus. So war aus der Nixe ein Menschenweib geworden, und bald trug sie ein Menschenkind unterm Herzen. Zwar wußte sie nichts von Menschensitte und -Glauben, aber als sie neben ihrem Mann zur Kirche schritt und die Glokken hörte, da meinte sie, das seligste Weib auf Erden zu sein.

Doch ihr Glück war nur von kurzer Dauer. Bald war der Rausch bei dem jungen Ehemann verflogen, und statt der Liebe ergriff ihn ein leises Grauen, wenn er in die abgrundtiefen Nixenaugen seiner Frau blickte. Ebenso tief, so unergründlich blickten ihn die Augen seines Kindes an. Er mied das Zusammensein mit ihnen, blieb oft wochenlang fort und ließ die, die er einst so heiß geliebt, allein in ihrer Not.

Da wurde das arme Weib sehr traurig; sie wußte, daß sie den Mann aufgeben und verlassen müsse, denn die Unirdischen dürfen dort nicht bleiben, wo man ihnen Mißtrauen und Untreue zeigt. Sie nahm ihr Kind in den Arm, ging aus dem Haus, das ihr lieb geworden war, und tauchte unter in der kühlen Flut. Und die Heimatlose fand wieder eine Heimat im Kreis ihrer Schwestern; sie durfte die Menschengestalt ablegen und wieder eine der ewig jungen Nixen sein.

Aber sie konnte nicht vergessen, daß sie einmal Menschenglück gekannt, konnte nicht ihren Mann vergessen, und wenn die Schwestern fröhlich tanzten, tauchte sie auf aus dem Wasser und lauschte nach den Menschensiedlungen hinüber, nach den Glocken. Sie wartet, am Otternstein, daß er kommt, wartet und lauscht – vergebens, der Mann, um den sie trauert, ist längst zu Staub geworden; sie hat vergessen, daß den Nixen Erdenjahre so kurz wie Stunden sind. (140)

Wie Gumbinnen zu seinem Namen kam

Der Name der Stadt Gumbinnen kommt von dem litauischen Wort Gumba (Krümmung) her. Der Ort bestand nämlich in den ältesten Zeiten aus zwei Krügen und einigen Bauernhöfen. In diesen Krügen wurde aber sehr schlechtes und ungesundes Bier ausgeschenkt, so daß die, welche es genossen, davon Leibschmerzen bekamen und sich wie Würmer krümmten. Andere leiten den Namen davon her, daß der Fluß Pissa dort viele Krümmungen macht, noch andere von einer mächtigen Linde mit einem starken Auswuchs, von der die heidnischen Urbewohner glaubten, daß sie so von ihren Göttern gezeichnet sei, damit sie ihnen unter der Linde ihre Opfer brächten. (141)

Der himmlische Bote

Nach dem großen Krieg waren in Preußen viele, die zwar der Arbeit entwöhnt waren, gleichwohl aber viel verzehren wollten, weshalb sie sich auf Täuschung und Betrug verlegten. Gerade so ein Bursche war es, der wußte in einer Stadt ein simples Weib, das aber doch sehr reich war und zuvor einen Mann namens Stolle hatte, der sie sehr wohl gehalten hatte. Nun hatte sie aber einen Schulmeister genommen, der sie nicht sehr verwöhnte, weshalb sie täglich um Mittag auf den Kirchhof ging zu ihres vorigen Mannes Grab. Dort betete sie, er möge ihr doch bei Gott einen Trost erwerben, denn dieser Mann, den sie aus einem armen Bacchanten (fahrenden Schüler) zu einem reichen Junker gemacht habe, halte sie nicht sehr wohl. Diese Rede hatte dieser Schalk oft gehört und kannte auch die Gewohnheiten der guten Frau, zog also einen weißen Kittel an, ging an die Seite der Kirche, wo die Frau kniete und seufzte herzlich. Die Frau sprach zu ihm: »Mein Brüderlein, warum seufzt Ihr so heftig und seht so erbärmlich gen Himmel?« Er sagte: »Ach, soll ich denn nicht seufzen und traurig sein, daß ich jetzt eine kleine Zeit das fröhliche Angesicht Gottes entbehren und in diesem Jammertal sein muß? Doch, liebe Frau, sagt mir, wo ist hier Erdmute Stollin, denn ihr lieber Mann hat Gott bewegt, daß ihr durch mich angezeigt werden soll, wie ihr Begehr erhört worden ist und sie in Kürze erfreut werden wird.«

Wer war froher als sie. Sie sagte: »Du seliger, himmlischer Bote, ich bin selbst Frau Erdmute, wie geht es doch meinem lieben Mann?« Er sagte, wie ihr Mann bei Gott wäre und erlangt hätte, daß sie in Kürze zu ihm in die ewige Freude kommen solle. Sie fragte, was er vorhätte. Der Schalk sagte: »Er genießt die Heiligen, die er hier geehrt hat, die bitten ihn zu Gast; so spielt er gewöhnlich den Tag über mit St. Peter ein Brettspiel. Aber er schämt sich seiner Armut sehr, denn er hat nicht mehr als seinen Totenkittel, in dem er begraben worden ist.« Und nun machte dieser Betrüger viele Worte seiner Armut wegen. Da sprach sie: »Daß mein Mann ein solches Leben führt, glaube ich so als ob ich es selber sähe, denn das war sein Tun auch auf dieser Welt. Morgens, wenn er aufstand, ging er in die Kirche und ehrte etliche Heilige, und so war auch St. Peter sein Apostel. Den Tag aber bracht er zu mit Brettspiel. Nun, wenn er auch tot ist, so ist und bleibt er doch mein lieber Mann; ich will ihn nicht lassen.«

Sie nimmt ihn also mit nach Hause, gibt ihm achtzig Rheinische Gulden, Ringe, silberne Becher, eine Marderschaube und die besten Hemden. Dies solle er ihrem Mann bringen, und wenn er weiter etwas vonnöten haben werde, solle er nur zu ihr schicken, sie wolle ihn nicht lassen. Dem Boten schenkt sie eine Mark, wollte ihm auch zu essen und zu trinken geben, er aber sagte, er habe keine Zeit, denn der Himmel werde auf den Abend bald geschlossen, und wenn er draußen bliebe, müsse er befürchten, daß ihm die Teufel nähmen, was er hätte; und damit zog er von dannen.

Wie jener nun kaum durch das Tor ist, da kommt auch ihr jetziger Mann nach Hause geritten. Sie heißt ihn willkommen und sagt ihm alles von dem himmlischen Boten und wie es ihrem ersten Mann ergehe. Er aber merkt bald das Latein und sagt: »Ich muß doch dem Boten nachreiten und Euerm Stolle eine gute Nacht sagen lassen.« Er erreichte ihn auch, wollte ihn binden, aber der Schalk war ihm zu stark, schlug ihn lahm, nahm das Pferd und ritt mit den Kleinodien davon. Da kam ein Bauer, fand ihn und führte ihn nach Hause. Und wie seine Erdmute wissen wollte, wovon er so lahm geworden sei, da sagte er ihr, er habe ihrem Stolle das Pferd geschickt, um mit den Heiligen zu Zeiten spazieren reiten zu können. Da habe er einen heftigen Streit eines bösen Geistes mit einem Menschen gesehen, darüber habe er sich sehr erschreckt, und da sei es ihm ins Bein gegangen. Mit der Zeit kam die Sache aber an den Tag, und jedermann lachte darüber, und es wurde ein Sprichwort: »Wie einer hier lebt, also lebt er auch dort, das weiß Frau Erdmute.« (142)

Die verlorene Schachpartie Friedrich Wilhelms I.

Ganz nahe bei Darkehmen liegt das Dorf Ströpken. Bis zum Jahre 1729 hieß es nach den Kirchenrechnungen Mazatsch oder Matzaitschen. Wohl durch die Pest entvölkert, war es durch Kolonisten aus dem Dorf Striebeck bei Halberstadt wieder besiedelt worden. Dem deutschen Ohr klang der fremdartige Name übel. Der Wirt Kräkel, Stammvater einer im Dorf weitverbreiteten Familie, soll den König Friedrich Wilhelm I. auf folgende Weise zur Änderung des Dorfnamens veranlaßt haben. Alle Striebecker waren berühmte Schachspieler. Sie sollen niemals Prozesse geführt, sondern jeden Streit auf dem Schachbrett ausgemacht haben. Auch in ihrer neuen Heimat noch übten sie die Kunst. König Friedrich Wilhelm I. hatte davon Kunde erhalten und trug dem Wirt Kräkel eine Schachpartie an. Der nahm sie an und bat sich eine Gnade aus, im Falle er den König matt setzen würde. Er gewann auch wirklich das Spiel. Er bat nun, daß dem Dorf der Name Striebeck als Andenken an die ferne Heimat verliehen werden möchte. Das gewährte der König. Seitdem nannte man das Dorf Strepke oder Ströpken. (143)

Der Teufelsstein

In einem Waldkessel in der Rominter Heide liegt ein mächtiger Findling, der Teufelsstein. Der Teufel soll diesen Stein selber dort hingeworfen haben und das kam so:
Als in Tollmingkehmen die Kirche gebaut wurde und die Grundmauern

schon standen, kam eines Tages der Teufel dahergeflogen und fragte die Arbeiter, was sie da bauten. Diese fürchteten sich, dem Teufel die Wahrheit zu sagen, und erzählten ihm, da würde ein Wirtshaus gebaut. Darüber freute sich der Teufel und versprach, bei diesem Bau zu helfen. Er trug auch fleißig Steine herzu; als er aber nach einigen Tagen die Kirchenfenster gemauert sah, merkte er, daß er betrogen worden war, und in seiner Wut wollte er den großen Stein, den er gerade durch die Luft trug, auf die entstehende Kirche werfen, um diese zu zerschmettern.

Als er schon zum Wurf ausgeholt hatte, hörte er den Hahn im Pfarrhaus dreimal krähen, und das kann der Teufel nicht vertragen; er begann zu zittern, der Stein entfiel seinen Krallen und liegt noch heutigentags da in der Heide; und wer ihn sieht, freut sich, daß der Teufel auch einmal geprellt worden ist. (144)

Die versunkene Glocke im Wystiter See

Im Wystiter See ist eine Kirchenglocke versunken. Die Leute fuhren die Glocke mit dem Schlitten über den See. Da brach die Eisdecke, und Schlitten und Glocke gingen unter. Noch heute ist das Läuten der Glocke unten im See zu hören. Wenn die Glocke läutet, dann muß jemand im See ertrinken. Das geschieht in jedem Jahr einmal, und ehe der See nicht sein Opfer erhalten hat, ist er nicht zufrieden. (145)

In Natangen und Barten

Hercus Monte und Hirschhals

Unter den Natangern war in der ersten Zeit des Ordens ein tapferer Oberster, genannt Hercus Monte. Er machte eine Reise nach Deutschland und lernte in der Stadt Magdeburg einen Edelmann namens Hirschhals kennen, der ihn aus einer großen Gefahr errettete, wofür er ihm ewigen Dank versicherte. Zu dieser Zeit war Hercus Monte ein Christ geworden und hatte den Namen Heinrich angenommen. Später aber, als er wieder zu seinen Landsleuten zurückgekehrt, fiel er vom christlichen Glauben ab und wurde abermals Heide. In dieser Zeit trug es sich zu, daß die Natanger in Krieg gerieten mit den Kreuzfahrern. Hercus Monte war ihr Feldoberster und gewann eine große Schlacht, in der er viele Gefangene machte, und unter ihnen war auch Hirschhals, der unterdes ein Kreuzherr geworden war. Nach den Gesetzen der heidnischen Natanger mußten die Gefangenen untereinander das Los werfen, wer von ihnen sterben und den Göttern geopfert werden solle. Da ist das Los auf diesen Hirschhals gefallen. Hercus Monte aber, eingedenk der vielen Wohltaten, die er von Hirschhals empfangen, ließ das Los noch einmal unter ihnen werfen. Und siehe, es traf wiederum den Hirschhals, den jedoch Hercus Monte noch einmal davon losgemacht. Als nun aber das Los zum dritten Mal geworfen wurde und nochmals denselben traf, da hat Hirschhals selbst loszukommen nicht begehrt, sondern war bereit zu sterben, und er wurde ausgerüstet mit seinen Waffen, auf sein Roß gesetzt und so den heidnischen Göttern zu Ehren verbrannt. (146)

Wie Hercus Monte starb

Markgraf Dietrich von Meißen kam 1272 ins Land und zog mit den Ordensbrüdern nach Natangen, alles verheerend und totschlagend, was sie fanden. Sie zwangen die heidnischen Natanger nieder, daß sie um Gnade bitten und den christlichen Glauben wieder annehmen mußten. Der

Hauptmann der Natanger Hercus Monte und etliche seiner Gefolgsleute wichen in die Wildnis und verbargen sich dort. Eines Tages, als die Begleiter von Hercus Monte auf der Jagd waren und nur er allein im Zelt zurückblieb, erschienen dort mehrere Ordensbrüder, darunter auch Heinrich von Schönberg, Komtur zu Christburg, nahmen ihn gefangen, führten ihn hinweg, hängten ihn an einen Baum und stachen ihm sein eigenes Schwert in den Leib. So ließen sie ihn an der Landstraße, den Natangern zum Hohn und Spott, hängen. (147)

Schloß Balga

Balga, ein Schloß, zuvor Honeda geheißen, hat im Norden das Frische Haff, im Osten ein Wasser die Wolitte genannt. Im Süden und Westen ist es von einem Sumpf umgeben, durch den man nur über einen Knütteldamm kommen kann. Es ist zuerst von Waidewut erbaut worden, dem er-

Ruinen des Schlosses Balga. Gezeichnet von B. Peters, in Stahl gestochen von Grünewald und Cooke, um 1850

sten König der heidnischen Preußen, der dort auch im Jahr 523 den Preußen ihr Gesetz verkündet hat.

Im Jahr 1236 ist das Schloß wieder von den heidnischen Preußen aufgebaut und besser befestigt worden. Vom Deutschen Orden ist es dann 1239 heftig erstürmt und mit Hilfe des eigenen Hauptmanns Kodrune auch gewonnen worden. Das wollte Piopsis, der Hauptmann der heidnischen Ermen, rächen und kam mit viel Volk vor das Schloß. Als er beim Stürmen erschossen wurde, zogen seine Leute wieder ab.

Um den Heiden den Zugang durch den Sumpf über den Knütteldamm zu verwehren, baute der Orden noch eine Festung, die nannten sie Schnekkenburg und setzten darauf einen Edelmann Hartwig Pockarwin mit seinem Sohn und vielen guten Leuten, aber es half nichts.

Danach bauten die Ermen gegenüber ein Schloß, Portugal genannt, und einen Bergfried, Schrandin genannt. Von hier bedrängten sie das Schloß Balga sehr. Die belagerten Ordensbrüder mußten so großen Hunger leiden, daß sie die Burg zu übergeben gedachten. Da kam 1240 seewärts Herzog Otto von Braunschweig und Lüneburg, pilgrimsweise, mit viel Volk und Verpflegung ihnen zu Hilfe. Er kam heimlich aufs Schloß, so daß es die heidnischen Preußen nicht merkten, erlernte ihre Sitten und gewann den preußischen Edelmann Pomadin, der gerade Christ geworden, für seine Pläne. So überredete nun Pomadin die Ermländer, Natanger und Barten und machte ihnen weis, daß es jetzt eine günstige Zeit sei, Schloß Balga einzunehmen. Darauf überfielen sie eilends die Burg mit großer Macht, wurden aber alle erschlagen, das Schloß Portugal verbrannt und Schrandin verwüstet.

Herzog Otto tat dem Orden viel Gutes. Auch überließ er ihm alle seine Hunde, Garne und Verpflegung, für ein Jahr ausreichend, als er wieder seewärts mit Freuden nach Hause zog.

Danach sammelten zwei preußische Edelleute, Skumme und Stutzka, die versprengten Preußen und stellten ein Heer auf. So zogen sie eines Morgens bei großem Nebel vor Balga. Ein Teil wurde vor dem Schloß postiert, ein anderer Teil bereitete einen Hinterhalt vor. Die Christen von der Burg versuchten einen Ausfall, drängten die Heiden zum Sumpf und schlugen viele tot. Endlich brach der Hinterhalt der Preußen hervor und sie erschlugen drei Ordensbrüder und vierzig weitere Männer und nahmen den Ordensbrüdern all ihr Vieh.

Von diesem Schloß her haben die Ordensritter Natangen, das ganze Bartener Land, zum Teil Samland und andere heidnische Gebiete bezwungen, auch der Bau etlicher Schlösser, wie z. B. Kreuzburg, ist von hier aus veranlaßt worden. Es ist dies Schloß den Christen auch eigentlich nie abgewonnen worden; nur im großen Krieg (1454–1467) erliefen es die Braunsberger, hackten etliche Mauern um, nahmen dreihundert Seiten Speck und was ihnen sonst noch gefiel, aber im Polnischen Krieg (1520–1522) mußten sie es redlich bezahlen. (148)

Zwei Bettelmönche werden ersäuft

Nach dem großen Krieg unter dem Hochmeister Heinrich V. kamen zwei Bettelmönche von Elbing in das Zintensche Gebiet, um Almosen zu sammeln. In einem Hof begegneten sie Bruder Werner Teicherwitz, Hauskomtur zu Balga, den sprachen sie an um ein Almosen. Er fragte sie, woher sie kämen. Als er hörte, daß sie aus Elbing sind, stellte er sie zur Rede, wie sie so verwegen sein könnten, hier als Verräter aus der Feinde Land nun Almosen einzusammeln. Er habe es Gott gelobt, die ersten aus Feindesland, die er bekäme, die wolle er ersäufen, wären es auch Pfaffen oder Mönche. Das tat er dann auch. Es half kein Bitten und Vorhalten, daß dies ein unbilliges Gelöbnis wäre. Er ersäufte alle zwei mitsamt dem Fuhrknecht in einem Brunnen. (149)

Der Kuhhandel

Nach den Ruinen der längst verfallenen und verödeten Burg Balga trieb ein Bauer jener Gegend täglich seine einzige liebe Kuh auf die Weide. Einst stiegen die alten Burgleute nieder und führten die Kuh mit sich fort. Der Bauer war untröstlich, als er sie abends vermißte; er lief in Todesangst hin und her, um sie zu finden, aber alle Mühe war vergebens. Da trat jemand aus den Ruinen hervor und sagte zu ihm: »Suche deine Kuh nicht länger, wir haben sie schon geschlachtet.« Der geschlagene Bauer blieb erstarrt stehen. Als er aber noch so in trübe Gedanken versunken war, kam eine schöne Frau und befahl ihm, ihr zu folgen. Zagend ging er ihr nach, sie führte ihn in einen Keller. Da stand Faß bei Faß voll Gold, sie gab ihm einen guten Sack davon und sprach: »Da hast du, kaufe dir nun eine neue Kuh!« Der Bauer konnte sich aber noch mehr kaufen, denn er war steinreich geworden. (150)

Wie Heiligenbeil zu seinem Namen kam

Nächst der Eiche zu Romove war die heiligste Eiche im Lande die, welche da stand, wo jetzt Heiligenbeil liegt. Waidewut selbst, der erste König der Preußen, hatte sie geheiligt; sie war so groß wie die Eiche zu Romove, und wie diese grünte sie im Winter wie im Sommer. Unter ihr hatte seine Wohnung und wurde verehrt Curche (Gorcho), ein Gott des Essens und des Trinkens. Sein Bildnis wurde alle Jahre zerbrochen. Es wurde wieder neu gemacht, nachdem die Früchte eingesammelt waren, sowie er auch nach verrichteter Ernte absonderlich verehrt wurde.
Solche Abgötterei dauerte bis zu den Zeiten des Ermländischen Bischofs Anselmus. Er begab sich an den Ort der Eiche, predigte dagegen und ermahnte die Leute, von ihrem Götzendienst abzustehen und die Eiche umzuhauen. Doch richtete er nichts damit aus und befahl nun einem Christen, den er mitgebracht hatte, den Baum umzuhauen. Als der aber den ersten Hieb tun wollte, schlug das Beil um und verwundete den Christen, daß er auf der Stelle starb. Da entstand ein großes Frohlocken bei den heidnischen Preußen, welche dieses Ereignis als eine Strafe ihrer Götter ansahen. Die Christen, die Anselmus mitgebracht hatte, entsetzten sich sehr und keiner wollte mehr Hand an die Eiche legen. Wie dies der fromme Bischof sah, wurde er im Geiste entzündet, nahm selbst eine Axt zur Hand, ging mit großem Eifer an die Eiche und hieb getrost hinein; und es geschah ihm kein Leid, solange er auch hieb, denn der Satan und seine Götzenbilder hatten keine Gewalt über den heiligen Mann. Darauf befahl er, Feuer herbeizutragen und verbrannte die Eiche mitsamt dem Götzen, weil es zu lange gedauert hätte, sie vollends umzuhauen. Nachher ließ der Bischof an dem Ort eine Stadt bauen und in der Kirche dort das Beil aufbewahren, womit die Eiche umgehauen worden war. Die Stadt nannte er Heiligenbeil. Das Beil selbst ist nicht mehr zu sehen, aber die Stadt führt noch jetzt in ihrem Wappen ein Beil zum Andenken an das Ereignis.
Nach einer andern Sage hat Heiligenbeil Namen und Wappen davon, daß das Beil, mit welchem der heilige Adalbert getötet wurde, über das Haff schwamm und an der Stelle, wo nachher die Stadt erbaut wurde, ans Land gekommen ist. (151)

Heiligenbeil. Kupferstich aus Christoph Hartknoch, Alt- und Neues Preussen. Frankfurt/Leipzig 1684

Gott Curche

Hier an dem Ort, wo jetzt die Stadt Heiligenbeil liegt, ist von den alten Preußen Curche (Gorcho), ihr sechster Gott, den sie von den Masuren bekommen und für einen Gott des Essens und Trinkens gehalten haben, geehrt worden. Man hat ihm ein Feuer da gehalten, auch allerlei erstes gedroschenes Getreide oder Mehl, wie auch Honig, Milch und was sonst zum Essen dient, die Erstlinge dem Curche geopfert und verbrannt. So berichtet uns 1595 Caspar Hennenberger. Das ergänzt nun Christoph Hartknoch 1684 folgendermaßen: Unter den geringeren Göttern ist Curche der erste gewesen. Der Ort, an welchem Curche verehrt wurde, ist die Eiche bei der Stadt Heiligenbeil gewesen. Und eben wegen dieser Wohnung des Curche soll auch der Ort vorzeiten Swantomest genannt worden sein, das ist die heilige Stadt. (152)

167

Das Stahlhemd

Im Schloß Brandenburg befand sich zur Zeit des Hochmeisters Hanno von Sangerhausen ein Bruder Hermann von Lichtenburg aus hochadligem Geschlecht, der neben andern Abstinenzen und Kasteiungen statt eines leinenen ständig ein eisernes Hemd auf bloßem Körper trug. Als er nun, in den Krieg ziehend, darüber die Rüstung legte und sich, wie dies dann gewöhnlich geschieht, ungestüm bewegen mußte, wurde seine Haut so zerfleischt, als wenn er von Skorpionen zerbissen sei. Wie ihn nun deswegen sein Beichtvater, der Priester Petrus, schalt, da er im Krieg wegen der Schwere der Rüstung das Stahlhemd ablegen müsse, so antwortete Bruder Hermann, daß ihn keine Not dazu würde bringen können, sich lebend dessen zu entäußern. Und was geschah? In der nächsten Nacht erschien ihm die Jungfrau Maria, berührte ihn sanft mit ihrer Hand und heilte ihn dadurch so vollkommen, daß, als ihn der Beichtvater am folgenden Tag wiedersah, auch nicht die geringste Spur der Verletzung an seinem Leib wahrzunehmen war. (153)

Der Graf von Nassau

Als 1374 am Gründonnerstag auf dem Ordenshaus zu Brandenburg das Nachtmahl des Herrn ausgeteilt werden sollte, wurde einer der anwesenden Ritter, ein Graf von Nassau, derartig vom bösen Geist erfaßt, daß er den Priester vom Altar stieß, das Allerheiligste ergriff und zu Boden warf und mit Füßen darauf trat. Er wurde hierauf in den Turm gebracht, wo er unter furchtbaren Qualen und Anfechtungen des Teufels seinen Geist aufgab. (154)

Das Knoblauchwunder

Unter dem Hochmeister Friedrich von Meißen ließ der Vogt von Brandenburg, Hans von der Gablentz, guten reinen Roggen in einen Acker säen. Als er aber aufging, war es zum größten Teil Knoblauch, dessen Köpfe als Wunderzeichen dem Hochmeister Friedrich dann gesandt worden sind. Es wurde von etlichen später unter Markgraf Albrecht von Brandenburg übel gedeutet und ausgelegt. (155)

Brandenburg. Kupferstich aus Christoph Hartknoch, Alt- und Neues Preussen.
Frankfurt/Leipzig 1684

Weißer Schimmel, schwarzes Lamm

In Tharau is de Hoppebarch an jen End Därp. Wenn e witt Schemmel un e
schwart Lamm tosamme vom Hoppebarch noer Kerch renne, denn mott
eener am silwjte Dag starwe. Ower et kimmt drub an, ob de witt Schemmel ower dat schwart Lamm toerscht anner Kerch anlangt, ob e Mann
ower Fru starwe mott. – Ein andermal ist es eine Eule, die den Tod verkündet, mit menschlicher Stimme sprechend. (156)

Volrad Mirabilis

In Natangen, auf dem Schloß Lenzenburg saß Bruder Volrad Mirabilis als Hauskomtur. Diesem wurde hinterbracht, wie seine Untersassen ihm nach Leib und Leben trachteten. Er wollte dem anfangs keinen Glauben schenken, weil er sie in nichts hart behandelt hatte, vielmehr ein sanftmütiges und gelindes Regiment führte vor allen Gebietigern, wie dies hinreichend in allen preußischen Landen bekannt war. Wie nun aber die Warnungen häufig wiederkehrten, da beschloß er, sich doch erst Gewißheit zu verschaffen, bevor er strafte. Zu diesem Zweck richtete er ein großes Gastmahl an, lud dazu die Vornehmsten samt etlichen andern ein und ermahnte sie, als sie nun beisammen waren, sich mit Speise und Trank wohlzutun.

Da es nun Mitternacht geworden war und der Met ihnen zu Kopf stieg, fing die Tücke an sich zu regen. Sie stellten sich, als wenn sie unter sich einen Hader begännen, löschten alle Lichter aus und stürzten dann auf den Hausherrn los, um ihn zu ermorden. Aber diesem, der zur Vorsicht ein Panzerhemd unterm Wams verborgen hatte und der nicht ungewarnt war, glückte es, mit Gewalt durchs Gedränge zu kommen und seinen Dienern zuzuschreien, so daß ihm die Streiche der Verräter nicht viel schaden mochten. Als nun die Diener von neuem Licht brachten, hatte sich jeder schon wieder an seinen Platz begeben, und obwohl sich der Komtur aufs höchste über die angetane Gewalt beschwerte, so leugneten doch die Gäste, besonders die Vornehmsten, daß ein Anschlag gegen ihn stattgefunden hatte, und behaupteten, die Lichter wären nur deshalb ausgelöscht, damit die, welche zu zanken angefangen, nicht ferner aneinanderkommen könnten; es müßten daher etliche eidesvergessene Bösewichter im Haufen sein, die so verräterischen Stückes sich unterfangen. Da fragte Volrad, was diese Bösewichter wohl für Strafe verdient hätten, worauf die Gäste, die so um so besser ihre Hinterlist zu verbergen meinten, antworteten: sie wären wert, daß man sie lebendig verbrenne.

Volrad, hiermit zufrieden, stellte sich, als ob er den Vorfall nicht groß beachte, weil er nicht verletzt worden war, ermahnte die Gäste weiter zum Trinken und fröhlich zu sein, ließ sie auch schließlich wohlbezecht in Frieden nach Hause ziehn.

Etliche Zeit danach, als nun Volrad ihren Anschlägen besser nachgeforscht und alles genau erkundet hatte, lud er sie wieder zu Gast, sowohl die vorigen als andre, die mit ihnen im Bündnis waren, und da ihrer viel zusammengekommen, so richtete er das Gastmahl in einem großen Hause aus, das vor dem Schloß lag, ließ genug auftragen und ermahnte stetig zu Trunk und Fröhlichkeit.

Die Verschwornen meinten, daß jetzt die günstigste Gelegenheit gekommen sei, ihr Vorhaben ins Werk zu setzen, und nachdem sie sich tüchtig berauscht, begannen sie wieder wie das vorige Mal. Volrad aber, der diesmal besser auf der Hut war, entsprang, sobald jene die Lichter auszulöschen anfingen, vor die Tür, wo die Diener, die er zuvor abgerichtet, schon bereitstanden, ließ Pforten und Fenster verschließen, verriegeln und verkeilen, so daß keiner der Eingesperrten zu entkommen vermochte, steckte dann das Haus in Brand und ließ darin die Bösewichter alle verbrennen, gemäß dem Urteil, das sie sich selbst gesprochen hatten. (157)

Die zwölf Nonnen und die zwölf Ritter

In Kreuzburg, einer alten Stadt im Kreis Eylau, ließ sich nach dem Schlag der zwölften Stunde jeder Neumondnacht ein merkwürdiger Geisterzug sehen. Es kam nämlich aus der Kirchenstraße, welche aus den Trümmern des alten Ordenshauses auf den Schloßberg führt, ein Zug von vier unbedeckten, sonderbar gebauten Wagen. Die beiden ersten Wagen waren jeder mit vier Schimmeln bespannt, die ruhigen Schrittes gingen. In jedem dieser zwei Wagen saßen sechs Nonnen im weißen Ordenskleid, mit Kreuz und Rosenkranz, aber ohne Kopf. Jeden Wagen lenkte als Kutscher ein weißes Lamm. Die zwei letzten Wagen wurden von Rappen gezogen, die aus Maul und Nase Funken schnoben, und die Kutscher waren schwarze, funkensprühende Ziegenböcke. In jedem dieser Wagen saßen sechs Ritter, die ihre Köpfe, mit Fahnen bedeckt, unter dem Arm trugen. Dreimal machte der Zug die Runde um den alten Markt, aber ohne das mindeste Geräusch, bis er im alten Rathaus verschwand. Aus ihm hörte man nun eine teils wilde, teils lustige Musik, abwechselnd mit rauhen Männerstimmen und zartem weiblichen Gesang, auch Orgeltönen und feierlichen Chorälen. Gegen Ende der Mitternachtsstunde kehrte der Zug aus dem Rathaus in der ersten Ordnung zurück, dreimal um den Markt, und verlor sich auf der Hof- oder Schloßstraße. Bei dieser Rückkehr saßen auf dem Hals der Ritter die verschleierten Nonnenköpfe und auf den Nonnen – die Köpfe der Ritter mit Helm und geschlossenem Visier. Pfingsten 1818 wurden Rathaus und Markt durch eine Feuersbrunst so verwüstet, daß nur ein altes Gebäude stehenblieb. In der nächsten Neumondnacht erschien der Geisterzug wieder, aber nun trugen Ritter und Nonnen ihre eignen Köpfe. Neunmal rollte der Zug um die noch rauchenden Trümmer des Marktes und kehrte in das stehengebliebene Haus ein. Hier wiederholte sich der frühere Jubel, aber sanfter, bis er nach und nach verhallte.

Nachdem die Zeit auch dieses Haus zerstört hatte, ist der Ritter- und Nonnenzug nicht mehr erschienen; es hat sich aber am ersten Neumond, nachdem der Markt frei geworden, an der Stelle des alten Gebäudes eine sehr liebliche Musik hören lassen, woraus man schließt, daß nun der gespenstische Zug seine Ruhe gefunden habe. (158)

Der Schatz im Kreuzburger Schloß

Zwischen den Ruinen des Kreuzburger Schloßberges zeigte sich früher ein jetzt verschütteter Eingang zu einem Keller, der für das Schatzgewölbe der alten Burg gehalten wurde. Bei diesem war ein armer Handwerksmann, der das Haus voll unerwachsener Kinder hatte und oft nicht wußte, wie er deren Hunger stillen möchte, mit seinem Weib häufig vorbeigekommen, wenn er Holz aus dem Wald holte. Dann hatten sie wohl sehnsüchtig nach jenem Gewölbe geblickt und sich nur einen kleinen Teil der Schätze gewünscht, die dort verwahrt sein sollten, um dem Kummer der Ihren ein Ende setzen zu können. Da gerieten eines Tages zwei ihrer Jungen beim Spielen in der Mittagsstunde in jenes Gewölbe. Dort im innersten Raum trafen sie eine anmutige Frau in blauem Gewand und mit glänzendem goldenen Haar, welche die Erschreckten freundlich heranwinkte, jedem eine Handvoll Goldgulden in die Mütze schüttete und ihnen bedeutete, mit der empfangenen Gabe nach Hause zu gehen, wo sie den freudig staunenden Eltern das Geschenk treulich überliefert und so sich und der Ihren ein sorgenfreies Leben bereitet haben.

Die Kunde von dem unverhofften Glück des ehrlichen Handwerksmannes ist nicht verschwiegen geblieben, und mancher arme Hausvater hat seine Kinder in den Schloßkeller geschickt; aber mit leeren Händen sind sie stets zurückgekommen.

Es ist aber etliche Zeit danach geschehen, daß die Kreuzburger Schuhknechte eines Abends in ihrer Herberge gezecht haben, und beim Nahen der Mitternacht, als der Met die Gemüter aufgeregt und mancherlei abenteuerliche Geschichten zum besten gegeben worden sind, kamen zwei

*Kreuzburg. Kupferstich aus Christoph Hartknoch, Alt- und Neues Preussen.
Frankfurt/Leipzig 1684*

Schuhknechte überein, aus dem alten Schloßkeller einen Teil der dort
verwahrten Schätze zu holen. Sie sind denn auch wirklich da eingedrungen und haben zu ihrer Freude dort die Jungfrau in blauem Gewand und
mit goldenem Haar angetroffen, vor einer mit funkelndem Gold gefüllten
Braupfanne sitzend. Als die Schuhknechte ihr Begehr vorgetragen, hat die
Jungfrau mit einer silbernen Kelle das goldene Gebräu geschöpft und in
das Schurzfell, das jene aufgehalten, geschüttet. Diese sind froh heimge-
kehrt; je näher sie aber der Herberge kamen, um so leichter wurde ihre
Last, und als sie nun prahlend ihre Beute ausschütten wollten, hatten sich
die Goldgulden in lauter Frösche und andere Bewohner des am Schloßberg vorbeifließenden Keisters verwandelt.
Diese wunderbare Geschichte hat der jetzt zweiundachtzigjährige Bürger
Michael Krause in Kreuzburg, zur Zeit als er die dortige Schule besucht,
von einem damals neunzig Jahre alten Bürger Graumann vernommen. (159)

173

Die Ausländer aus Zinten

Einst wanderten einige Handwerksgesellen aus dem kleinen Städtchen Zinten nach Domnau. Um sich dort ein Ansehen zu machen, hatten sie sich vorgenommen, sich für Ausländer auszugeben; und da die Domnauer sonst eben nicht wegen ihrer Klugheit gerühmt wurden und deshalb sogar zum Sprichwort geworden sind, meinten sie, daß ihnen dies um so eher gelingen werde. Aber sie wurden dennoch erkannt und trugen nichts als Spott und Gelächter davon. Seitdem nennt man in Preußen denjenigen, der es den Ausländern in der Sprache oder dem Benehmen nachzutun sich zwingt, einen Ausländer aus Zinten. (160)

Der Räuber Sierke

Vor langer Zeit, vielleicht vor ungefähr hundert Jahren, hat in der Eylauer Heide der Räuber Sierke gewohnt. Immer trug er schwarze Kleider, die aber auf dem Rücken ein rotes Kreuz hatten. Seine Wohnung war in der Erde angelegt und der Eingang durch große Steine geschützt. Eine zweite Wohnung hatte er sich dadurch eingerichtet, daß er die Kronen zweier Bäume zusammengebunden und sich darunter ein Versteck gemacht hatte. Die Wände der Erdhöhle waren bunt gefärbt. War es nötig, diese Farbe wieder aufzufrischen, so mußte ein Maler kommen. Auf dem Weg zur Höhle wurden ihm von Sierke die Augen verbunden, und wenn er mit seiner Arbeit fertig war, so wurde er auch mit verbundenen Augen wieder fortgeführt. So konnte niemand die Wohnung finden und verraten.
In der Höhle lebten auch mehrere Frauen, die dem Räuber Sierke die Hauswirtschaft besorgen und für ihn betteln mußten. Oft raubte er Kinder reicher Leute, weil sie ihn ausgeschrien hatten. Eine der Frauen hatte nur auf diese Kinder aufzupassen, daß sie den Ausgang nicht fänden.
Sierke war oft tagelang von seiner Höhle fort und ging meist verkleidet umher, oft auch als Frau verkleidet. Auf einem solchen Weg traf er auch einmal eine Frau, die er aufforderte, ihm in seine Höhle zu folgen. Als sie nicht wollte, fesselte er sie und band sie an einen Baum. Das wurde ihm aber zum Verhängnis. Denn in demselben Augenblick kamen Soldaten in einem Wagen, die ausgesandt waren, ihn zu fangen. Die ergriffen ihn und lieferten ihn im Gefängnis ab. Nachdem er eine längere Zeit gesessen hat-

te, gelobte er Besserung und wurde darum entlassen. Wie er aber durch ein Dorf ging, schrien ihm die Kinder wieder nach; erbost darüber mordete er von neuem und begann sein altes Leben. (161)

Napoleon und der Glöckner

Napoleon der I. hätte in der Schlacht bei Preußisch-Eylau leicht in Gefangenschaft geraten können, wenn dies nicht durch die mangelnde Geistesgegenwart des Glöckners verhindert worden wäre. Napoleon hatte sich nämlich am Nachmittag eines Schlachttages die Tür zum Kirchturm aufschließen lassen. Er stieg hinauf, um Umschau nach den anrückenden Preußen zu halten, auch erwartete er den Anmarsch des Marschalls Ney, der von Kreuzburg kommen sollte. Erst zu spät fiel es dem Glöckner ein, daß er ja die Turmtür hätte abschließen können, und Napoleon wäre gefangen gewesen. (162)

Der Tote hilft den Sarg zurechtheben

En Schossee-Arbeider öm Ilausche, de kunn ook dem Dood söhne. Enmoal köm e Liechewoage längs Schossee. De Pörd riesde op (bäumten sich) on wulle nich mea wieda töhne. Dorch dat Opriese wör de Sarg hochkant gekoame. De Männa wulle nu dem Sarg langsoamkes stötte. Da säd de Schossee-Arbeider: »De Pörd söhge dem Dood stoahne, on se riesde deswegen ook bloß op. Nu oawa helpt ju de Doodje sölwst dem Sarg stötte. Ju dörwe bloß an eena Sied e bät rucke. Anna andre Sied helpt he!« On röchtig, ohne dat ena anna andre Sied stund, köm de Sarg ganz onheimlich schnell wedda ön sien röchtge Loag. (163)

Die Unterirdschchen in Groß-Dexen

Vor vielen, vielen Jahren wohnten die Unterirdschchen im Stablack, in der Nähe des Spechtberges. Einer Bauernfamilie in Groß-Dexen hatten sie zu großem Wohlstand verholfen. Weil aber die Leute ihren Helfern mit schnödem Undank lohnten, sollten sie bald ihre Strafe erfahren.

175

Eines Tages kam ein Unterirdschchen in Gestalt eines Bettlers zu ihnen und verlangte eine kleine Gabe, aber er wurde schnöde abgewiesen. Da sagte der alte Bettler: »Ihr werdet noch an mich denken!« und verschwand.

Von der Zeit ab wich der Wohlstand von den Leuten. Alle Unternehmungen schlugen zu ihrem Unglück aus. Die wohlgenährten Pferde wurden mager und krumm. Das Getreide wuchs nur spärlich und brachte geringe Erträge. Auch im Haus und in der Küche ließen die Unterirdschchen ihre Rache erkennen. War am Tag gewebt worden, so fand man morgens das Gewebe zerschnitten vor. Von dem Eingemachten und von der Milch war jeden Morgen geschmeckt worden; einmal hatten die Unterirdschchen sogar einen schweren, silbernen Schmengelöffel, mit dem sie den Schmand abgeschöpft hatten, zurückgelassen.

Da saßen die so gestraften und verfolgten Leute eines Tages zusammen und meinten, sie würden aus diesem Haus fortziehen müssen. Gleich kam aus einer Ecke der Stube, aus der Gegend des Herdes, eine dünne Stimme, die mit schadenfrohem Gelächter rief: »Onn öck töh ömmer mött!« Dabei klatschte es in die Hände.

In ihrer Angst besannen sich die Leute auf einen alten Mann im Dorf, der im Ruf stand, mit solchen Wesen verkehren zu können, und sie holten ihn in ihr Haus. In der Dämmerstunde hat man dann kleine Männchen mit roten Kapuzen weghuschen sehen; und seitdem sind die Unterirdschchen aus der Gegend verschwunden. (164)

Das Dittchenbrot

Ein bekanntes Sprichwort von der Stadt Domnau heißt: »In Domnau nach einem Dittchenbrot fragen«. Mit diesem geht es so zu: Einst wurde in Domnau ein Dieb in Begleitung aller Ratsherrn zum Galgen geführt. Der Richtstätte nahe, bat er um die Vergünstigung, sich noch vom nächsten Bäcker ein Dittchenbrot kaufen zu dürfen. Die Bitte wurde ihm gewährt und der Bürgermeister schenkte ihm gnädig noch das Dittchen. Der Delinquent kaufte nun zwar bei dem nahe am Tor wohnenden Bäcker das Brot, entwischte aber damit und rief den starrenden Ratsherrn nur noch zu: »Dank Domnauer, fer't Dittkebrot.« Seitdem nimmt es jeder Domnauer Bäcker übel, wenn man von ihm ein Dittchenbrot fordert; man muß ein Drei(silber)groschen-Brot verlangen. (165)

Des Teufels Buhlin

1587 war in Domnau eine Gärtnerin, die eines Tages sehr früh aufstand, sich anzog und davonging, nachdem sie ihrem Mann Lebewohl gewünscht hatte. Dem Mann fiel dies auf; deshalb erhob er sich auch bald vom Lager, um nachzusehen, wo seine Frau geblieben sei; aber alle Mühe, diese aufzufinden, blieb fruchtlos. Da ging der Mann zuletzt nach Rössel zu einer Wahrsagerin, daß sie ihm verkünde, wo seine Frau geblieben sei. Diese fragte ihn, ob er nicht wisse, wie es um seine Frau gestanden, wie sie sich verhalten, daß sie mit dem Teufel Buhlschaft getrieben, und wie dieser sie am Weihnachtsabend um den Ring und das Rathaus geführt habe; jetzt möge er nur nach Hause gehen, seine Frau sei schon da. Und so war es; denn sie war in dem Unterteich, nicht weit vom Land auf den Knien sitzend, ertrunken gefunden worden. (166)

Herzog Albrecht und die Bauern von Reddenau

Der Pfarrer von Reddenau beklagte sich einst bei dem Herzog Albrecht, daß die Männer gar nicht mehr in die Kirche kämen. Dem Herzog schien dieses unglaublich und er kam heimlich nach Powarschen zu der damaligen Gutsfrau Dorothea von Tettau. Sonntags früh begab er sich nach Reddenau und ging in den Krug. Hier fand er die Männer an langen Tischen sitzen und aus großen hölzernen Kannen das im Krug gebraute Bier trinken. Der Herzog, den niemand kannte, nahm am obersten Ende eines Tisches Platz. Die Zecher tranken sich fleißig zu, doch wenn der Humpen bis zum Herzog kam, sagte der letzte: »Broda, loat so römm goahne!« und der Humpen ging rückwärts, wobei es hieß: »Drink wieda!« Als die Glocken läuteten, forderte der Herzog die Zecher auf, zur Kirche zu kommen. Diese aber sagten: »Wi hoole hier biem Gevatter Körch!« In der Kirche fand der Herzog nur elf Frauen, hörte eine sehr erbauliche Predigt und ging, ohne sich dem Pfarrer zu erkennen zu geben, in den Krug zurück. Hier fand er die ganze Gesellschaft noch bei derselben Beschäftigung. Nachdem diese noch mehrmals den Rundkreis getrunken, riß ihm die Geduld und er versetzte seinem Nebenmann eine kräftige Ohrfeige mit den Worten: »Schlag weiter!« Als die Zecher nun über ihn herfallen wollten, ließ er seinen Mantel fallen und mit Schrecken erkannten sie den Landesherren. Dieser ließ sie nun so lange herumschlagen, als er sie trinken gesehen. Dann mußte noch jeder Zecher zehn Mark Strafgeld zahlen, wodurch der Grund zum Reddenauer Kirchenvermögen gelegt wurde. (167)

Der Streit um den Fischkessel

Es war im Jahr 1264, die heidnischen Preußen belagerten nun schon drei Jahre lang das Schloß Bartenstein, in welchem der Ordensbruder Henning von Stalenberg nur noch mit wenigen Mannen lag und sich kaum mehr halten konnte, so daß das Schloß bald den Heiden übergeben werden sollte. Da geschah es eines Tages, daß einer von den Preußen, der in einem Sturmhaus lag, gute Fische bekommen, aber keinen Kessel hatte, worin er sie kochen konnte. Er lief daher aus seinem Sturmhaus in ein anderes,

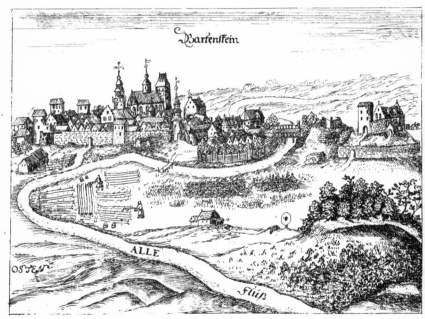

Bartenstein. Kupferstich aus Christoph Hartknoch, Alt- und Neues Preussen. Frankfurt/Leipzig 1684

178

darin seiner Mutter Schwester war, und bat diese, ihm ihren Fischkessel zu leihen. Die Frau wollte dies nicht, worauf der Preuße den Kessel mit Gewalt nahm und damit fortlief. Die Frau aber rannte ihm nach mit jämmerlichem Geschrei. Als das die Preußen in dem Sturmhaus hörten, aus dem die Frau gelaufen war, da kamen sie ihr zu Hilfe, um ihr mit Gewalt wieder zu ihrem Kessel zu verhelfen. Aber nun kamen dem Preußen auch die aus seinem Sturmhaus zu Hilfe, und es wuchs mehr und mehr die Hilfe von beiden Seiten, bis zuletzt die Preußen aus allen Sturmhäusern zusammenliefen und ein Geschrei, Gezänk und Schlagen entstand, als wenn eine große Schlacht geschlagen würde. Es hatte aber keiner der Preußen Waffen in dem Streit. Als dieses nun Henning von Stalenberg sah, da fiel er rasch mit den Seinen aus der Burg heraus, schlug die verwirrten Preußen, verbrannte die Sturmhäuser und befreite so das Schloß. (168)

Der Riese Miligedo

Es lebte in Preußen, als der Deutsche Orden ins Land kam, ein großer Riese, der hieß Miligedo und war im ganzen Land wegen seiner Größe und Stärke bekannt. Er bekehrte sich zum christlichen Glauben, trat in das Heer der Ordensbrüder ein und tat seinen Landsleuten vielen Schaden. Darum, und weil er so ausnehmend stark war, fürchteten ihn die heidnischen Preußen sehr und suchten ihn in ihre Gewalt zu bekommen.

Als nun einst die Kreuzherren das Schloß Bartenstein mit vierhundert Mann besetzt hatten, darunter auch dieser Miligedo war, belagerten die Preußen das Schloß unter ihrem Obersten Mattingo und trachteten danach, wie sie den Miligedo mit List aus dem Weg räumen könnten. Sie hatten einen in ihrem Haufen, der auch nicht klein war, aber dem Miligedo bei weitem nicht gleichkam. Dieser trat ins Feld und forderte den Miligedo aus dem Schloß zum Zweikampf hervor. Miligedo ließ sich nicht lange nötigen und kam ganz allein auf den Platz. Er trug bloß eine große Keule, deren Knopf aus Blei gegossen war. Wie er nun zu seinem Kampfgesellen tritt, ehe ihn dieser mit seinem Gewehr erreichten möchte, schlägt er ihm mit dem ersten Streich den Hauptharnisch und den Hirnschädel ineinander. Aber jetzt springen zwanzig Preußen aus dem Strauch hervor, die fallen ihn zugleich an; doch dieser achtete ihrer nicht groß und scharmützelte in kurzem so unter ihnen, daß ihrer fünfzehn auf dem Platz blieben, die übrigen aber die Flucht nahmen und er selbst in Frieden wieder auf die Burg zog. Bald darauf aber brachten ihn die Preußen doch in die Kluppen; denn als er gar zu kühn und keck war, und einst schon zehn Mann bestritten und erschlagen hatte, da wurde er noch von fünfzig weiteren überfallen, die ihn, weil er allein und müde war, überwältigten und jämmerlich ermordeten. (169)

Vom Löttauer on vom Noatanger

Ön ole Tide weer emoal e Löttauer, dä had geheert, dat de stärkste Lid ön ganz Ostpreiße de Noatanger weere. Dat argerd em, denn he weer e groter forscher Keerl, wo nich emoal vorm Diwel Schöß had. He dochd bi sick sölwst: Du mottst die oppe Strömp moake, noa Noatange goahne on sehne, ob dat woar ös!

He packd sick dem Lischke voll on marscheerd los. Wie er e paar Doagkes gegange weer, keem er önne grote dicke Woold. On wil em hungerd, packd er dem Lischke ut on fung an to äte. Möt eens brommd wat mangke Beem, on he kickd söck om.

Doa stund e groter, groter Boar hinder em. On wil he so e Deer noch keinmoal nich gesehne had, dochd er: dat ös söcher e Noatanger! on bod em de Tid. Obber de Boar brommd on kickd em an.

»Ök kann nich verstoahne, wat du seggst«, säd de Löttauer, »du rädst woll noatangsch! Obber weetst, Broder, komm, wi wölle range!«

De Boar brommd wedder on stelld sick oppe Hinderbeen. De Löttauer packd em, on nu ging dat Range los. Bol leeg de Boar unde on bol de Keerl. Obber de Boar varstund dem Spoaß nich röchtig on fung an to bite on to kratze. Doa wurd de Löttauer falsch.

»Du, Noatanger«, säd he, »loat dat Duumkeknipe sön!« – Obber de Boar varstund em nich.

»Mönsch«, säd de Löttauer, »nu segg öck di dat tom letztemoal, moak mi keine Faxe!« – On wie dat nuscht holp, doa grabbelt he sin Metz (Messer) vär on schlötzd dem Boar dem Buk opp. Dä full oppe Näs' on weer dot.

Doa dochd de Löttauer: »Wat hebb öck bloß gedoahne! Nu hebb öck e Noatanger dotgespäckt!« – On wie er utem Woold rut keem, ging er oppt Amt on varkloagd söck sölwst.

De Amtmann nehm em fest on leet em de Händ tosamm schlute. He mußd värgoahne on dem Stell wise, wo er dem Noatanger omgebracht had. Obber wie se durthen keeme, doa leeg kein dodiger Mönsch doa, doa leeg e groter Boar on had utgejappst.

Nu leete se dem Löttauer foorts los on säde to em: »Dat ös kein Noatanger, dat ös e Boar! on du böst e Mordskeerl!«

On de Löttauer, dä solang ganz bedrippst utgesehne had, wurd wedder so lostig wie e Lus öm Schorf. He ging von een Derp tom andre, on äwerall mußde de Noatangersch möt em range. Obber he schmeet se aller, dat man so bullerd.

On wie he to Hus keem, doa säd he: »Na, wat hebb öck geseggt? Wi Löttauer sön doch stärker wie de Noatanger!« (170)

Der Bartel

Neben der Stadt Bartenstein erhebt sich hart am Allefluß ein jäher Hügel, der zwischen Überresten einer Burg einen kolossalen Granitblock auf seinem Scheitel trägt, welcher einige Ähnlichkeit mit einer menschlichen Figur zeigt. Es wird berichtet, daß das Schloß versunken, das Felsstück aber der ehemalige Beherrscher des Landes, Barto, sei, der hier gehaust und beim Untergang seiner Burg in einen Stein verwandelt wäre. Noch jetzt nennt das Volk diesen Stein: den Bartel. Auch erzählt man von großen Schätzen, die im Berg liegen und von einem Gang, der von dessen Spitze unter der Alle weg nach einem benachbarten Kirchlein führe. (171)

Die Guste Balde

In Bartenstein wird noch ein anderer großer Stein in menschenähnlicher Gestalt aufbewahrt, der früher in der Johanniskirche, dann auf dem Markt aufgestellt war, schließlich aber in den Schulgarten kam, und von dem erzählt wird, daß ein Mädchen, Guste Balde genannt, in ihn verwandelt worden sei. Diese beklagte sich einst, als sie zur Messe ging, bei ihrer Mutter, daß sie in so schlechten Kleidern erscheinen müsse, während anderer viel geringerer Leute Töchter weit geputzter einhergingen. Die Mutter, erzürnt hierüber, rief ihr zu: »Daß du möchtest zu Stein werden, du unverschämte Marjell!« Und alsbald ging diese Verwünschung in Erfüllung. (172)

Die Schippenbeiler Erbsenschmecker

Die Schippenbeiler werden die Erbsenschmecker genannt. Das kommt daher: Einst kam ein Bauer aus Polkitten mit einer ganzen Wagenladung jener köstlichen Frucht, welche für den echten Ostpreußen der Inbegriff des Wohlschmeckenden ist, nämlich graue Erbsen, nach Schippenbeil herein. Da er aber aus irgendeinem Grund mit den Kaufleuten nicht handelseinig wurde, so rief er seine Ware in den Straßen aus. Da die Schippenbeiler Hausfrauen die Vorliebe der Ostpreußen für graue Erbsen teilten, so liefen sie alle oder sandten ihre Mägde und verlangten Proben von dem Bauern, und das geschah so oft und vielfach, daß schließlich die ganze Wagenladung aufgeschmeckt war und der Bauer schimpfend und jammernd mit leerem Wagen nach Hause fahren mußte.

Die Schippenbeiler heißen aber auch Bärenstecher. Einmal war nämlich ihr Bürgermeister zum Landtag nach Königsberg gefahren und hatte die Gelegenheit benutzt, sich in der großen Stadt einen neuen Bärenpelz zu kaufen. Als er mit diesem geschmückt in Schippenbeil wieder ankam, hielten ihn seine Mitbürger für einen richtigen Bären, gingen ihm mit Knüppeln und Spießen zu Leibe, und es fehlte nicht viel, so hätten sie ihn totgeschlagen. (173)

Das Wappen von Friedland

Friedland führt in seinem Stadtwappen einen Karpfen mit einem Geierfuß. Die Stadtchronik berichtet dazu: In alter Zeit war einst ein Geier den Bewohnern Friedlands eine Plage, weil er ihnen Geflügel und andere junge Haustiere raubte. Soviel man ihm auch nachstellte, er ließ sich nicht fangen. Eines Tages jedoch jagte ein Bürger in der Nähe des Mühlenteiches, da sah er den Geier über der Wasserfläche aufsteigen, in den Krallen eines Fußes einen Karpfen haltend. Der Bürger feuerte und glaubte schon, den Geier stürzen zu sehen; doch nur der Karpfen mit dem einen Bein des Räubers fiel herab in den Mühlenteich, der Geier suchte das Weite. – Soweit die Chronik. Es wird noch erzählt: Mehrere Jahre danach fischte man in dem Mühlenteich und fing neben anderen Fischen auch jenen Karpfen, der noch die Krallen mit dem zerschossenen Unterschenkel des Geiers in seinem Rücken stecken hatte. Zum Andenken an dieses Ereignis setzte die Stadt einen Karpfen nebst einem Geierfuß in ihr Wappen. (174)

Das Archiv zu Tapiau

In dem alten Schloß zu Tapiau befand sich vor Zeiten das kurfürstliche Archiv, in dem auch die Privilegien des Landes Preußen waren. Die Schlüssel dazu lagen deshalb verwahrt bei dem Regierungskanzler zu Königsberg, welcher allein sie in die Hände bekam. Da begab es sich eines Tages im Jahre 1619, daß der Hauptmann des Schlosses, Herr Martin von Wallenrodt, im Schloß spazierenging und plötzlich die mit starken Riegeln versehene Tür des Archivs weit offenstehen sah. Er wunderte sich darüber, dachte aber endlich, es seien Diebe eingebrochen, und er ging hinein, um danach zu sehen. Kaum war er aber eingetreten, als die Tür wunderbarerweise hinter ihm zuschlug, so daß er nicht wieder heraus konnte. Man mußte draußen an das Fenster große Leitern ansetzen und das Gitter erweitern, um ihn zu befreien. Acht Tage darauf bekam der Hauptmann eine kurfürstliche Bestallung, daß er Regierungskanzler werden sollte, denn der alte Kanzler war zu derselben Zeit gestorben. (175)

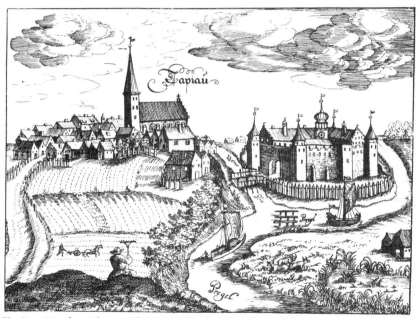

Tapiau. Kupferstich aus Christoph Hartknoch, Alt- und Neues Preussen. Frankfurt/Leipzig 1684

183

Der Wehlauer Fuchsberg

Der Teufel ging einmal die Wette ein, in einer Nacht wäre es ihm möglich, den Pregel zuzuschütten. Da er den Sand von weither holen mußte, versäumte er sich sehr. Schon war er in der Nähe des Pregels, da schlug die Rathausuhr zwölf. Die Wette war für ihn verspielt. Mit einem fürchterlichen Fluch ließ er den Sandsack fallen und verschwand. Daher kommt es, daß mitten in ebenem, feuchtem Land ein Sandberg steht. Noch lange konnte der Teufel die verlorene Wette nicht verschmerzen; denn viele Leute bezeugten, daß er um Mitternacht in Gestalt eines Ziegenbockes spuke. (176)

Die große Eiche zu Wehlau

Nicht weit von Wehlau über dem Pregel an der Landstraße von Königsberg nach Ragnit liegt ein Dorf, Oppen genannt, da stand noch im dritten Drittel des 16. Jahrhunderts in einem Garten eine alte Eiche von gewaltiger Dicke, von der man geglaubt hat, sie sei der größte Baum nach der Sintflut gewesen. Sie war inwendig hohl und so weit, daß einer mit einem großen Gaul hineinreiten und sich mit dem umdrehen und herumtummeln konnte, wie es denn die beiden Markgrafen von Preußen Albrecht der Ältere und Albrecht Friedrich getan haben. Diese Eiche ist zuvor, solange sie noch grün gewesen und ihre Borke hatte, 27 Ellen dick gewesen, wie dies der Rat zu Wehlau mit seinem Insiegel beim Pastor Hennenberger bestätigt hat. Der Baum aber ist endlich eingegangen und umgestürzt, weil jedermann, der dorthin kam, seines Namens erste Buchstaben, auch Marken und Jahreszahlen hineingeschnitten hat, so daß der Baum verdorren mußte. (177)

Die erhängten Gäste

Zu Leunenburg in Preußen war ein sehr behender Dieb, der einem ein Pferd stehlen konnte, wie vorsichtig man auch war. Nun hatte ein Dorfpfarrer ein schönes Pferd, das er dem Fischmeister zu Angerburg verkauft, aber noch nicht gewährt. Da wettete der Dieb, er wolle dieses auch stehlen und darnach aufhören; aber der Pfarrer erfuhr es und ließ es so verwahren und verschließen, daß er nicht dazu kommen konnte. Indes ritt der Pfarrer mit dem Pferd einmal in die Stadt, da kam der Dieb auch in Bettlerkleidung mit zwei Krücken in die Herberge. Und als er merkt, daß der Pfarrer aufbrechen wollte, macht er sich zuvor auf, wirft die Krücken auf einen Baum, legt sich darunter und erwartet den Pfarrer. Dieser kommt hernach, wohl bezecht, findet den Bettler da liegen und sagt: »Bruder, auf, auf! Es kommt die Nacht herbei, geh zu Leuten, die Wölfe könnten dich zerreißen.« Der Dieb antwortet: »Ach, lieber Herr, es waren böse Buben eben hier, die haben mir meine Krücken auf den Baum geworfen, nun muß ich hier verderben und sterben, denn ohne Krücken kann ich nirgends hinkommen.« Der Pfarrer erbarmt sich seiner, springt vom Pferd, gibt es dem Schalk, am Zügel zu halten, zieht seinen Reitrock aus, legt ihn aufs Pferd und steigt dann auf den Baum, die Krücken abzugewinnen. Indessen springt der Dieb auf das Pferd, rennt davon, wirft die Bauernkleider weg und läßt den Pfarrer zu Fuß nach Hause gehen. Diesen Diebstahl erfährt der Pfleger, läßt den Dieb greifen und an den Galgen hängen. Jedermann wußte nun von seiner Listigkeit und Behendigkeit zu erzählen.

Einstmals ritten etliche Edelleute, wohl bezecht, an dem Galgen vorbei, redeten von des Diebs Verschlagenheit und lachten darüber. Einer von ihnen war auch ein wüster und spöttischer Mensch, der rief hinauf: »O du behender und kluger Dieb, du mußt ja viel wissen! Komm auf den Donnerstag mit deinen Gesellen zu mir zu Gast und lehre mich auch Listigkeit.« Darüber lachten die andern.

Auf den Donnerstag, als der Edelmann die Nacht über getrunken hatte, lag er lang schlafend, da kommen die Diebe um neun Uhr morgens mit ihren Ketten in den Hof, gehen zur Frau, grüßen sie und sagen, der Junker habe sie zu Gast gebeten, sie solle ihn aufwecken. Darüber erschrickt sie hart, geht vor des Junkers Bett und sagt: »Ach! Ich habe Euch längst gesagt, Ihr würdet mit Eurem Trinken und spöttischen Reden Schande einlegen, steht auf und empfanget Eure Gäste!« und erzählt, was sie in der Stube gesagt hätten.

Er erschrickt, steht auf, heißt sie willkommen und daß sie sich setzen sollten. Er läßt Essen vortragen, soviel er in Eile vermag, welches alles verschwindet. Unterdessen sagt der Edelmann zu dem Pferdedieb: »Lieber, es ist deiner Behendigkeit viel gelacht worden, aber jetzt ist mir's nicht lächerlich, doch verwundert mich, wie du so behend bist gewesen, da du doch ein grober Mensch scheinest.« Der antwortet: »Der Satan, wenn er sieht, daß ein Mensch Gottes Wort verläßt, kann einen leicht behend machen.« Der Edelmann fragte andere Dinge, darauf jener antwortete, bis die Mahlzeit entschieden war. Da standen sie auf, dankten ihm und sprachen: »So bitten wir Euch auch zu Gottes himmlischem Gericht an das Holz, da wir um unserer Missetat willen von der Welt getötet wurden: da sollt Ihr mit uns aufnehmen das Gericht zeitlicher Schmach und dies soll sein heut über vier Wochen.« Und schieden so von ihm.

Der Edelmann erschrak sehr und wurde heftig betrübt. Er sagte es vielen Leuten, der eine sprach dies, der andere jenes dazu. Er aber tröstete sich dessen, daß er niemanden etwas genommen, und daß jener Tag auf Allerheiligen-Tag fiel, auf welchen um des Fests willen man nicht zu richten pflegt. Doch blieb er zu Hause und lud Gäste ein, so etwas geschähe, daß er Zeugnis hätte, er wäre nicht ausgegangen. Denn damals war die Räuberei im Lande, besonders Gregor Maternens Reiterei, von denen einer den Hauskomtur Eberhard von Emden erstochen hatte. Deshalb bekam der Komtur Befehl, wo solche Reiter und Kumpane zu finden wären, sollte man sie fangen und richten, ohne weitere Audienz. Nun war der Mörder ausgekundschaftet und der Komtur eilte ihm mit den Seinigen nach. Und weil für den Edelmann, dessen Gäste ihn ans Holz geladen, der letzte Tag war und dazu Allerheiligen-Fest, gedachte er, nun wär er frei, wollte sich einmal gegen Abend nach dem Einsitzen etwas belustigen und ritt ins Feld. Indessen, als des Komturs Leute seiner gewahr werden, deucht sie, es sei des Mörders Pferd und Kleid und sie reiten flugs auf ihn zu. Der Reiter wehrt sich und ersticht einen jungen Edelmann, des Komturs Freund, und wird deshalb gefangen. Sie bringen ihn vor Leunenburg, geben einem Litauer Geld, der hängt ihn zu seinen Gästen an den Galgen. Und es wollte ihm nicht helfen, daß er sagte, er käme aus seiner Behausung erst geritten, sondern muß hören: »Mit ihm fort, eh andere kommen und sich seiner annehmen, denn er will sich nur so ausreden!« (178)

Die Braut des Fingerlings

Bei Leunenburg liegt das Schloß Prassen, der Stammsitz des einst freiherrlich, jetzt gräflich Eulenburgschen Geschlechts. Hier haben früher die Fingerlinge, Barstucken oder Erdmännlein ihren Wohnsitz gehabt. Einst erschien vor dem Freiherrn von Eulenburg eine Gesandtschaft dieser Fingerlinge und warb für ihren König um seine Tochter, ein Mädchen von

überaus großer Schönheit. Im Falle der Gewährung wurde verheißen: solange sie ungestört dort hausen würden, sollte das Geschlecht der Eulen-
burgs auf jede Weise reich gesegnet werden. Zum Zeichen dessen über-
reichten die Abgesandten einen Fingerreif mit der Mahnung, diesen wohl
zu bewahren, da, sobald er verlorengehe, das Glück vom Haus scheiden
werde. Als nun der Freiherr einwilligte, baten die Abgesandten weiter,
daß die Braut an dem anberaumten Vermählungstag in ein von ihnen be-
zeichnetes Zimmer geführt werde, wo ihr Herrscher sie dann in Empfang
nehmen wolle; doch forderten sie auch, daß niemand ihr Tun belausche,
weil sie sonst das Schloß verlassen müßten. An dem festgesetzten Tag
wurde nun die Jungfrau in jenes Zimmer geführt; am folgenden Morgen
war sie verschwunden und nie ist wieder etwas von ihr gesehen worden.
Die Fingerlinge sind aber noch oft nachher erschienen und haben sich dasselbe Gemach, das deshalb auch nie anders benutzt wurde, zu ihren Lust-
barkeiten erbeten.
Einst, als einer der Besitzer des Schlosses an der Tafel saß, rief diesem eine
feine Stimme, die hinter dem Ofen vorzukommen schien, zu, er solle nach
dem gedachten Zimmer gehn und dort hineinrufen: »Höre Rotöhrchen,
Gehlöhrchen ist tot!« Als er dies verrichtet, antwortete ihm dort eine andere unsichtbare Stimme: »So, ist he tot?«
Jener Ring wird noch in dem Familienarchiv aufbewahrt; die Fingerlinge
aber sollen, weil sie einst bei einem Festmahl belauscht wurden, fortgezo-
gen sein. (179)

Die Gründung von Gerdauen und Wartenburg

1325 wurde, um die Grenzen der Christenheit auszudehnen und einen
neuen Schutz gegen die Heiden zu haben, im Bartenland das Schloß Gerdauen und in Galindien Wartenburg gegründet. Als nun die Schlösser
vollendet waren und feierlich durch eine heilige Messe eingeweiht wurden, da zeigte sich über dem von Wartenburg eine ganz weiße Haustaube,
über dem von Gerdauen aber flogen zwei dergleichen. Die Preußen, welche beim Bau zugegen waren, versicherten, daß man in diesen weiten
Wildnissen noch nie Haustauben gesehen. (180)

Schloß Dönhofstädt bei Barten. Kupferstich aus dem Dresdner Hof-Kalender 1850

Woher Gerdauen seinen Namen hat

Gerdauen ist ein Schloß und eine Stadt im Bartener Land. Dort wohnte zur Zeit des Landmeisters Helmrich VI. ein Edler aus altem preußischen Geschlecht. Sein Name war Gerdau, und nach ihm wurde auch der Ort genannt. Gerdau wurde Christ und war daher bei den andern heidnischen Preußen sehr verhaßt. Sie verfolgten ihn heftig, und als er merkte, daß er sich unter ihnen nicht halten konnte, zündete er sein Schloß an, zog mit Weib, Kind, Gesinde und aller Habe gen Königsberg unter den Orden. (181)

Girdaw, der Preuße

Im Barterland wohnte ein Mann, der hieß Girdaw (Gerdau). Sein Vater war Tulegerde aus dem Geschlecht der Rendalier, seine Mutter Nameda; ihre Familie nannte man die Monteminer. Beide Geschlechter waren berühmt und hatten großen Landbesitz, sie waren Kunige, d. h. Herren über viele Untersassen. Als die Kreuzherren in das Land kamen, nahmen sie das Christentum an und wurden Lehnsleute des Deutschen Ordens. Tulegerde hatte eine Burg am Ometfluß, wo er aus dem Banktinsee tritt. Seine Untertassen bauten seine Äcker mit der Hacke und hüteten seine Pferde in den Roßgärten. Girdaw war groß und stark. Er hatte blaue Augen und trug sein Haar ungeschoren; er hatte auch einen starken Bartwuchs. Als er siebzehn Jahre alt war, ging er zu seinem Vater und sagte: »Ich will nicht mehr zu Hause sitzen und nach den Knechten und nach dem Vieh sehen. Gib mir ein Roß und ein Schwert, daß ich zu den deutschen Herren ziehe und im Krieg Ehre und Gewinn suche.« Tulegerde antwortete: »Du magst ziehen, aber wir werden uns nicht wiedersehen; mir ist, es werde unsere Burg vom Feuer gefressen werden.« Er gab dem Girdaw die drei besten Pferde aus seiner Herde, einen Rappenhengst und zwei falbe Kobbeln. »Zwei Knechte«, sagte er, »mögen mit dir ziehen, daß sie deine Waffen tragen und dein Essen kochen.« Er gab ihm auch einen Schild von Lindenholz mit Eisen beschlagen nach deutscher Art und ein Schwert, das hatte er vor langen Jahren in Wiskiauten im Samland gekauft von nordischen Männern; es war mit Silber eingelegt und trug einen Zauberspruch: Mannesbein beiße ich malmend.

Girdaw ritt mit seinen Knechten hinunter nach Samland. Als sie an den Pregel kamen, war eine Brücke geschlagen; über die zogen sie hinüber auf eine Insel, die hieß Kniepaw, und von dort führte eine andere Brücke auf das rechte Ufer des Pregels. Dort hatten deutsche Kaufleute ihre Zelte aufgeschlagen und hielten Markt. Girdaw ging zu den Kaufleuten und bot ihnen die Marderfelle an, die seine Mutter ihm mitgegeben hatte. Sie gaben ihm Silber dafür, mehr als er gedacht hatte. Er kaufte einen Spieß Heringe und deutsches Brot und ging mit den Knechten zu eines Bierschenken Zelt. Dort aßen und tranken sie, bis sie satt waren. Dann ritten sie den Berg hinauf; da waren deutsche Werkleute bei der Arbeit, eine Burg aufzuführen, wo der Katzbach durch eine tiefe Schlucht floß. Und hinter der Burg maßen andere Deutsche eine Stadt ab nach deutscher Art mit lauter gleichen Häusern. Girdaw aber suchte den Komtur auf, das war der Oberste der Deutschen, und bot ihm seine Dienste an. Der Komtur stand an dem Graben, den man zum Schutz der Burg gezogen hatte. Da war das Erdreich gerutscht, und ein Wagen voll Bauholz, mit zwei Pferden bespannt, war in die Tiefe gestürzt. Der Komtur sprach: »Du bist noch jung, bist du auch stark und kräftig genug, daß du uns im Krieg dienen kannst?« – »Das werde ich dir zeigen«, sagte Girdaw, stieg in den Graben hinab, hieb mit dem Schwert die Stränge ab, in denen die Pferde zappelten, löste die Deichsel aus dem Wagen, und, indem er sie wie einen Hebebaum benutzte, stellte er die Pferde eins nach dem andern auf die Beine, so daß sie aus dem Graben emporklimmen konnten. »Du hast Kräfte«, sagte der Komtur, »wir werden dich gebrauchen können. Morgen ziehen wir nach Wehlau ins Feld, da magst du mitreiten.«

Wie gesagt, so geschah es. Die heidnischen Preußen in Wehlau hatten sich stark verschanzt auf der Halbinsel zwischen Pregel und Alle. Ihr Führer war Tirske und sein Sohn Mandele. Es war nur ein schmaler Zugang zu der Burg, und schwer zu durchschreiten. Als die Deutschen herankamen, stand Tirske mit seinem Sohn Mandele auf dem Turm neben dem Tor der Burg und rief herüber über den Graben: »Welcher Teufel hat euch hergeführt? Wagt euch nicht näher heran, wir werden euch mit blutigen Köpfen heimsenden!« Da sprang Girdaw aus dem Gefolge des Komturs vor: »Rühmt euch nicht, ehe ihr gekämpft habt! Seid ihr so feige, daß ihr euch hinter Wall und Graben verkriecht?« Darüber wurde Mandele zornig und schleuderte seinen Speer nach Girdaw. Der aber fing ihn auf und brach ihn über dem Knie in Stücke. »Komm heraus«, schrie er, »daß wir kämpfen, Mann gegen Mann. Siegst du, so werden wir umkehren, siege ich, so sollt ihr die Burg übergeben und Christen werden.« Die Deutschen aber riefen Beifall und forderten den Tirske auf herauszukommen, es solle ihnen nichts geschehen, wenn sie dem Vorschlag des Girdaw folgten.

Da war eine Wiese am Pregel, dort stellten sich die Deutschen auf der einen Seite auf und die Preußen auf der andern, und es wurde ein Kampfplatz abgemessen. Girdaw und Mandele traten in die Mitte und legten ihre Mäntel ab und ihre Gewänder; beide trugen nur noch ihre preußischen Hosen. Girdaw hatte den deutschen Lindenholzschild am linken Arm, in der Hand sein gutes Schwert, in der Rechten schwang er den eisenbeschlagenen Speer. Mandele hatte einen preußischen Schild mit Erzbuckeln, im Gürtel trug er eine Axt, in der Rechten den Speer. Auf ein Zeichen des Komturs gingen beide aufeinander los. Girdaw tat drei Sprünge vor und schleuderte seinen Speer. Mandele fing ihn auf mit dem Schild, aber die eiserne Spitze glitt an dem Schildbuckel ab und der Schaft schlug ihm gegen den Schädel, daß er taumelte. Unsicher warf er seinen Speer; doch Girdaw bückte sich, daß die Waffe über ihn hinwegflog, und drang auf Mandele ein, während er gerade die Axt aus dem Gürtel lüpfte. Girdaw führte einen Streich mit dem Schwert nach ihm und traf ihn auf die Achsel, daß er zu Boden stürzte. Da rief Tirske aus Furcht, daß sein Sohn getötet würde: »Schone ihn, wir wollen Christen werden.« Und auch die Deutschen riefen: »Schone ihn!« Girdaw bückte sich, nahm die Axt des Gefallenen und half ihm sich erheben. Der Komtur und die Deutschen traten herzu, die Preußen gaben ihre Waffen ab, öffneten das Tor der Burg und übergaben sie den Deutschen.

Alle deutschen Ritter lobten den Girdaw. Der Komtur rief seinen Trapier und sagte: »Gib dem Girdaw einen neuen Scharlachmantel und einen Gürtel mit Silber beschlagen, auch ein Paar Sporen, wie sie einem Mann von guter Geburt und ritterlicher Tapferkeit ziemen.« Die beiden Kumpane traten hinzu, der eine legte dem Girdaw den Gürtel an, daß die silberbeschlagenen Enden vorne herunterhingen, der andere legte ihm den Scharlachmantel auf die Schultern und ein dienender Bruder schnallte ihm mit ledernen Riemen die glänzend polierten Sporen an. Der Komtur hieß ihn niederknien, schlug ihm dreimal mit dem blanken Schwert auf die Schulter und sprach: »Im Namen Gottes des Vaters, des Sohnes und des heiligen Geistes sollst du ein Ritter sein im Dienste unseres Herrn Jesu Christi und der gebenedeiten Jungfrau Maria.« Girdaw erhob sich, alle deutschen Ritter schüttelten ihm die Hand und nannten ihn »Herr«, wie man die Brüder heißt.

Hierauf zog das Heer, die Preußen Tirske, Mandele und ihre Untersassen in der Mitte, nach Königsberg zurück. Am Morgen nach ihrer Ankunft sammelten sich alle im Norden der Burg, wo der Steindamm geschüttet war, und gingen in feierlichem Zug, voran die Priester im feierlichen Ornat mit den Diakonen, te deum laudamus singend, zu der hölzernen Kirche St. Nicolai am Ende des Steindammes. Dort wurden die Preußen getauft und in den Schoß der heiligen Kirche aufgenommen. Und jeder der Täuflinge bekam ein neues Gewand, Girdaw aber blieb im Gefolge des Komturs ein ganzes Jahr, und sie machten viele Züge in das Samland und nach Nadrauen und brachten große Beute heim an Gefangenen, Männern, Frauen und Kindern, Pferden und Vieh.

Eines Nachts träumte dem Girdaw, daß ein Bär seinen Vater Tulegerde verschlingen wollte. Da weckte er seine Knechte, die bei ihm lagen im Männersaal der neuen Burg zu Königsberg, und sagte: »Wir müssen heimkehren, Klekine ist da und will meinen Vater töten.« Am Morgen verabschiedeten sie sich von dem Komtur und ritten davon, der Heimat zu. Als Gastgeschenk aber führten sie mit sich auf einem Saumpferd einen deutschen eisernen Pflug, das war die beste Gabe der deutschen Ritter. Als sie in das Barterland kamen, da fanden sie die Höfe der Bauern verlassen und hatten nichts zu essen. Sie ritten Tag und Nacht bis an den Ometfluß, und an der Furt fanden sie einen Preußen, der wollte entfliehen; doch die Knechte jagten ihm nach in den Fluß und hielten ihn fest. Das war ein Knecht des Diwane, der den Zunamen Klekine hat, d. h. Bär. Girdaw setzte ihm die Spitze seines Schwertes an die Gurgel und sagte: »Wenn du dein Leben retten willst, so sage uns wahrhaftig, warum du vor uns fliehst.« – »Herr«, sagte der Knecht, »wenn du mir das Leben schenkst, werde ich alles sagen, was hier geschehen ist, während du fern warst. Zu meinem Herrn Diwane kam vor drei Wochen der Natanger Heinrich Monte, der in Deutschland war, bei den Mönchen in Magdeburg, und mit ihm ein Mann aus Samland und einer von jenseits des Pregels, der sprach litauisch, und sie jagten alle Knechte aus dem Männerhaus und saßen die ganze Nacht beim Herdfeuer und tranken dort. Und als sie des Morgens herauskamen, waren sie alle gewappnet; sie riefen die Mannschaft zusammen, und Diwane redete sie an: ›Bei Doben im Lande der Semgaller ist das Heer der Christen von den Litauern geschlagen, jetzt ist die Zeit gekommen, daß wir uns freimachen von den Fremden und zurückkehren zu dem Glauben unserer Väter. Alle Preußen müssen uns helfen dabei, und wer sich weigert, der sei dem Tode verfallen.‹ Darauf zogen sie von Ort zu Ort, und jeder mußte sich anschließen. Aber in Bartenstein waren die deutschen Ritter in ihrer Burg, die konnten sie nicht zwingen, und ebenso in Waistotepil. In Galwon sitzt dein Oheim Tulekoite, er hat sich verschanzt und wehrt sich bis heute. Jetzt aber liegt Diwane mit den Seinen vor deines Vaters Burg am Omet und bestürmt ihn Tag und Nacht. Hüte dich, daß du ihm nicht in die Hände fällst.« Zornig hatte ihm Girdaw zugehört, nun fragte er voller Grimm: »Was machtest du hier an der Furt?« – »Herr«, sagte der Knecht, »mich hat der Bär gesandt, daß ich ausspähen sollte, wenn von Norden sich Christen nahten, aber ich habe geschlafen und euch zu spät bemerkt.« – »Ich habe dir das Leben versprochen«, sagte Girdaw, »und werde dein Blut nicht vergießen, aber du sollst deinen Lohn haben dafür, daß du so gut achtgegeben hast.« Und sie nahmen lederne Riemen und banden ihn an eine Eiche. Was aus ihm geworden ist, mag Gott wissen.

Als der Tag sich neigte, häufte Girdaw mit den Knechten einen großen Scheiterhaufen an und steckte ihn in Brand, daß die Flammen gen Himmel schlugen. Dann machten sie sich in weitem Bogen auf den Weg nach der

Ometburg. Das Feuer aber war zu diesem Zweck gemacht: Wenn Diwane und die Barter den Feuerschein und den Rauch am abendlichen Himmel sahen, so mußten sie annehmen, daß dort wohl eine christliche Schar sich gelagert habe, die entweder auf der Flucht war oder aber die Besatzung der Ometburg entsetzen wollte. So zog Diwane mit einem starken Haufen auf den Feuerschein zu. Aber auch die Belagerten mußten das Feuer sehen und ihre Aufmerksamkeit anspannen, ob sich nicht etwas Unerwartetes ereigne. Der Abzug Diwanes entging ihnen nicht, sie horchten hinaus in die Nacht und nicht lange, so hörten sie vom Ufer der Omet dreimal den Uhu schreien. Da öffneten sie eiligst das Tor und fielen heraus, und während sie die Barter angriffen, durchbrachen Girdaw und seine Knechte plötzlich vom Fluß her, rechts und links um sich schlagend, die Reihen der Belagerer, bis sie die Ihrigen erreichten. Als diese nun ein lautes Siegesgeschrei ausstießen, flohen die verwirrten Barter nach allen Seiten auseinander. »Bleibt beisammen«, rief Girdaw den Seinen zu, »daß wir uns nicht im Dunkeln zerstreuen!« So zogen sie sich in die Burg zurück, ohne daß sie einen Mann verloren hatten, nur wenige Knechte waren wund. Am Toreingang empfing sie Nameda, Girdaws Mutter, und weinte vor Freude, als sie ihren Sohn wohlbehalten wiedersah. Aber Tulegerde war nicht da. »Wo ist mein Vater?« sagte Girdaw. »Deinen Vater schlug Diwane wund, er starb vor drei Tagen.«

Girdaw ging schweigend in den Männersaal und setzte sich auf den Hochsitz seines Vaters am Herd. Und seine Mutter brachte ihm Fleisch und Erbsbrei und gegorene Stutenmilch und bediente ihn. Am andern Morgen, als es hell wurde, ging er hinaus und rief die Leute zusammen. Sie besahen den Wall und den Plankenzaun, und wo etwas beschädigt war, wurde es ausgebessert. Aus den Ställen ließ Girdaw den Mist holen und auf das Dach des Männerhauses tragen. Alle Ochsen, die noch da waren, wurden geschlachtet, die frischen Häute eingesalzen und in eine Grube gelegt, damit man die Wände der Häuser bedecken könnte, wenn der Feind Feuer in die Burg warf. Dann besah er die Vorratshäuser. In dem einen lag die Leiche Tulegerdes, mitsamt seinen Waffen und dem Schmuck der bronzenen Hals- und Armringe in eine Ochsenhaut gehüllt. Sie hielten sie kühl nach preußischer Art, um sie zu beerdigen, wenn der Feind abgezogen sei. In dem andern Vorratshaus waren Nahrungsmittel, Korn für vier Wochen, graue Erbsen, Speckseiten und geräuchertes Hammelfleisch, auch zwei Tonnen mit eingesalzenem Wildbret und zwei mit gesalzenen Hechten. »Wir werden zu leben haben«, sagte Girdaw, »bis die Ordensherren kommen, uns zu entsetzen. Solange werden wir uns unserer Haut wehren.« Aber als er über den Hof ging zum Männerhaus, rief der Wächter vom Tor: »Ich sehe Gewappnete kommen, es ist nicht Diwane, sondern Männer mit deutschen Schilden, doch auch Weiber und Kinder dabei.« Girdaw ließ das Tor öffnen und zog hinaus den Kommenden entgegen. Da war es sein Oheim Tulekoite von Galwon, der hatte seine Burg verlassen müssen, weil der Vorrat ausgegangen und das letzte Roß geschlachtet war. Da hatte er die Häuser in Brand gesteckt und war davongezogen, Zuflucht zu suchen bei seinem Schwager Tulegerde. Girdaw nahm ihn auf mit den Seinen, nun war sehr viel Volk auf der Burg, und die Vorräte waren nicht mehr geworden. So sandte er drei Knechte aus, den einen nach Königsberg, den andern nach Bartenstein und den dritten nach Balga, zu den Herren vom Deutschen Orden, daß die kommen möchten, ihm zu helfen.

Am Nachmittag sahen sie, wie die Barter zurückkehrten und zu schanzen begannen an drei Stellen, wo die Wege hineinführten ins Land. Zweimal fielen sie hinaus aus der Burg und suchten die Feinde zu stören, aber die Übermacht war zu groß. Drei Tage lang sah man sie schanzen, und ihre Späher standen rings um die Burg, daß keiner hinauskonnte. Am vierten Tag begannen die Feinde zu stürmen. Sie hatten Leitern gemacht nach deutscher Art, die schoben sie über die Gräben, darauf liefen sie an und versuchten, die Planken zu erklimmen. Aber Girdaws Männer waren auf der Hut und schleuderten Steine auf sie herab und schlugen sie zurück. Am nächsten Tag führte Diwane ein Gerüst heran, das schoben sie auf den Außenwall. Auf dem Gerüst stand eine deutsche Maschine, damit schleuderten sie Planken und Steine, um den Plankenwall zu zertrümmern. Doch hatte Girdaw zwei Bogenschützen, die schossen mit Pfeilen und hinderten die Feinde am Gebrauch der Schleudermaschine. So kämpften sie eine ganze Woche, aber die Barter erreichten nichts.

Nach neun Tagen liefen sie abermals an auf der Nordseite, und während man ihnen dort wehrte, kam eine andere Schar vom Süden, die watete und schwamm durch den Ometfluß und hatte ein Floß, darauf stand ein Feuerbecken. Von dort warfen sie Feuerbrände über die Planken, aber die Frauen waren bereit und begossen den Mist auf den Dächern mit Wasser und hingen die feuchten Ochsenhäute an die Wände, daß die Feuerbrände nicht zünden konnten. So war auch diesmal die Mühe der Feinde vergebens. Aber viele Männer Girdaws waren wund, und die Vorräte schwanden dahin. »Gegen Männer«, sagte Girdaw, »können wir kämpfen, aber nicht gegen den Hunger. Wir werden fliehen müssen. Aber den Feinden werden wir nur Schutt und Asche lassen. Noch drei Tage wollen wir warten, ob die deutschen Herren uns Hilfe bringen.« Als die drei Tage um waren und kein Entsatz sich zeigte, suchte Girdaw gegen Abend die besten Männer aus und sagte: »Wir werden nach Norden hin ausfallen und die Schanze der Feinde stürmen. Währenddem wird Tulekoite, was an Männern wund ist und die Frauen und Kinder mit den Rossen durch die Furt im Omet führen und nach den Niederlanden davonziehen. Wir aber werden uns durchschlagen und ihnen folgen.« Und so geschah es. Girdaw mit seinen Männern brach heraus mit großem Lärm und stürmte die Schanze. Während die Barter von allen Seiten herbeieilten, um ihren Genossen zu helfen, zog Tulekoite mit Knechten, Frauen und Kindern durch den Fluß davon, nachdem er zuvor an alle Häuser Feuer gelegt hatte.

Nur eine blieb zurück, das war Nameda; sie ließ ihres Mannes Leichnam in ihr Bett legen, eingehüllt in die Ochsenhaut, und legte sich dazu, auch sie bedeckt mit einer Ochsenhaut, und während das Haus in Flammen aufging, erwartete sie ohne Seufzen den Tod an der Seite ihres Lebensgefährten. Vom Rauch erstickt, fanden sie die Feinde am andern Morgen neben der Leiche ihres Mannes. Diwane ließ beide zusammen bestatten nach preußischer Weise, den Mann mit Waffen und Schmuck und die Frau mit ihrem weiblichen Gerät, obwohl sie als Christen getauft waren.

Tulekoite mit den Seinen entkam, auch Girdaw schlug sich durch, wenn auch mit Wunden bedeckt. Sie gelangten nach Königsberg, und die Herren vom Deutschen Orden gaben ihnen Unterkunft und Nahrung, bis der Aufstand beendet war. Girdaw ehelichte Patulne, die Tochter des Pansdrapotis, er zeugte zahlreiche Kinder und diente dem Orden als treuer Lehnsmann bis zu seinem christlichen Ende. Noch lange Jahre haben seine Nachkommen in Girdawsburg am Ometfluß gehaust, bis der Orden selbst dort ein festes Schloß baute und auf der Halbinsel im Banktinsee die deutsche Stadt Gerdauen anlegte. (182)

Frau Stolle und die Kosaken

Als im Siebenjährigen Krieg, im Jahr 1757, die Preußen in der Schlacht bei Groß-Jägersdorf geschlagen waren, überschwemmten die Russen mordend und sengend die Provinz. Zwei Tage nach der Schlacht sahen die Gerdauener aus der Ferne ein Kosakenregiment auf ihre Stadt heranrükken. Als deswegen alle Bürger den Kopf verloren und keiner wußte, was zu tun sei, da blieb nur eine alte Frau ruhig besonnen. Diese, Frau Stolle, eilte aufs Rathaus, nahm aus der Wachtstube die große Trommel, schnallte sie sich um und schritt trommelnd durch die Straßen. Dieser Anblick verlieh dem Feigsten wieder Mut und Entschlossenheit. Bald war die ganze Bürgerschaft mit Gewehren bewaffnet hinter Frau Stolle versammelt, zu tapferer Gegenwehr entschlossen. Der Bürgermeister teilte die Schar. Ein Teil hielt den Kirchenberg besetzt, ein Teil stellte sich vor dem Tor auf. Die heranrückenden Kosaken stutzten beim Anblick der bewaffneten Mannschaft; sie bogen schnell rechts ab nach dem Schliebenschen Schloß, plünderten es aus und verschwanden. So war eine alte, schwache Frau die Retterin der Stadt geworden. (183)

Das Ermland

Ermia und Varmio

Varmio, der neunte Sohn König Waidewuts, starb noch vor dem Vater und hinterließ seine Frau Ermia mit kleinen Kindern. Da nahm sich Ermia der Herrschaft an und sie regierte das Land lange und mit großer Klugheit, gab auch viele weise Gesetze, die noch vorhanden sind. Den Tod der Söhne des Pomeso, ihres Mannes Bruders, rächte sie an den Masowiern. Denn sie fing den Sohn des Fürsten, Lottko, mit Frauen und Kindern und ließ alle sechsundzwanzig töten. Dies machte ihr einen größeren Namen. Ermia hatte aber eine Magd von großer Schönheit. Diese gewann ihr Sohn lieb und begehrte sie von der Mutter zum Weib. Ermia wollte jedoch um des geringen Standes nicht einwilligen. Die Liebenden waren aber schon zu weit gegangen, und die Magd tötete in der Verzweiflung ihres Herzens die Herrin. (184)

Das Agathenbrot

Im Ermland wird heute oft noch das erste Brot, das aus dem Korn der neuen Ernte gebacken wird, der heiligen Agathe geweiht und später als Hilfe in Feuersnöten gebraucht, wozu es auch durch das Weihgebet bestimmt ist. Von der Hilfe des Agathenbrotes erzählt eine Frau in Lilienthal: Als ek noch deente, do bruk bi mienem Herre e grootet Fia ut. Mien Vora rennd gliek hen, in eena Haingd had he dat Agathkebrot, in a angere dat Wiehwota. Erscht ging he em dat ganze Fia un sprengt emma met dem Agathkewota renna. Toletzt schmit he uk et Brot ren un rennd, wat he renne kunn. Op emol drellt sech de Wingd, un de Flamme keeme em emmer no. Owa de Vora wea schon wiet op em Fell. So schnell had de hl. Jungfrau den Wingd gedrellt, so dat dat eene Hus blos alleen afbrengd. (185)

Braunsberg. Kupferstich aus Christoph Hartknoch, Alt- und Neues Preussen. Frankfurt/Leipzig 1684

Der heilige Andreas

Als in dem Krieg, den Bischof Nicolaus von Thungen gegen die Polen führte, die letzteren die Stadt Braunsberg belagerten, erschien der Schutzpatron des Ermlandes, der heilige Andreas, in der Luft und führte die Bürger in einem Ausfall, in welchem viele von den Polen erschlagen, von den Braunsbergern aber auch nicht einer verletzt wurde, selbst an. Diese Strafe erlitten jene dafür, daß sie so viele Heiligtümer im Ermland verletzt und entweiht hatten. (186)

Das Kruzifix

Zu Braunsberg zeigt man noch heute ein großes hölzernes Kruzifix, welches an einer Stelle eine Art blutige Wunde zeigt. Das Kruzifix hat früher hier auf einem Hügel gestanden und im Dreißigjährigen Krieg hat ein Schwede in gottlosem Übermut darauf geschossen. Seine Kameraden verwiesen ihm seinen Frevel, der Schändliche aber spottete noch und sagte: »Holz ist Holz an jedem Ort, warum soll ich nicht nach dem toten Bild wie nach einer Scheibe schießen?« Als sie aber nähertraten, um zu sehen, wo er hingetroffen, da quoll aus demselben rotes dickes Blut hervor. Später ist eine Kirche darüber gebaut worden. (187)

Frauenburg

Sonnenberg liegt eine kleine halbe Meile von Frauenburg. Da hat Zompna gewohnt, aus dem Geschlecht der Nartzen, der Edlen der alten Preußen und von königlichem Stamm. Diese Witwe gab ihr Land drei Meilen breit dem Bischof Heinrich I. von Varmia (Ermland). Der baute eine Kirche und Wohnung für sein Kapitel in dieses Ländlein und nannte den Dom mit dem Städtlein deshalb Frauenburg.

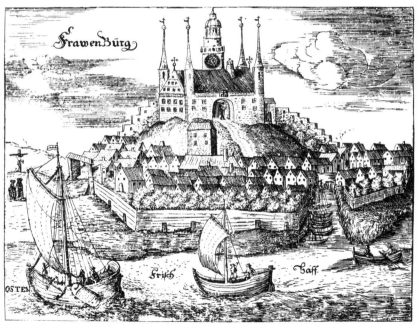

Frauenburg. Kupferstich aus Christoph Hartknoch, Alt- und Neues Preussen. Frankfurt/Leipzig 1684

So berichtet Caspar Hennenberger. Eine jüngere Version lautet dagegen so: Eine reiche Frau aus Schweden fuhr über das Baltenmeer und geriet in Sturmesnot. Da gelobte sie, daß sie dort, wo sie glücklich landen werde, eine Stadt erbauen wolle. Der Wind trieb ihr Schiff ans Ufer. Sie löste ihr Versprechen ein und erbaute eine Stadt, die ihr zu Ehren Frauen-Burg genannt wurde. So zeigt auch noch das Stadtwappen eine Frau auf einer dreitürmigen Mauerzinne. (188)

Der Bock im Pferdestall

Die Einwohner von Frauenburg und Tolkemit am Frischen Haff waren nicht gut aufeinander zu sprechen und taten sich auch gern einmal gegenseitig einen kleinen Schabernack an. So hatte sich einst ein Tolkemiter Bock in das Gebiet der Stadt Frauenburg verlaufen. Die Frauenburger nahmen den Überläufer gefangen und führten ihn, in der Hoffnung, dafür ein gutes Pfandgeld einsäckeln zu können, vergnügt in ihren Pfandstall. Sie wurden aber bitter enttäuscht. Denn da der Stall eines festen Verschlusses entbehrte und die Tür nur mit einer Rübe oder einem Kohlstrunk zugesteckt war, verzehrte der Gefangene den wohlschmeckenden Riegel mit Behagen, entwich und eilte heimwärts. Seitdem nennen die Tolkemiter Frauenburg den Bockstall oder die Bockstadt, ihre Einwohner Bockstößer oder Bockstädter. »Er ist in den Bockstall geraten«, heißt: er ist nach Frauenburg gekommen. (189)

Von dem Tolkemiter Aal und andern gefährlichen Sachen

Die Stadt Tolkemit hat schon viele große Gefahren auszustehen gehabt; unter anderm trieb viele Jahrhunderte lang ein Riesenaal sein Unwesen im Haff, fügte den Fischern großen Schaden zu und bedrohte sogar die gute Stadt Tolkemit. Um des lieben Friedens willen mußten die Bürger ihn gut verpflegen. Einst aber verabreichten sie ihm auch ein Tönnchen Tolkemiter Bier – es hieß Rorkatter, oder Rarkater, gleich Brüllkater. Da starb er an heftiger Magenverstimmung und wurde unter Jubel an die Kette gelegt. Dem Fremden wird noch heute im Tolkemiter Hafen die Stelle gezeigt, wo er gelegen hat. Auch die Kette soll noch vorhanden sein, und ein langer, abschüssiger Waldweg in der Wieker Forst zwischen Frauenburg und Tolkemit heißt zur Erinnerung an jenes Abenteuer noch heute »Der lange Aal«.

Ein andermal hatte die gute Stadt Tolkemit eine Belagerung durch ein Heer von Stinten auszuhalten, die aber durch die Tapferkeit der Bürger siegreich abgeschlagen wurde. Seitdem heißen die Tolkemiter die Stintstecher. (190)

Der Heilbrunnen bei Mehlsack

Im schönen Walschtal bei Mehlsack ist eine große Quelle, von der folgendes erzählt wird: Auf einer Anhöhe, dicht bei dieser Quelle, stand in alten Zeiten ein schönes Schloß. Die darin wohnende Schloßherrin war sehr geizig. Das Quellwasser war weithin berühmt wegen seiner Heilkraft. Doch die Schloßherrin wollte keinen Menschen aus der Quelle trinken lassen ohne vorherige Bezahlung. Einst kam eine arme Frau mit ihrem kranken Kind an die Quelle und wollte aus ihr etwas Wasser schöpfen zur Heilung des Kindes. Die Schloßherrin forderte erst Bezahlung. Da die Frau kein Geld hatte, so mußte sie umkehren. Gleich darauf zog ein schweres Gewitter herauf. Ein Blitz traf das Schloß und es versank in der Quelle, mit allem, was darin war. Das Schloß ist verschwunden, aber die Quelle fließt weiter. Sie ist unergründlich tief. (191)

Wormditt

In dem Jahr 1325 ließ der Bischof Eberhard von Ermland eine neue Stadt bauen, an einer Stelle, wo damals eine große Wüste war. Als man nun das Rathaus gründen wollte, fand man beim Graben dort einen gräßlichen Wurm, der so groß war, daß zwei der stärksten Pferde ihn kaum von der Stelle schleppen konnten. Weil man nun noch keinen Namen für die Stadt hatte, so wurde sie danach Wormditt genannt, welches so viel heißt, als Volk des Wurms. Die Stadt führt auch zum Wahrzeichen einen großen Wurm in ihrem Wappen und Siegel. (192)

Der Dom zu Frauenburg. Stahlstich aus dem Dresdener Hof-Kalender 1850

Die Wallfahrtskirche zu Krossen

Nicht weit von Wormditt am Drewenzfluß liegt der Ort Krossen, der durch die im 18. Jahrhundert erbaute hübsche Kirche zu einem sehr bekannten und beliebten Wallfahrtsort im Ermland geworden ist.

Man erzählt, daß die Schweden, als sie das Ermland besetzt hielten, im Drewenzflüßchen die Statue der Jungfrau Maria entdeckten. Sie holten sie heraus, und da ihnen gerade Würfel zu ihrem Spiel fehlten, zerschlugen sie die Statue und machten sich Würfel draus. Als sie dann bald danach abzogen, warfen sie die Würfel ins Wasser, und nun geschah das Wunder: Am andern Tage fand man das Muttergottesbild wieder im Wasser stehen, wohlgefügt, als wäre es nie beschädigt worden. Als der Erzpriester von Wormditt davon hörte, ließ er das Bildnis in feierlichem Zug nach der Kirche in Wormditt überführen. Am andern Morgen aber war es verschwunden und stand wieder am Rand des Drewenzflüßchens. Noch einmal ließ der Priester es von dort nach der Wormditter Kirche bringen, umsonst – es kehrte immer wieder an seinen Standort zurück. Nun meinte man, darin den Wunsch der Gottesmutter zu erkennen, daß sie gerade an dieser Stelle angebetet werden wollte, und so erbaute man hier im 17. Jahrhundert eine kleine Kapelle und stellte das Marienbild, das sich bald als sehr wundertätig erwies, hinein. Kranke, Blinde und Lahme kamen hierher und fanden Hilfe und Genesung. Der Ruhm des gnadenvollen Bildes breitete sich rasch in der Gegend aus, und bald konnte die kleine Kapelle die Menge der Anbetenden und Hilfesuchenden nicht mehr fassen.

Darum baute man ein Jahrhundert später an der Stelle des kleinen Kirchleins eine große schöne Wallfahrtskirche. Durch einen Kosakenüberfall im Jahre 1914 wurden Dach und Türme des prächtigen Gebäudes zerstört; der Schaden wurde aber beseitigt. (193)

Der gelobte Tag

In den Jahren 1709–1710, als in ganz Preußen die Pest wütete, wurde auch Heilsberg von dieser Seuche heimgesucht, und die meisten der Einwohner fanden durch sie den Tod. Da taten Magistrat und Bürgerschaft das Gelübde, sich am 21. Juli jeden Jahres aller knechtlichen Arbeit zu enthalten und diesen Tag als besonderen Tag der Buße zu betrachten, ferner an diesem Tag auf das strengste zu fasten, kein Feuer anzumachen, in Prozession vom Haus des Bürgermeisters nach der Pfarrkirche zu gehen und dort dem heiligen Meßopfer beizuwohnen. Das Gelübde wurde gehalten, auch nachdem die Seuche längst erloschen war, und der 21. Juli wird noch heute der »gelobte Tag« genannt. (194)

Die Gründung der neuen Kirche zu Glottau

Die Kirche zu Glottau im Ermland ist weit und breit berühmt wegen der vielen Wunder, die dort der Leichnam des Gekreuzigten hervorgebracht, und tausende von Gläubigen strömen dort, besonders am Fronleichnamsfest, zusammen. Der Ursprung dessen ist folgender: Als einst Landleute der Gegend auf das Feld zogen, um zu ackern, blieben die Ochsen plötzlich an einem Hügel stehn, brüllten und scharrten mit den Hufen die Erde auf, bis sich darunter eine Hostie zeigte. Als dies die Priester hörten, brachten sie die Hostie mit feierlicher Prozession in die alte Kirche zu Glottau, dann in die zu Guttstadt. Aber am folgenden Morgen war die Hostie wieder an ihrer früheren Stelle. Als sich dies zweimal ereignet hatte, da erkannte man, daß der Herr selbst sich diesen Platz zu seiner besonderen Verehrung erwählt habe, und man erbaute die neue Kirche an dem Hügel, wo sie jetzt steht. Auch wird in dieser noch die Stelle gezeigt, wo die Hostie gefunden worden ist. Eine mit einem eisernen Flechtwerk bedeckte Vertiefung neben einem Altar an der gegen Mitternacht liegenden Wand der Kirche bezeichnet sie. (195)

Der Griffstein

In der kleinen Stadt Bischofstein im Ermland wohnte einst ein armer Mann. Er hatte elf Kinder, und als ihm nun noch als zwölftes ein Sohn geboren wurde, da war er in Verlegenheit, wen er zum Paten nehmen sollte. Und wie er an einem Sonntagmorgen so sorgenvoll vor der Stadt spazierte, da gesellte sich gerade an der Stelle, wo heute der mächtige Griffstein liegt, ein feingekleideter Herr zu ihm; dem klagte er denn nun seine Not. Sofort erbot sich der Fremde, ihm zu Diensten zu sein, und es wurde abgemacht, daß er sich am Tauftag einfinden sollte, um bei der heiligen Handlung als Zeuge zu dienen.

In einer prächtigen Kutsche kam er am Tauftag vorgefahren. Er legte einen großen Beutel voll Gold für sein Patenkind auf den Tisch und versprach, nach vierundzwanzig Jahren wiederzukommen, um nach seinem Patenkind zu sehen. Und ebenso prächtig wie er gekommen, fuhr er am Abend auch wieder davon.

Es war keinem so recht geheuer bei diesem seltsamen Fremden. Man vermutete eine böse Macht in dem Gold, und um ihm seine böse Kraft zu nehmen, beschloß man, es zu einem guten Zweck zu verwenden. Der Junge sollte davon studieren, damit ein Priester aus ihm würde. Und so geschah es denn auch.

Es fügte sich, daß die erste Meßfeier des jungen Priesters genau auf den Tag fiel, an dem er vor vierundzwanzig Jahren getauft worden war. Richtig erschien denn auch der Pate, um sein Recht an dem jungen Mann gel-

Einlösung eines Teufelspakts: Der Böse entreißt ein Kind seinen Eltern. Holz-schnitt aus Der Ritter vom Turn – von den Exempeln der godfordjt und erbeckeit. Augsburg 1498

tend zu machen; denn der hatte ja von seinem Gold studiert. Groß war die Bestürzung, als man nun erkannte, daß es der leibhaftige Gottseibeiuns selber war, der dem Jungen einst Pate gestanden hatte. Viel Angst und Flehen und Sorge und Not gab es an jenem Tag, bis man sich schließlich so einigte: Der Pate solle sich aufmachen und einen großen Stein aus Italien herbeischaffen, während der junge Priester das heilige Opfer vollbrachte. Sei er mit dem Stein zur Stelle, ehe das Meßopfer beendet sei, so solle er sein Opfer erhalten und der junge Priester solle ihm folgen. Wo nicht, so solle der junge Priester aller Verpflichtungen gegen ihn ledig sein.

So die Verabredung; der Fremde machte sich nun auf den Weg. Das Meßopfer begann und wurde unter Hangen und Bangen mit besonderer Eile gefeiert. Und kaum hatte der junge Priester den Schlußsegen erteilt, da kam der Teufel an. Als er sah, was los war, wollte er in seinem Grimm den gewaltigen Block auf die Kirche schleudern, um alle Gläubigen zu zerschmettern. Doch der heilige Michael hatte ihn unterwegs schon immer gehindert und fiel ihm nun in den Arm, so daß der Stein neben der Kirche niedersauste und sich tief eingrub. Dabei brüllte der Teufel mit schrecklicher Stimme: »Hädd mi de Speckmöchel man nich ön de Pött (Pfütze = Mittelländisches Meer) gestotte, dann hädd eck em wol gekrege.«

Seitdem heißt die Kirche St. Michaelskirche. Der Griffstein aber liegt noch immer da; und lange noch konnte man genau die Stellen erkennen, wo der Satan mit seinen Klauen zugefaßt hatte. (196)

Die Landsknechte in Guttstadt

Im Jahr 1520 hat Sigmund von Sichern mit seiner Schar Guttstadt überfallen wollen. Als sie früh morgens vor die Stadt kamen, sind sie aber von Frauen, die das Vieh austrieben, gesehen worden. Diese sind eilig in die Stadt gelaufen und haben es angezeigt. So wurden die Tore geschlossen, Turm und Mauern geschützt. Dennoch hat der Feind angefangen, die Stadt zu stürmen, aber die Einwohner haben sich so heftig gewehrt, daß fünfzig Feinde erschossen wurden. Auch der Anführer von Sichern ist in die Lenden geschossen worden, daß man ihn nicht hat retten können, sondern er in kurzer Zeit daran starb.

Doch dann spähten die Landsknechte des deutschen Hochmeisters einen Einstieg zu einem Turm aus, auf dem ein Pfarrer wohnte und ein großes Fenster zum Graben hatte. Abends sind sie über Steigleitern dort eingedrungen und haben sich der Stadt bemächtigt. Sie haben so viele erschlagen, daß nur wenige davonkamen. Dann ist ein Teil der Landsknechte abgezogen, aber ein Teil ist dort geblieben. Sie haben geschlemmt und sind durch die große Beute so hochmütig geworden, daß sie ihrem Herrn, dem Hochmeister Markgraf Albrecht, als er bei seinem Zug in die Masau vor die Stadt kam, verwehrten, ihn mit mehr als fünfzig Pferden in die Stadt zu lassen. Und obwohl er sehr freundlich mit ihnen umging, konnte er sie doch nicht bewegen, mit ihm in die Masau weiterzuziehen, solange er ihnen nicht allen schuldigen Sold vorher entrichtete. Sie waren so mutwillig, daß sie ihm noch nicht einmal am Abend eine Tonne des besten Bieres für Geld überlassen wollten. Als es dann 1521 zum Frieden kam, wurden alle Landsknechte entlassen, doch denen zu Guttstadt wurde befohlen, stracks das Land zu verlassen, wenn sie nicht gehängt werden wollten. (197)

Der blutschwitzende Topf

In der Stadt Seeburg, und zwar in der Vorstadt gen Guttstadt, wohnte ein Haffner namens Michal Risch. Dieser hatte sich am Vorabend des Festes St. Lorenz des Märtyrers im Jahr 1577 Rettich mit Milchrahm zur Speise bereitet, und als ihn seine Ehefrau ermahnte, die Fasten zu halten, antwortete er ihr: »Der heilige Lorenz, der nicht arbeitet, mag fasten.« Aber kaum hatte er solch gottlose Worte gesprochen, als die hellen Blutstropfen aus dem Gefäß herausquollen, während die weiße Farbe der Milch drinnen ungetrübt blieb. Obwohl der Topf mit einem Tüchlein ganz rein abgewischt wurde, so drangen doch immer neue Tropfen hervor, und dies hielt mehrere Tage an, wie sich davon alle Bürger der Stadt Seeburg überzeugt haben, von denen viele zur Zeit des Guttstädter Domdechanten Löwe, der dieses Wunder in einem langen Gedicht berichtet hat, noch am Leben waren. (198)

Die Rache des Draks

In Wartenburg, so erzählen alte Leute, besaß ein altes Weib einen Drak. Er wohnte am Tag auf dem Boden. Des Nachts flog er aus, um Geld zu holen. Jede Nacht um zwölf Uhr mußte das Mädchen einen Teller mit Rührei auf den Boden stellen als Futter für den Geldbringer. Neugierig wie alle Frauen sind, blieb es auf dem Boden, um zu sehen, wie das Tier aussähe. Warte, dachte es, als es den Drak erblickte, ich werde dich Höllentier schon aus dem Haus jagen! In der nächsten Nacht aß das Mädchen das Rührei selber auf und stellte Kot auf den Boden hin. Voll Wut steckte der Drak das Haus an und bewarf das Mädchen mit Ungeziefer, das es sein Leben lang nicht mehr los wurde. Dann flog er wie ein feuriger Besen fort, um sich einen andern Herrn zu suchen. (199)

Ungebetene Gäste

1455 im großen Krieg auf St. Marien-Magdalenen-Tag ließen in Allenstein der Domprobst Doktor Arnoldus und andere Domherren etliche Hofleute des Ordens mit Gefolge in die Stadt ein, um den gegen den Orden verschworenen Bundesherren Abbruch zu tun. Aber die Ordensleute kamen mit viel List auch ins Schloß und bescherten den Domherren große Last. Die Bürger beklagten sich bei den Domherren über der Gäste Gewalt, die Domherren klagen's dem Hochmeister, der half ihnen auch nicht. Die Gäste aber setzten die Domherren ein Jahr lang fest und gaben ihnen Schuld, sie hätten die Polen einlassen wollen; schickten sie danach gen Königsberg, wo sie denn auch nicht sonderlich gewürdigt wurden. (200)

Die Männlein zu Allenstein

In Allenstein hausen seit uralten Zeiten kleine Männlein, welche oft von Haus zu Haus gehen; was sie aber eigentlich machen, hat noch niemand gesehen. Einst lebte in Allenstein die Frau eines reichen Ratmannes namens Schellendorf. Diese saß eines Abends im Winter, während die Mägde das Vieh beschickten, in der Stube ganz allein, und auch ohne Licht. Auf einmal ging die Stubentür weit auf, und es traten in die Stube eine Menge kleiner Männlein mit spitzigen Hüten, daran hatte jeder von ihnen eine Laterne mit einem blau brennenden Licht. Jedes der Männlein führte eine kleine Frau oder Jungfrau, welche sehr wohl geschmückt waren. Die Männlein sahen zuerst die Frau an, welche die Hände vor die Augen hielt, aber durch die Finger dem Treiben zusah. Dann stellten sie sich alsbald in einen Kreis und fingen gar zierlich an zu tanzen. Plötzlich aber trat eines der Männlein auf die Frau zu, und sagte zu ihr: »Mach deine Augen zu!« Die Frau aber kehrte sich daran nicht; drauf sprach das Männlein zum andern Mal: »Ich sage dir, mache die Augen zu!« Die Frau aber kehrte sich wiederum nicht daran. Da sprach das Männlein zu einem der andern: »Mache die Fenster zu!« Und alsbald trat dieses Männlein zu der Frau und blies ihr in die Augen, davon wurde sie zur Stunde blind, daß sie Zeit ihres Lebens nicht wieder sehen konnte. (201)

Der Gott von Rössel

Rössel hat früher nicht gestanden, wo es jetzt steht. Man zeigt eine Stelle, einen guten Weg entfernt von seinem heutigen Stand, Alt-Rössel genannt, dort soll es einst gestanden haben und versunken sein, man sagt auch, man höre an den hohen Festen dort läuten.

Im Jahr 1401 hatten sich zwei Buben zu Marienburg so schlecht aufgeführt, daß sie die Stadt meiden mußten. Der eine hieß Kersten und war ein sehr possierlicher Schalk auf Sprache und Bübereien. Dieser kam in das Hinterland, besorgte sich zwölf Apostel und ging in die Dörfer und predigte und sagte dem gemeinen Volk, Gott weiß durch was für Offenbarung, viele Dinge, die verborgen und zukünftig waren. Er gebot in seiner Predigt, die Obrigkeit zu ehren, die Kirche zu besuchen, Almosen zu geben und solcher Dinge mehr, jedoch sammelte er viel Geld.

Diesen Kersten nannten nun seine Apostel Christum, und wo sie hinkamen, da hielt er sich ernst und redete demütig. Er segnete den Bauern das Vieh, verkündete ihnen das zukünftige Wetter, er verkündete ihnen Krankheit und benahm dieselbe auch, ob dies die Einbildung, der Glaube oder der Teufel tat, das weiß Gott. Er brachte viele Dinge zuwege, so daß auch kluge Männer wie Pfaffen und Mönche solches für Wunderwerk hielten, denn wenn jemand zu ihm auf Versuchung kam, sagte er ihm, wer er wäre. Die Bürger von Rössel im Bistum von Heilsberg hielten sehr viel von ihm, und viele lose Buben liefen ihm nach, der eine hatte die schwere Krankheit, der andere war lahm und solcher Schalkskrankheiten viele, und wenn sie vor ihn kamen, sprach er: »Im Namen des himmlischen Vaters, Euch geschehe, wie Ihr glaubet« und sie stellten sich hernach gesund. Darum waren in Rössel viele solche Leute gesund zu machen. Sie baten ihn, er wolle zu ihnen kommen, und er kam mit elf Aposteln. Und der Kaplan in der Pfarrkirche war der zwölfte, Judas, dieser sagte ihm alles, was er wußte und gehört hatte, in der Beichte von den Bürgern.

Als er einzog, läutete man alle Glocken und die ganze Stadt ging ihm wie am heiligen Leichnamstag mit Fahnen und Kerzen entgegen. Im Einzug über den Ring blieb er vor einem Haus stehen und sprach: »Heißt die guten Leute aus dem Haus gehen, denn es wird einfallen«, und weiß der Teufel wie es zuging, es stürzte nicht lange danach ein. Er ging in die Kirche und hielt da eine Predigt und nannte niemand, doch offenbarte er ihnen ihre Bübereien, von welchen er große Kenntnis erlangt hatte, und sie gaben ihm viel Geld für ihre Sünde. Denn er hatte sie gerührt, sie wußten aber nicht, daß es ihm Judas, ihr Kaplan, gesagt hatte. Jedoch war er da nicht über drei Tage und zog dann nach Rastenburg, behielt aber den Namen »Der Gott von Rössel«. Der Hochmeister Johannes von Tieffen ließ ihn fangen samt seinen Aposteln, und sie fanden bei ihnen 5000 Mark Geld, und er ließ den Henker über sie und sie beichteten ihm alle Dinge, und man spannte den falschen Christus auf die Leiter und stellte ihn vor die Domkirche zu Königsberg an einem kalten Tag und begoß ihn mit Wasser und ließ ihn also gefrieren. Danach wies man ihn zur Stadt hinaus und er kam nach Pomerellen zu einem Edelmann, Hector Machewitz genannt, und stahl ihm 400 Gulden, um welcher willen er gehängt wurde. Seine letzten Worte sind gewesen: »Saget den Bürgern von Rössel: Also ist Euer Gott gen Himmel gefahren.« Nach ihm brachte man auch seine Apostel um. (202)

Heiligelinde

Die heilige Linde, welche nahe bei der Stadt Rastenburg steht, ist schon lange als Kapelle und Wallfahrtsort berühmt gewesen. Zur Zeit der Heiden stand dort eine übergroße Linde, unter welcher viele Götter verehrt wurden. Besonders hatten unter ihr in der Erde kleine unterirdische Männlein, Barstucken genannt, ihre Wohnung; die erschienen den Kranken, besonders zur Nachtzeit bei hellem Mondschein, und hegten und pflegten sie; auch trugen sie dem, welchem sie gut waren, Korn zu aus den Scheunen und Speichern anderer Leute, die sich undankbar gegen sie bewiesen hatten. Ihren Freunden waren diese Barstucken getreue Hausmännlein, und sie pflegten allerhand Arbeit für sie zu verrichten. Es wurde ihnen, um sie zu verehren, des Abends ein Tisch gesetzt, den bedeckte man mit einem sauberen Tischtuch, stellte darauf Brot, Käse, Butter und Bier, und bat sie zur Mahlzeit. War nun am anderen Morgen auf dem Tisch nichts mehr gefunden, dann war dieses ein gutes Zeichen; war aber im Gegenteil die Speise über Nacht unberührt geblieben, so war das ein Zeichen, daß die Götter wohl von dem Haus der Opfernden gewichen seien.

Später ist Heiligelinde ein christlicher Wallfahrtsort geworden, und es wird dort die Mutter Gottes verehrt. Dieses hat folgenden Ursprung: Vor vielen hundert Jahren war zu Rastenburg ein Übeltäter ins Gefängnis gesetzt, der den Tod verdient hatte. Am Tag bevor ihm sein Recht geschehen sollte, ist ihm im Gefängnis die heilige Jungfrau Maria erschienen und hat

Wallfahrtskirche Heiligelinde. Stahlstich aus dem Dresdener Hof-Kalender 1850

ihn mit tröstlichen Worten angeredet, ihm auch ein Stück Holz und ein Messer gegeben, mit dem Befehl, aus dem Holz zu schnitzeln, was er wolle. Dieses hat er getan. Wie nun der Morgen herankommt und der arme Sünder vor das Gericht gestellt wird, da zeigt er das Stücklein Holz vor, an dem er in der Nacht geschnitzelt. Und siehe, auf demselben zeigt sich ein wunderbar schönes und künstliches Marienbild, im Arm das Jesuskind haltend. Als man dieses sah und der Missetäter dabei erzählte, wie ihm die heilige Jungfrau erschienen, da erkannte man, daß ein Wunderwerk geschehen war und das Rastenburgische Gericht ließ den armen Sünder los. Darauf ging nun dieser, wie ihm gleichfalls die heilige Jungfrau befohlen hatte, von Rastenburg nach Rössel, um das Bild auf die erste Linde zu setzen, die er auf seinem Weg antreffen würde. Er ist so vier Tage in die Irre gegangen und hat eine Linde gesucht, bis er endlich unweit Rössel eine gefunden; auf diese setzte er sein Bild, welches fortan große Wunderwerke getan. Es blieb nämlich von Stund an die Linde grün, im Winter wie im Sommer. Es geschah auch, daß bald darauf ein stockblinder Mann vorbeireiste; als dieser an die Linde kam, sah er plötzlich ein hellglänzendes

Licht; nach dem faßte er mit den Händen; das Licht aber kam von dem Bild, und sowie er das berührt hatte, wurde er sehend. Darauf wurde das Bild von vielen Leuten verehrt; selbst das Vieh, wenn es unter den Baum getrieben wurde, hat vor ihm die Knie gebogen.

Als das die Rastenburger hörten, gingen sie in großer Prozession an den Ort, nahmen das Bild von seinem Platz und brachten es in die Stadt. Allein in der Nacht war das Bild aus der Stadt verschwunden und hatte sich von selbst wieder zu der Linde begeben. Alsbald sind die Rastenburger mit einer größeren Prozession nochmals hingegangen und haben das Bild geholt und in die Stadtkirche gesetzt. Aber am andern Morgen war es wiederum verschwunden und zu seinem alten Platz zurückgekehrt. Da hat man es nicht wiedergeholt, sondern an dem Ort eine Kapelle gebaut. Noch jetzt geschehen viele Wunder in Heiligelinde, und es ist merkwürdig, daß alle Bäume in der Gegend ihre Wipfel nach der Kapelle zu neigen, als wenn selbst die Pflanzen ihre Verehrung für den heiligen Platz zu erkennen geben wollten. (203)

Vom Frischen Haff zur Weichsel

Wie das Frische Haff und die Nehrung entstanden und ihren Namen bekamen

Um das Jahr 1190 ist ein solches Unwetter in Preußen gewesen wie seit der Sintflut nie mehr, weil der Nordwind über zwölf Jahre lang sehr grausam gewütet, so daß nicht allein die Schiffe verfault sind, sondern auch die jetzige Danzger (Frische) Nehrung aufgeschüttet und so das Haff, das vorher nie gewesen, von der See abgeschnitten wurde.
So berichtet Hartknoch 1684. Ihn ergänzt Rosenheyn 1858 wie folgt: Das Frische Haff hieß in alter Zeit Halibo. Sein jetziger Name kommt wohl vom Fluß Frisching her, der bei Brandenburg ins Haff mündet und zur Zeit des Ordens hier einen Ankerplatz bildete, welcher den Namen Frischingshafen erhielt, woher der Ausdruck Frisches Haff stammen mag. (204)

Der heilige Stein im Haff

In uralten Zeiten bewohnten zwei Brüder, gewaltige Riesen, die Ufer des Haffes bei Tolkemit und Kahlberg. Zum Fällen des Holzes hatten beide nur eine Axt, die sie sich gegenseitig über das Haff zuwarfen, sobald sie der andere brauchte. Einmal entstand ein Streit über das Recht am Besitz dieser Axt. Der Bruder auf der Nehrung wollte sie nicht herausgeben. Da ergriff der Riese, der in der sogenannten Wiek – einem Wald zwischen Tolkemit und Luisenthal – wohnte, in seinem Grimm einen mächtigen Stein, um seinen Bruder damit zu töten. Indem er warf, glitt aber die Hand fort, und der Stein fiel ins Haff, wo er noch heute liegt. Es ist ein Granit, der zehn bis zwölf Fuß über die Oberfläche des Wassers ragt und noch deutlich den Griff einer mächtigen Hand zeigt. Die Schiffer, denen er sehr gefährlich war, nannten ihn den heiligen Stein, um die Kraft des Bösen zu beseitigen. (205)

Hexenmeister überquert die See mit Hilfe eines Zauberspruchs. Holzschnitt aus Olaus Magnus, Historia de gentibus septentrionalibus. Venedig 1565

Hexenmeister vertreibt eine Hexe

In Kahlberg auf der Frischen Nehrung glaubten die Fischer früher, wenn sie nichts gefangen hatten, daß die Hexe in den Netzen säße. Da lebte ein Mann im Dorf, der Schneiderpeter genannt wurde; zu dem gingen die Fischer dann mit ihren Netzen. Schneiderpeter sammelte sich zwölf Sorten altes Zeug zusammen, darunter auch alte Schuhsohlen, damit räucherte er in der Räucherbude die Netze aus. Dann flog die Hexe aus der Luke hinaus, und die Fischer konnten ihre Netze holen. (206)

Der Fischmeister zu Scharpau

In der Scharpau, einem Stück des großen Werders bei Danzig, welches aber zur Nehrung gerechnet wird, ist sonst ein fester Hof gewesen, im Jahr 1400 erbaut, wo der Fischmeister oder Großschäfer von Marienburg gewohnt hat. Dort war einst ein gewisser Willm von Tossenfeld Fischmeister, der 113 Jahre alt geworden ist. Der hat, weil der Störfang sehr gering war, seinen Fischerknechten beim Galgen verboten, einen Stör zu zerhauen, er wolle sie aber für ihren Anteil entschädigen. Die Fischer hatten nämlich die Erlaubnis, einen Mittelfisch zu zerhauen, um denen, die ihnen ein oder mehrere Legel Bier brachten, auch einen guten Braten zu geben. Wie sie nun eines Tages wußten, daß viele solche Gäste kommen würden, da riet unter anderen der Koch, daß man einen guten Fisch zerhauen und für die, welche Bier brächten, braten solle. Der Koch zerhieb also einen Hauptfisch von fünf Ellen und kochte ihn und gab genug davon weg für Bier. Als er einige Zeit danach etliche Fische zur Scharpau dem Fischmeister brachte, klagte er sehr über Untreue der Fischerknechte und beschwerte sich, daß sie ihn neulich gezwungen hätten, einen Fisch zu zerhauen. Ob dies nun wohl der Fischmeister besser wußte, ließ er es doch eine Zeitlang geschehen, weil er die Leute brauchte. Als aber die Fischerei aus war und er die Fischerknechte ablohnen wollte, fragte er sie, ob sie auch sein Gebot gehalten hätte. Sie antworteten, sie hätten von ihrem Teil zu Zeiten gegessen und auch anderen Leuten, die ihnen Bier verehrt, abgegeben; sagten auch, sein Gebot wäre wider Gott und Recht und dürften sie solches deswegen nicht halten. Es wäre auch nicht billig, daß sie ihr Recht verkauften, zumal ihnen Gott ihren dritten Teil allezeit zu geben pflege. Weil sie es nun frei bekannten, fragte er den Koch, wer den Fisch gerissen habe, und als der antwortete, daß er es getan habe, fragte der Fischmeister weiter, ob er auch davon gegessen habe. Der Koch antwortete, er habe sich zwar des Diebstahls gegen seinen Herrn nicht gern teilhaftig gemacht, hätte aber auch gegen die Fischerknechte sich nichts merken lassen dürfen, und er habe wohl von der Juche (Suppe), aber nicht vom Fisch gegessen. Da hielt ihm der Fischmeister vor, er habe ja vorgegeben, die Fischerknechte hätten ihn zum Fischreißen gezwungen. Als dies die Knechte hörten, wurden sie unwillig und sagten, er habe ihnen zum Fischreißen mehr zu- als abgeraten. Da fällte der Fischmeister das Urteil: Wenn sie den Suppenschmecker henken wollten, wolle er ihnen solches zulassen, wo nicht, müßte er sie aufhängen. Da bedachten sich die Fischerknechte nicht lange, führten den Koch vor die Festung und hingen ihn am Graben bei einem Pappelbaum auf. Davon kommt das Sprichwort: »Der die Suppen aß, ward gehangen, die den Fisch aßen, sind ihrer Wege gegangen«. (207)

Die Töchter Hoggos

Hoggo, der zehnte Sohn König Waidewuts, hinterließ keinen Sohn, sondern drei Töchter: Mita, Cadina und Poggezana. Mita vermählte sich, wohnte auf Tolko, der Feste ihres Vaters, und hatte viele Kinder. Auch Cadina vermählte sich und hatte viele Kinder; sie erbaute eine Burg, die sie nach ihrem Namen Kadinen nannte. Die dritte, Poggezana, wohnte in einem Eichwald und blieb Jungfrau Zeit ihres Lebens. Sie war eine Waidelottin und wurde darum geehrt von ihren Schwestern und Schwägern, so daß, was sie gebot, wie Gottes Wort gehalten wurde. Noch in späteren Jahren konnte das Volk nicht genug erzählen, wie milde sie gewesen und wie sie mit den Göttern getanzt habe, welche um ihretwillen den Leuten alles gaben, was sie begehrten. Von Gestalt war sie aber eine Heunin (Riesin); denn ihr Hauptring, der noch 1499 in dem Nonnenkloster zu Elbing, das von ihrem Wohnsitz nur viertausend Schritt entfernt war, gezeigt wurde, war inwendig eine Elle weit, und von der Breite einer guten Mannshand; er war von solchem Stoff und solcher Arbeit wie die Armbrüste; vorn hatte er einen Stein und ein viereckiges Blech mit einem Bild, fingerdick und einer Spanne lang. (208)

Badende Frauen

Vom Heidenwall oder Schloßberg bei Karschau in den Trunzer Höhen wird erzählt, daß sich auf dem Berg einst ein Schloß erhob, welches durch eine Verwünschung in der Erde versank. Drei schwarze verwünschte Jungfrauen hausen seitdem auf dem Berg. Zu gewissen Zeiten gehen sie den »Jungfernstieg« hinab zum Bach, setzen sich dort auf einen großen im Bach liegenden Stein, um sich in der Flut die Füße zu waschen.
Aus der Umgebung der nahegelegenen Heidenburg Tolko berichtet man, daß vor Sonnenaufgang eine bleiche Gestalt von der »alten Burg« herabwankt. Es ist der Geist einer erschlagenen heidnischen Preußenfürstin. Sie entschleiert sich, wenn sie an den Mühlenbach kommt und taucht in seine Wellen, um zu baden. Nahen Leute aus Tolkemit, verschwindet sie schnell im duftenden Wald. (209)

Der Tod Pomesos

Pomeso, der elfte Sohn König Waidewuts, und seine Söhne waren den Masowiern feind um des Zinses willen, den sie von ihnen forderten, und sie machten einen Zug in die Masau, bei dem Pomeso mit seinen sechs Söhnen gefangen wurde. Doch entkam er selbst wieder aus der Haft, die Söhne aber wurden von den Masowiern getötet. Nicht lange danach verfolgte Pomesos Schwiegersohn Quidzino – dem Pomeso eine Burg gebaut und nach seinem Namen Quidzin (Marienwerder) genannt – auf der Jagd einen Eber, der über den damals gerade gefrorenen Weichselstrom in das Land Welida (Pommerellen) seine Flucht nahm. Quidzino, nicht nachlassend, kam gleichfalls in dies Land und traf dort auf dessen Fürsten, welcher ihn fragen ließ, was er da wolle. Als Quidzino eine spöttische Antwort gab, erstach er ihn. Pomeso, um diesen Mord zu rächen, sammelte die Seinen, fiel in das Land Welida ein und verheerte es weit und breit. Als er aber mit dem geraubten Gut zurückkehren wollte, war der Strom über die Ufer getreten. Darüber ereilt ihn der Fürst von Welida, nimmt ihm alles ab und erschlägt ihm sein Volk, Mann bei Mann. Pomeso selbst stürzt sich mit seinem Pferd in die Weichsel um durchzuschwimmen, doch der Fluß reißt ihn fort, so daß er ertrinken mußte. Waidewut und Bruteno, der Kriwaito, brachten darauf ihren Göttern Opfer und fragten an, ob sie Pomesos Tod rächen sollten an dem Fürsten von Welida. Die Götter aber verboten es. (210)

Der getreue Macko

Zur Zeit, als der Deutsche Orden zuerst nach Preußen kam, wohnte im Land Pomesanien ein vornehmer Häuptling, Pipin, der den Ordensbrüdern lange vielen Schaden zufügte, zuletzt aber durch Verrat seines Schwagers, des Hauptmanns von Rogau, in deren Hand fiel und jämmerlichen Todes starb.

Der Sohn dieses Pipin, Macko, wandte sich zur christlichen Lehre und ließ sich taufen. Der Teufel aber war über diesen Abfall so erbost, daß er ihm gleich nach der Taufhandlung erschien und ihn erwürgen wollte. Da wurde dem Neubekehrten plötzlich von unsichtbarer Hand ein Kreuz gereicht, vor dem der Teufel alsbald zurückwich, so daß er ihm nichts anhaben konnte. Dieses Kreuz zeigte Macko hernach seinen Freunden und erwarb so viele Anhänger dem Orden und dem christlichen Glauben. Er selbst blieb dem christlichen Glauben stets treu, und als im Krieg gegen Swantopolk, den Pommernherzog, alle anderen pomesanischen Häuptlinge von den Ordensbrüdern abfielen, verließ er allein diese nicht und wurde ihnen durch seine männlichen Taten eine große Stütze im Land; übereignete ihnen auch bei seinem Tod alle seine Güter. (211)

Die Teufelsplage

Als im Jahre 1247 die Pomesanen wieder vom Orden und dem christlichen Glauben abgefallen waren, wurden sie zwar vom Landmeister Heinrich von Weida in einem gewaltigen Kampf – in dem, wie einige schreiben, an die elftausend von ihnen umgekommen – niedergeworfen; der Himmel aber glaubte, daß sie hierdurch noch nicht hinlänglich gezüchtigt sein möchten und sandte ihnen daher noch eine zusätzliche Plage. Denn es stellten sich bei ihnen die Geister ein, die Succubi oder Incubi sonst genannt werden, maßten sich ihre ehelichen Lagerstätten an und trieben es mit ihren Frauen, worüber denn manche von den Pomesanen, da sie den Geistern nichts anhaben konnten, schier unsinnig wurden und ihre Frauen selbst ermordeten. Darauf nahmen die Teufel sogar menschliche Gestalt an, gingen umher, warfen diesen ins Feuer, jenen ins Wasser, etliche aber hingen sie an die Bäume in den Wäldern und hielten hin und wieder gar schrecklich Haus.
In dieser Not traten die Preußen zusammen und baten ihren obersten Priester, den Kriwen, daß er die Götter darum frage, wie sie die Unholde loswerden möchten. Dieser aber antwortete, die Plage käme von ihren eigenen Göttern her, weil sie ihrer Vorfahren Satzung und Glauben treulos geworden wären und einen anderen Gott angenommen hätten, und dieser würde auch erst aufhören, wenn sie zu ihren alten Göttern ganz zurückgekehrt wären. Die Leute aber glaubten den trügerischen Worten des Priesters und verschwuren sich miteinander, sie wollten sich eher alle erwürgen lassen als künftig einen anderen Gott annehmen und die neuen Herren samt ihrem Gott mit Hilfe der alten Götter ganz aus dem Land treiben, auch keinen Christen, dessen sie mächtig würden, leben lassen. Da nun aber den Christen der Sieg beschieden war, so hatte jenes Gelöbnis der Heiden den Ausgang, daß sie selbst samt und sonders vertilgt wurden. (212)

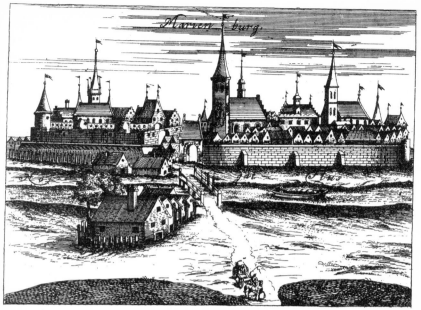

Marienburg. Kupferstich aus Christoph Hartknoch, Alt- und Neues Preussen. Frankfurt/Leipzig 1684

Meinhardt von Querfurt kämpft gegen den Sumpf

Die ältesten Chroniken melden von fünf namenlosen Dörfern, welche zur Zeit des Einzugs der deutschen Ordensritter in Preußen 1230 aus dem Sumpfgelände der Werdermarsch zwischen Nogat und Weichsel hervorgeragt, und von einem Schloß Zanthir, das der Pommern-Herzog Swantopolk 1240 an der Montauerspitze, wo Weichsel und Nogat sich scheiden, erbaut hatte.

Zu diesem Schloß Zanthir und der danach benannten Umgebung blickte oft ein Ritter im weißen Ordensmantel von den Zinnen der 1276 erbauten Marienburg hinüber und bewunderte die üppige Vegetation des höher gelegenen und darum trockenen Landes. Voll Zorn sah er dann, wie das anschwellende Wasser der Ströme sich über die seichten Ufer ergoß und das weite Land in Sumpf verwandelte. Da kam ihm der kühne Gedanke, der

219

seinen Namen berühmt machen sollte. Und kaum war dieser Meinhardt von Querfurt 1288 zum Landmeister erwählt, als er auch schon ans Werk schritt, der Nogat und Weichsel ein bestimmtes Bett anzuweisen und dadurch die großen Landflächen an beiden Seiten der Flüsse zu gewinnen. (213)

Der Dammbruch bei Sommerau

Im Jahr 1463 am Dienstag vor Jubilate trieb ein heftiger Sturm das Wasser in der Nogat so hoch, daß es eine Otternhöhle in der Nähe von Sommerau erreichte, und dadurch einen solchen Bruch im Damm machte, daß fast alle Dörfer des Fischauschen Werders von den Fluten bedeckt, die Wohnungen fortgerissen, Menschen und Vieh ersäuft und die Bewohner in wenigen Augenblicken um all ihre Habe gebracht wurden. Als sich nun das Wasser endlich wieder in das Haff und den Drausensee verlaufen hatte, versuchte man es, die entstandene Öffnung zuzudämmen. Aber alle Anstrengung war umsonst; denn was tagsüber gemacht worden war, fand man am nächsten Morgen jedesmal wieder versunken. Als nun die Bauern noch berieten, aber keiner mehr aus noch ein wußte, da trat plötzlich ein Unbekannter in die Versammlung und eröffnete, daß es erst dann gelingen würde, das Loch wieder zu verstopfen, wenn vorher ein lebender Mensch dort hineingestürzt wäre. Die Bauern folgten diesem Rat und machten einen Bettler berauscht, der dann, als er seiner Sinne nicht mehr mächtig war, an das Loch geführt, in den Bruch hineingestürzt und sofort mit Erde beschüttet wurde. Und siehe, von Stund an gelang es mit leichter Mühe, die Öffnung im Damm zu verstopfen. (214)

Wie sich die Pfarrherren im großen Werder von der Deicharbeit freikauften

Unter dem Hochmeister Conrad von Zöllner war Hochwasser in Weichsel und Nogat, die Dämme wollten durchreißen. Da mußten die Bauern alle wachen. Weil aber die Pfarrherren auch ihre Huben hatten, mußten sie da auch am Damm helfen.

Dort waren etliche junge Priester, die zogen ihre besten Meßgewänder an, nahmen den Kelch in die linke Hand und den Spaten in die rechte und gingen so zum Damm. Die Bauern sahen einander an und sagten: »Wie? Sind unsere Priester noch von gestern trunken?« Und man fragte die Priester, warum sie etwas, das sie nicht gezeugt hätten, so verunehrten. Aber sie gaben nur spöttische Antwort und Scheltworte. Da wurden die Bauern ungeduldig, erwischten die Priester bei den Haaren, schleppten sie in den Dreck und schlugen sie, daß man sie nach Hause führen mußte.

Dies verdroß den Hochmeister und Bischof Johann von Riesenburg sehr, aber sie konnten nichts tun. Deshalb wurden die Bauern gefragt, was sie wohl nehmen wollten, damit sie die Pfarrherren von der Deicharbeit freistellten. Sie berieten sich und forderten 3 000 Mark Bargeld. Das nahmen die Bauern im großen Werder und teilten es unter sich, und alles wurde verbrieft, und die Pfarrherren im großen Werder mußten solch Geld in zehn Jahren wiederum hinterlegen. Die Pfarrherren im kleinen Werder wollten's nicht angehen, weshalb sie noch dämmen müssen. (215)

Der Name der Stadt Elbing

Die Stadt Elbing hat ihren Namen von dem Fluß Elbing, der das Übermaß an Wasser aus dem Drausensee ins Frische Haff ableitet, durch ihren Erbauer Hermann Balk bekommen, oder aber, weil in dem Fluß viele Aale gefangen werden vom Eelfang oder Oelfang (Aalfang). Nach andern wäre es aber ein Anagramm aus dem lateinischen Wort *Gleba,* weil die Stadt auf fetter Erde *(in gleba)* erbaut worden sei. Darum sind auch die Elbinger solche Schlemmer gewesen, daß man gesagt hat: »Elbing wäre auf Fressen und Saufen fundiert.« (216)

Die Bekehrung der Poggesaner

Bald nachdem der Orden die Burg zu Elbing gebaut hatte, war sie wegen ihrer Festigkeit den benachbarten Poggesanern sehr zum Verdruß. Sie zogen daher mit starker Heeresmacht vor die Burg, um sie zu zerstören. Dieses wollte ihnen aber nicht gelingen. Daher raubten und plünderten sie in der ganzen Gegend, soviel sie nur konnten. Wie sie nun, mit Raub beladen, sich auf den Rückweg machten, da dachten die Ritter in der Burg,

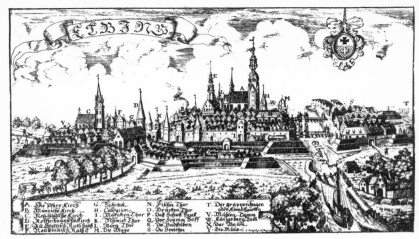

Die Stadt Elbing. Kupferstich aus Christoph Hartknoch, Alt- und Neues Preussen. Frankfurt/Leipzig 1648

obgleich sie nur wenige waren, die Räuber würden, mit sovielerlei geraubten Sachen beladen, sich ihnen nicht so recht zur Wehr setzen können; sie machten sich daher auf und verfolgten sie. Da geschah ein großes Wunder, denn den Heiden war es auf einmal, als ob ein unzählbar großes Heer gegen sie anrückte, so daß ihnen jeder der Ordensbrüder wenigstens wie zehn vorkamen, und sie ließen eilends ihren Raub im Stich und liefen davon. Als sie aber nachher gewahr wurden, wie wenige Verfolger es gewesen waren, da erkannten sie, daß Gott es mit den Brüdern des Ordens halte, sie boten diesen Frieden an, unterwarfen sich ihnen und wurden Christen. (217)

Die Wahrzeichen der Stadt Elbing

Als Wahrzeichen der Stadt Elbing bezeichnete man ein altes Gemälde auf der Ratsstube, das Christus als Weltrichter vorstellte und folgende Unterschrift trug:

Wer in den roth (Rat) wird gekorn
Der hüte sich, daß her dort nicht werde verlorn,
Und thu gleiche
Dem armen als dem reichen,
Dem vremden als dem vriente (Freunde)
So richtet her wol ane (ohne) sünde.

Es gefiel aber der Gemahlin Peters des Großen, die es bei ihrer Anwesenheit hier im Jahr 1712 sah, so gut, daß es ihr der Rat zum Geschenk machte, worauf sie es mit nach Petersburg nahm.
Ein zweites Wahrzeichen war die Schlaguhr auf dem Rathausturm, die wegen ihres schlechten Tones der Kohlhaken genannt wurde.
Ein drittes war eine hölzerne Puppe, die in Gestalt eines Mönches an der Orgel der St. Jacobskirche sitzend angebracht war. Sie konnte sich herumdrehen, umsehen und scheinbar auf den Tasten spielen. (218)

Die wehrhaften Elbinger Frauen

Die Ordensbrüder und die Bürger in Elbing waren sehr kühne Leute und verrichten viele ritterliche Taten, oft siegten sie über die heidnischen Preußen. Als sie einst zum Kampf ausgezogen waren, wurde das dem Swantopolk, dem Herzog in Pommern, verraten. Der kam bald vor die Stadt mit großer Macht. Als die Frauen und Jungfrauen in der Stadt das sahen, zogen sie den Harnisch selber an und stiegen mit Waffen und Wehren auf die Mauern. Da erschrak Swantopolk, vermeinte, die Brüder und Bürger wären wieder nach Hause gekommen und zog ohne zu schaden wieder ab. (219)

Pfaffen-Fastnacht

Im Jahr 1440 hat der Teufel auf Fastnacht an vielen Enden viel Unlust angerichtet. Zu Elbing waren Pfaffen, die es mit ihrem Keuschheitsgelübde nicht so genau nahmen, besonders einer hatte es mit einer Frau seltsam getrieben. Deshalb hatten die Junggesellen auf Fastnacht dies Tun aufgegriffen, daß es ärgerlich zu sehen und die Spottverse anzuhören waren.

Am Aschermittwoch kamen drei Ordensherren zum Pfarrer, der auch von ihrem Orden war, und nach gutem Umtrunk sangen sie die Reime der jungen Gesellen. Da war nur zu hören von: Pfaffen, Affen, ungeweihten Bacchanten etc. Dies verdroß den Kaplan, der wütend wurde und sagte, er hätte schier Lust, einem Bartmönch ins Maul zu greifen, daß ihm der rote Geifer danach ginge. Er stand auf und wollte davongehen, da erwischte ihn ein Ordensherr beim Kopf und drehte ihn herum. Der Kaplan erwischte eine Kanne und schlug ihm damit die Nase vom Angesicht hinweg. Der Komtur aber fing ihn in der Kirche und sperrte ihn in den Turm. (220)

Das alte Schloß wird verwüstet

Neben andern hatte sich auch die Stadt Elbing 1454 dem König von Polen ergeben und ihm zugesagt, jährlich 400 Gulden Ungarisch für die zur Komturei gehörenden Güter zu zinsen und bei Besuchen des Königs 100 Mark zur Zehrung zu liefern. Darauf wurde dem Hochmeister entsagt. Das Schloß forderten sie vom jungen Reuß, denn ihm hatte es der Komtur anbefohlen. Dieser junge Reuß wehrte sich zuerst, doch zog er schließlich ab. Die Bürger liefen zum Schloß hinauf, nahmen alles was dort war, rissen es ganz und gar in Grund, bis auf den Kornhof, daraus bauten sie St. Brigitten ein Kloster, die vor Zeiten dort geherbergt hatte. Dies Schloß soll das schönste gewesen sein nach Marienburg im ganzen Land Preußen. (221)

Die Überrumpelung von Elbing

In dem Krieg, den der letzte Hochmeister des Deutschen Ordens, Markgraf Albrecht von Brandenburg, mit den Polen führte, zogen 1521 die Streiter des Markgrafen aus, um die Stadt Elbing zu überrumpeln.
In der Nacht kamen sie vor Elbing an, ohne daß man ihrer gewahr wurde. Sie überfielen heimlich die Ziegelscheune vor dem Tor, nahmen das Volk darin gefangen und bewachten es, damit es denen in der Stadt kein Zeichen oder Geschrei geben konnte. Darauf verbargen sie sich in großen Haufen

Wie zu Fastnacht 1602 in Schwartza bei Elbing einen geizigen Bäcker schreckliche Strafe ereilte. Er wurde vom Teufel in Stücke gerissen, weil er sich weigerte, Brot einer armen Witwe und ihren hungernden Kindern zu geben, die dann verzweifelt sich und ihre Kinder in einem tiefen Brunnen ertränkte. Flugblatt von Jakob Rode (Ausschnitt). Kupferstich 1602

am Tor. Wie nun am anderen Morgen um acht Uhr ein Fuder Holz in die Stadt fuhr, und, um es einzulassen, ohne Arg das Tor geöffnet wurde, da fingen die, welche dem Tor am nächsten waren, an zu laufen, und sie kamen zugleich mit dem Fuder in die Stadt hinein. Aber es wurde sofort Lärm geschlagen, und die Wache am Tor und die herzugelaufenen Bürger zogen die Zugbrücke auf, so daß nicht mehrere von außen her in die Stadt kommen konnten. Zugleich schlugen jedoch die Markgräflichen draußen ihre Hellebarden an die Zugbrücke und zogen nun von außen. Sie wurden bald den Bürgern, die von innen zogen, zu stark, so daß die in der Stadt die Stricke losließen. Da schlug die Zugbrücke nieder, aber von dem starken Ziehen schnellte sie wieder auf und fiel aus den Haken in den Graben. Die Bürger in der Stadt machten darauf das Tor zu und ließen das Schloßgatter vorfallen, worauf denn auch der ganze Anschlag des Markgrafen zunichte wurde.

Der Tag, an dem die Stadt Elbing so durch Gottes gnädige Fürsorge gerettet wurde, ist noch lange Zeit feierlich begangen worden durch einen Lobgesang in der Kirche und durch Austeilung von Geld und Speise an bedürftige Leute. (222)

Die bewährte Unschuld

Als im Jahr 1521 die Landsknechte des deutschen Hochmeisters einen heimlichen Überfall auf die Stadt Elbing unternommen hatten, wurde ein lahmes Weib, das nur auf einem Fuß und zwei Krücken ging, beschuldigt, um die Sache gewußt zu haben. Obwohl sie beharrlich ihre Unschuld beteuerte, wurde sie vom Rat zur Strafe des Ersäufens verurteilt. Man stürzte sie infolgedessen gebunden von der hohen Brücke in den Elbingfluß, wobei sie ihren Schutzpatron, den heiligen Jacob, anrief, sie zu retten und ihre Unschuld darzutun. Anfangs fiel sie zum Grund und blieb lange unten liegen, so daß man allgemein meinte, sie sei schon ertrunken. Endlich brachte sie der Strom wieder in die Höhe und führte sie bis an die großen Kiehnrahmen, deren viele über den Strom lagen, mit Ketten an beiden Ufern befestigt, daß die Feinde nicht stromaufwärts sollten kommen können. Als sie hier eine Zeitlang gehangen, trieb sie der Strom drunter durch, wobei sie stets zum heiligen Jacob rief. So wurde sie bis zur roten Fischerbude getragen und dort noch lebend ans Land geworfen. Der Büttel wollte sie zwar von neuem in den Fluß stürzen, aber das Volk, das nachgefolgt war, entriß das Weib seinen Händen und löste dessen Bande. (223)

Der Ursprung des Namens Artushof

In Elbing hat ein Haus in der Fischerstraße, der engen Gasse gegenüber, unter Nr. 430 den Namen Artushof, wie solche Häuser auch anderwärts in preußischen Städten vorkommen. Er führt seinen Namen nach dem König Artus oder Arthur von England, der zuerst einen solchen Hof und Garten im sechsten Jahrhundert stiftete, in welchem er allen vornehmen Fremden, die sich bei ihm aufhielten, die Freiheit gab, sich in ritterlichen Taten zu üben, und sie dann herrlich bewirten ließ. Er hieß auch Junkerhof, weil er nur den Junkern und Vornehmen zum gesellschaftlichen Vergnügen offenstand. Es wurde hier getrunken, nach dem Vogel geschossen, gekegelt und Brett gespielt, niemals aber gab es hier Kartenspiel um Geld. Auch Fremde wurden hier eingeführt und ihnen, wie später in Handelsstädten auf den Börsen, ein Ehrentrunk gereicht. (224)

Typischer Artushof, der nicht nur Junkern, sondern auch der städtischen Kaufmannschaft für ihre Beratungen und gesellige Vergnügungen zur Verfügung stand. Hier der Artushof in Danzig. Kupferstich von Matthäus Deisch um 1750

Der Kartenstein

Im Elbinger Gebiet liegt bei dem Bauernhof Koggenhöfen ein Felsstück, über fünf Fuß lang und anderthalb Fuß hoch; seine Farbe ist rötlich mit Adern, welche in die Länge und Quere laufen und wie Riemen, mit denen der Stein umschnürt ist, aussehen. Zwischen ihnen sieht man unförmliche Quadrate, die von der Witterung etwas in den Stein vertieft worden sind. Davon erzählt man, daß einst an einem Sonntag während der Predigt Pferdehirten auf diesem Stein Karten gespielt hätten. Zu diesem sabbatschänderischen Vergnügen habe sich auch der Teufel eingefunden und eine Zeitlang mitgespielt. Es muß aber ein dummer Teufel gewesen sein, denn er verlor ein Spiel nach dem anderen und wurde darüber so ärgerlich, daß er die Karten mit Gewalt gegen den Stein warf, wovon die Vertiefungen in diesem entstanden sein sollen. (225)

Der Grundstein der St. Marienburg

Als die Kreuzesbrüder Jerusalem verlassen mußten und nach Deutschland heimkehrten, führten sie Trümmer der Burg, die sie dort gehabt, und die eben das Haus einst gewesen, in welchem der Herr das letzte Nachtmahl mit seinen Jüngern gehalten, mit sich übers Meer. Diese wurden anfangs in Marburg aufbewahrt; als der Bau des Haupthauses in Marienburg begann, aber dorthin geweiht und dem Fundament einverleibt. Darum ist der Bau auch so herrlich geworden, daß er als das schönste Denkmal der Vorzeit des Landes dasteht, und so fest, daß er so viele Jahrhunderte dem Zahn der Zeit und der Unbill frecher Menschenhände getrotzt hat. (226)

Der Remter zu Marienburg

Das Gewölbe auf dem großen Remter des hochmeisterlichen Schlosses zu Marienburg wird von einem einzigen starken Pfeiler getragen, so daß das ganze Gewölbe zusammenfällt, wenn dieser Pfeiler stürzt.
In dem dreizehnjährigen polnischen Krieg (1454–1467), als das Schloß hart belagert wurde, beschrieb ein verräterischer Troßbube den Polen den Pfeiler und die Beschaffenheit des Remters und versprach ihnen, ein Zeichen mit einem ausgehangenen roten Hut zu geben, wenn das ganze Kapitel in dem Remter beisammen sei, und wohin dann ein Schuß gerichtet werden müsse, um den Pfeiler zu treffen, damit unter dem herabstürzenden Gewölbe alle Ritter auf einmal zerschmettert und begraben würden. Und als nun eines Tages der Hochmeister und alle Ordensbrüder in dem großen Remter bei Tisch saßen, da gab der Verräter das verabredete Zeichen, und der Schuß kam auch, aber er tat keinen sonderlichen Schaden,

Die Marienburg am Ufer der Nogat. Stahlstich um 1845

denn die Kugel verfehlte den Pfeiler und schlug bloß oben in die Mauer, wo sie noch jetzt über dem Kamin, in dem Loch, welches sie geschlagen, zu sehen ist. Nach wahrscheinlicheren Nachrichten hat sich diese Geschichte 1410 zugetragen, nach der Tannenberger Schlacht. (227)

Das Marienbild

An der Schloßkirche zu Marienburg steht in einem blinden Fenster ein großes, schönes Marienbild mit dem Christuskind auf dem Arm. Es ist zwölf Ellen lang, von schöner musivischer Arbeit und im Feuer vergoldet. Der Hochmeister Conrad von Jungingen hat es dahin setzen lassen. Das Bild hat ein frommer, schlichter Mann geschaffen, der viele Jahre daran arbeitete und alt und grau darüber geworden ist. Wie er es nun aber fertig hatte, da tat es ihm sehr leid, daß er sich von dem lieben Bild trennen sollte. Und in der Mitternacht vor dem Tag, an dem es an der Kirche aufgerichtet werden sollte, ging er noch einmal in seine Werkstatt zu dem Bild. Er zündete viele geweihte Kerzen an und kniete nieder und weinte bitterlich, daß er zum letzten Male dabei weilen sollte. Da winkte die Mutter der Gnaden ihm mit der Hand und sah ihn freundlich an, und die Seele des Greises wurde froh. Er beugte sich in Demut und Freude nieder, und so starb er auf einmal eines sanften Todes in der Nähe seines Marienbildes. (228)

Das Bild der heiligen Barbara

Zu Marienburg auf dem Schloß befand sich ein Bild der heiligen Barbara, das man während des polnischen Krieges dorthin geflüchtet hatte. Im Jahr 1415 trat aber eine große Dürre ein, so daß alles Getreide auf dem Feld verdorrte. Da wurde eine große Prozession angeordnet, um den Himmel um Regen anzuflehen, und es sollte das Bild der Heiligen hin gen Willenberg getragen werden. Als man aber mit dem Bild hinaustreten wollte, begann schon der erflehte Regen, welcher jedoch wieder innehielt, solange die Prozession währte, wie denn sonst auch die schönen Chorhemden, mit denen die Geistlichen angetan waren, ganz verdorben worden wären. Sobald aber die Prozession beendet war, fiel der Regen in Strömen herab

Der Capitel-Saal mit dem großen Remter in der Marienburg. Kupferstich um 1830

und es regnete den halben Tag und die ganze Nacht, dem Volk zum großen Trost. Und so oft es später anfing zu dürre zu werden, trug man wieder das Bild in Prozession, und alsbald kam auch ein gedeihlicher Regen. (229)

Wunderzeichen am Himmel

1661 am andern Ostertag abends um 12 Uhr hat sich zu Danzig und Marienburg bei hellem Himmel der Mond ganz voll sehen lassen, und neben ihm auf der rechten und linken Seite schnurgerade zwei feurige, doch mit allerhand schönen Farben untermischte Kugeln, groß wie der Mond, deren jede auswärts einen langen Strahl von sich gab. Oberwärts waren beide Kugeln mit einem hellen Zirkel vereinigt, unterwärts aber war ein feuriger Regenbogen, der die Spitze nach dem Zirkel und den Bauch unterwärts hatte. Um 4 Uhr in der Nacht hat die Wacht zu Danzig gesehen, daß die beiden Kugeln zusammenschlugen, und es hat einen solchen Knall gegeben, als wenn eine Bombe losgebrennet würde. (230)

231

Kirche des Marienburger Schlosses. Kupferstich um 1830

Der obere Gang des Hochmeisterschlosses Marienburg. Kupferstich um 1830

Buttermilchturm

Vom Buttermilchturm in Marienburg wird erzählt, einst habe der Deutschmeister auf einem nahegelegenen Dorf etwas Buttermilch für sich fordern lassen. Allein die Bauern spotteten seines Boten und sandten tags darauf zwei Männer in die Burg, die brachten ein ganzes Faß voll Buttermilch getragen. Erzürnt sperrte der Deutschmeister die beiden Bauern in einen Turm und zwang sie, solang drin zu bleiben, bis sie die Milch sämtlich aus dem Faß gegessen hätten. Seitdem hat der Burgturm den Namen. Andere aber berichten folgendes: Die Einwohner eines benachbarten Dorfes mußten bis zu dem Bauplatz einen Weg mit Mariengroschen legen und soviel Buttermilch herbeischaffen als zur Bereitung des Kalks, statt Wasser, nötig war, und mit diesem Mörtel wurde hernach der Turm aufgemauert. (231)

Die Schnabelschuhe

Zu Ende des 15. Jahrhunderts wurde im Land Preußen große Hoffahrt getrieben, besonders mit den Schnabelschuhen. Der eine hatte vorn an den Schuhen einen Schnabel einen Finger lang, der andere eine Spanne lang, der dritte eine halbe Elle lang, ganz so wie es einem gefiel. Damals wurde des Hauptmanns Sohn in Marienburg vom Teufel besessen, und als man den Teufel ausbannte auf dem Tor vor der Jungfrau Marien Bild, sagte er, er wolle gern ausfahren, wenn man ihm nur vergönnen wolle, in die Schnäbel der Schuhe zu fahren. Da kamen sie ganz ab, denn fortan wollte niemand mehr spitze Schuhe tragen. (232)

Der entdeckte Kirchendieb

In dem Jahr 1400 hatte ein Kirchendieb die Kirche zu Conradswalde erbrochen und neben anderen Dingen eine silberne Büchse weggenommen, in der zwei geweihte Hostien waren. Er steckte die Büchse in seinen Busen, und als er nun abends gen Marienburg kommt, geht er dort in das gemeine Frauenhaus. Als er nun mit einem Weibsbild in einer finsteren Kammer war, sieht die Frau in seinem Busen etwas brennen wie Licht, über seinem Kopf auch etwas wie ein brennendes Kreuz. Darüber erschrickt sie, denn es waren damals viele Mordbrenner im Land. Sie meinte, er sei einer von denen, fängt überlaut an Zeter zu schreien. Nun geht gerade an dem Haus die Nachtwache vorüber; als die das Geschrei hört, fällt sie in das Haus.

Der Kirchendieb aber entsprang durch das Fenster. Die Wächter eilten ihm nach und konnten ihn auch nicht aus den Augen verlieren, da das Licht an seinem Busen und über seinem Kopf ihn immer verriet. Da der Dieb das merkte, warf er die silberne Büchse von sich. Er wurde aber doch gefangen und bekannte seine Missetat. Als nun der Hochmeister alles hörte, begab er sich mit vielen von den Seinen an die Stelle, wo der Dieb die Büchse von sich geworfen. Diese war durch den Wurf in eine Gossenrinne unter eine kleine Brücke gerollt. Wie der Hochmeister an diese Brücke kam, sah man unter ihr zwei brennende Kerzen. Da fielen der Hochmeister und alle Anwesenden auf die Knie und nahmen mit großer Ehrerbietung die Büchse mit den Hostien auf und brachten sie in die Pfarrkirche. (233)

Der Irrgarten bei Riesenburg

Die Brüder und Kreuzherren des Deutschen Ordens hatten durch ihre Ordensregel sich eidlich verpflichtet, Jerusalem, die heilige Stadt, gegen die Feinde des christlichen Namens zu verteidigen, und wenn es verloren gegangen sei, wiederum einzunehmen. Um sich nun von solchem Eid loszumachen und einigermaßen ihr Gewissen zu beruhigen, ließen die Ritter in Preußen fast bei allen Schlössern im Feld die Erde aufgraben und ein Festungswerk mit vielen Gängen und Laufgräben aufwerfen, welches einem Labyrinth oder Irrgarten sehr ähnlich sah und von ihnen Jerusalem genannt wurde.

Anfangs hatten sie hierbei ihre gottseligen Gedanken gehabt; später trieben sie aber bloß ihr Gespött damit; denn wenn sie bei ihren Schmausereien recht lustig sein wollten, dann mußten die Knechte sich in dieses After-Jerusalem begeben, und die Ritter jagten sie wieder hinaus, bei sich nun wähnend, Jerusalem befreit zu haben. Für solche Frechheit ist aber auch die Strafe nicht ausgeblieben. Es ist namentlich ein solcher Irrgarten im Feld bei Riesenburg gewesen, er war 55 Fuß lang und 60 Fuß breit, darin befand sich ein gegrabenes Kreuz im Feld, das 54 Fuß lang und breit

Riesenburg. Kupferstich aus Christoph Hartknoch, Alt- und Neues Preussen. Frankfurt/Leipzig 1684

war. In diesem Kreuz war es ruhig, aber in dem Irrgarten selbst war nachts oft ein gewaltiges Treiben und Rumoren. Man sah dort feurige Gestalten mit glühenden Schwertern, die in den Gräben auf und nieder liefen. Die Ritter mußten zu ihrer großen Qual das Spiel treiben, welches sie früher so übermütig im Leben gespielt hatten. Nur wurden die Rollen umgekehrt, denn die Ritter wurden von den Knechten gejagt, und diese wieder vom Teufel und seinem Anhang. (234)

Die heilige Dorothea

Unter den heiligen Wundertätern Preußens steht obenan die heilige Dorothea, die, nachdem sie viele fromme Werke verrichtet und viele Wallfahrten gemacht, den letzten Teil ihres Lebens eingeschlossen in einer, an die

236

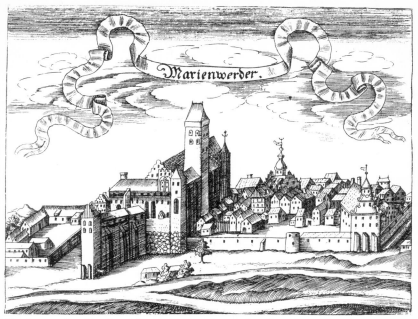

Marienwerder. Kupferstich aus Christoph Hartknoch, Alt- und Neues Preussen. Frankfurt/Leipzig 1684

Domkirche zu Marienwerder stoßenden Zelle zubrachte. Vor allem hatte ihr Gott die Gabe verliehn, zukünftige Dinge vorherzusehen, wie sie denn auch den Fall des Deutschen Ordens vorher verkündet hat.

Als sie ihre letzte Stunde nahen fühlte, ließ sie ihren Beichtvater, den Domherrn Johannes von Marienwerder, herbeirufen, daß er ihr die letzte Ölung gewähre, und als er zögerte, fügte sie hinzu, daß er ihr nicht ferner diesen frommen Dienst leisten werde. Und wie sie vorher verkündet hatte, geschah es; denn um die nächste Mitternacht umgab sie plötzlich ein himmlischer Glanz und es war zwei Stunden lang lieblicher Gesang zu vernehmen, während dessen sie von Engeln zu Gott geführt wurde. Zugleich fingen die Glocken an zu tönen, ohne daß irgendeine menschliche Hand sie bewegte, und ihr Geläute dauerte ebenso lange wie jener himmlische Gesang. (235)

Der reiche Bauer aus Niclaswalde

Unter dem Hochmeister Conrad von Jungingen hatte der Orden einen hohen Grad von Macht und Reichtum erlangt, und auch das ganze Land war reich und zufrieden. Damals lebte auch der reiche Bauer zu Niclaswalde, der später durch seinen Reichtum berühmt wurde.

Es trug sich nämlich zu, daß etliche Gäste und Fremde aus Deutschland zum Hochmeister kamen, ihn zu besuchen. Diese sahen überall Überfluß und Reichtum und priesen deshalb den Hochmeister glücklich in seinem Regiment. Das hörte der Treßler (Schatzmeister zu Marienburg), Bruder Heinrich von Plauen, und er sagte zu den fremden Herren, der größte Reichtum des Hochmeisters sei der Reichtum seiner Untertanen, und daß er einen Bauern hätte, der elf Tonnen Gold besitze. Das nahmen die Gäste als Scherz auf, da sie in Deutschland nicht gewohnt waren, den Bauern die Federn so lang wachsen zu lassen.

Der von Plauen aber führte die Gäste seines Herrn darauf einige Tage später spazieren und brachte sie nach Niclaswalde, wo sie bei einem Bauern einkehren mußten. Bei diesem hatte er das Mittagsmahl bestellt. Der Tisch war für die Gäste gedeckt und um ihn herum standen zwölf Tonnen, darauf waren die Bretter gelegt zum Sitzen für die Herren. Wie sie nun am Speisen waren, da sagte der von Plauen, dies sei der reiche Bauer, von dem er ihnen erzählt habe. Der Hochmeister ließ also den Bauern kommen und forderte ihn auf, seinen Reichtum zu zeigen, dessen er sich nicht zu schämen habe. Der Bauer antwortete: »Ich weiß wohl, daß verleugnetes Gut dem Herrn gehört, darum habe ich nichts zurückbehalten, sondern Euch alles hingesetzt, was mir gehört.« Er hieß sie nun besehen, auf was für Bänken sie gesessen. Und als die Bretter weggenommen waren, da sahen sie, daß sie auf Tonnen gesessen, von denen elf voll Gold waren, die zwölfte aber war noch leer. Die Gäste wunderten sich über den Reichtum des Bauern, und dem Hochmeister gefiel es so wohl, daß er dem Bauern auch die zwölfte Tonne aus dem Schatz füllen ließ, damit die Gäste in Wahrheit berichten konnten, der Hochmeister habe einen Bauern, der zwölf Tonnen Gold besitze.

Allein der Bauer in Niclaswalde hatte von seinem Reichtum keinen Segen. Denn sein Herz wuchs ihm an sein Geld, und er war der größte Geizhals im Land, und als hernach Heinrich von Plauen Hochmeister wurde, rupfte ihm dieser die Federn dermaßen, daß der reiche Bauer in seinem Alter betteln gehen mußte. (236)

Die Jungfrau von Baldenburg

Die Tochter eines Polenfürsten hatte ihre Hand demjenigen ihrer Bewerber zugesagt, welcher sie im Ballspiel besiegen würde. Nachdem viele tapfere Helden es vergeblich versucht hatten, gewann endlich ein deutscher Ritter den Preis. Zur Erinnerung an diesen Sieg erbaute er das Städtchen Baldenburg, auf dessen Kirchturmfahne das Bild der Jungfrau mit dem Ball angebracht wurde.

Der deutsche Ritter wurde von dem alten Fürsten, den ein Priester aufgestachelt hatte, noch vor der Hochzeit ermordet. Doch der zum Himmel emporgeschleuderte Rachefluch der eigenen Tochter rief die verdiente Strafe auf den unmenschlichen Vater herab, indem donnernde Fluten ihn und seine Begleiter hinabrissen in die tosende Tiefe. Auch die Jungfrau stürzte sich hinab in den Tod und über der Stätte bildete sich ein tiefer blauer See.

Wenn die Kirchenglocken des Städtchens am Feierabend übers Wasser hallen, dann antworten ihnen andere tief unten in der klaren Flut. Das sind die Glocken der Jungfrau von Baldenburg, die in dem zu Kristall verwandelten Schloß ihren schlafenden Geliebten bewacht.

Alljährlich in der Johannisnacht steigt sie empor und wandelt im weißen Gewand um das Gebiet der Stadt. Sie harrt dann eines Mannes ohne Furcht und ohne Fehl, welcher sie zu erlösen vermag. (237)

Die Marienburg. Kupferstich um 1850

Die Christburg

Dort, wo jetzt Alt-Christburg liegt, hatten die heidnischen Preußen eine starke Burg. Unter Heinrich von Weida wurde sie vom Deutschen Orden erstürmt, die darin liegenden Preußen erschlagen, und die Burg danach noch weiter befestigt. Die Ordensritter nannten sie Christburg, weil sie in der Christnacht, als die Heiden schliefen, erstiegen worden war.

Doch die Heiden verbündeten sich, der Pommernherzog Swantopolk und die Preußen sammelten ihre Krieger und zogen bald vor das Schloß. Die eine Schar fiel es von vorn an, wo es am schwächsten war und die Ordensbrüder sich zur Wehr stellten. Unterdessen erstieg es Swantopolk mit der anderen Schar von hinten und erschlug alles, was er darauf fand.

Das traf die Ordensbrüder hart. Sie rüsteten sich, versahen sich mit allem, was man zum Burgbau brauchte, zogen ein Stück weiter und bauten eine neue Burg da, wo jetzt Christburg ist. (238)

Syrene mit der Keule

Die Stadt Christburg an der Sorge wurde 1266 von dem Landmeister Heinrich von Weida gegründet. Im Jahre 1266 machten Diwane, ein Kriegsfürst im Bartner Land, und Linko, der Poggesaner Hauptmann, einen Raubzug ins Kulmer Land. Sie wußten die Macht des Ordens listig zu teilen, indem sie, während der Komtur von Christburg sie mit starker Heeresmacht verfolgte, die wichtige Burg Trappeinen belagerten. Sogleich eilten nämlich die Ritter von Christburg mit den Besatzungen der Ordenshäuser Pusilie und Fischau und den Bürgern von Christburg herbei, um Trappeinen zu entsetzen, und kamen dahin, als die heidnischen Preußen eben den Sturm begannen.

Die Heiden ergriffen jedoch sogleich die Flucht, und nun zog das Ordensheer an den Sirgunefluß, lagerte beim Dorf Poganse und überließ sich sorglos der Ruhe. Das erfuhren die von Trappeinen verjagten Preußen, sammelten sich bei Marienwerder, gingen bei Nacht über die Sirgune, überfielen das Ordensheer im Schlaf und töteten zwölf Brüder und fünfhundert Mann.

Nun saß aber auf Christburg ein tapferer Preuße namens Syrene gefangen. Der hatte das Christentum angenommen und seine Landsleute verlassen und war ins Schloß Christburg gekommen, um auf der Seite der Ordensbrüder zu kämpfen. Die trauten ihm aber nicht und sperrten ihn bei elender Kost in einen Turm ein. Während nun jedoch die auf Christburg zurückgebliebenen Ritter von der Niederlage ihrer Brüder keine Ahnung hatten und so sorglos waren, daß sie die Zugbrücke, die zum großen Tor führte, nicht aufgezogen, auch das Tor offen und unbewacht gelassen hatten, waren die heidnischen Preußen heimlich bis ans Schloß geschlichen, bis in die Vorburg gekommen und schon im Begriff, in das Tor zu dringen. Als Syrene durch sein vergittertes Fenster die Feinde erblickt, zerreißt er seine Fesseln, sprengt die Pforte und stürzt sich seinen Landsleuten entgegen. Es gelingt ihm auch mit der Keule, die seine einzige Waffe war, die Eingedrungenen von der Brücke herabzudrängen und mutig verfolgt er sie, da ziehen die endlich durch das Waffengeklirr und das Rufen Syrenes muntergewordenen Ritter hinter ihm die Zugbrücke in die Höhe und überlassen ihn seinen wütenden Feinden. Er aber, um nicht lebendig in ihre Hände zu fallen, springt kühn hinab in den Graben, schwimmt zum Tor, und es gelingt ihm auch, trotz des Regens der feindlichen Pfeile unversehrt am Tor emporzuklettern.

Nun wären aber die Burgbewohner bald verhungert, denn die Preußen fingen alle Nahrungsmittel auf, die ihnen zugeführt wurden. Doch speiste sie heimlich Samile, ein pomesanischer Edelmann aus Pommern. Er hielt es insgeheim mit den Ordensbrüdern, öffentlich aber mit seinen Landsleuten. Die haben ihm jedoch, als sie dahinterkamen, heißes Wasser in den Mund gefüllt und ihn an hellem Feuer gebraten, daß er kaum noch Leben in sich hatte, und ihn so aufs Schloß geschickt. (239)

Andreas von Sangerwitz

Am 15. Juli 1410 wurde bei Tannenberg zwischen den Kreuzherren in Preußen und Wladislaw Jagiello, König von Polen, eine große Schlacht geliefert. Sie endete mit der Niederlage des ganzen Ordensheers; der Hochmeister Ulrich von Jungingen selbst fiel darin. Seinen Leichnam ließ der König den Brüdern zu Osterode zukommen, die ihn zu Marienburg begruben; das abgehauene Kinn aber mit dem Bart wurde gen Krakau gebracht.

Als der Hochmeister mit den Gebietigern über diesen Krieg beratschlagte, riet der Komtur von der Christburg, Andreas Sangerwitz, ein Deutscher von Adel, treulich zum Frieden, obwohl die andern fast alle zum Krieg stimmten und der Feind schon im Land war: Das verdroß den Hochmeister, und er rechnete es ihm zur Furcht und Zagheit. Andreas aber, der nicht weniger Herz als Witz und Verstand hatte, sagte zu ihm: »Ich habe Euer Gnaden zum Frieden geraten, wie ich's am besten merk und verstehe, und da es mich dünket, Frieden dienete unserer Zeit am besten. Weil es aber Gott anders ausersehen, auch Euer Gnaden anders gefällt, so muß ich folgen und will Euch in künftiger Schlacht, es laufe wie es wolle, so redlich beistehen und mein Leib und Leben bei Euch lassen wie getreulich ich jetzt zum Frieden rate.« Das hat er auch getan und ist dann nebst dem Hochmeister, nachdem er sich tapfer gegen den Feind gehalten, auf der Walstatt geblieben.

Da nun dieser Komtur zur Schlacht auszog, und gewappnet aus dem Schloß ritt, begegnete ihm ein Chorherr, der seiner spottete und ihn höhnisch fragte, wem er das Schloß in seiner Abwesenheit befehlen wolle. Da

Christburg. Kupferstich aus Christoph Hartknoch, Alt- und Neues Preussen. Frankfurt/Leipzig 1684

sprach er aus großem Zorn: »Dir und allen Teufeln, die zu diesem Krieg geraten haben!«

Danach, als die Schlacht vorüber und der Komtur umgekommen, hat solch eine Gespensterei in dem Schloß angefangen zu wandeln und zu regieren, daß nachmals kein Mensch darin bleiben und wohnen konnte. Denn so oft die Ordensbrüder im Schloß aßen, so waren alle Schüsseln und Trinkgeschirr voll Blut; wenn sie außerhalb des Schlosses aßen, widerfuhr ihnen nichts dergleichen. Wenn die Knechte in den Stall gehen wollten, kamen sie in den Keller und tranken so viel, daß sie nicht mehr wußten, was sie taten. Wenn der Koch und sein Gesinde in die Küche ging, so fand er Pferde darin stehen, und es war ein Stall daraus geworden. Wollte der Kellermeister seine Geschäfte im Keller verrichten, so fand er an der Stelle der Wein- und Bierfässer lauter Hafen, Töpfe, Bälge und Wassertröge; und so ging es in allen Dingen und Orten widersinnig zu. Dem neuen Komtur, der aus Frauenburg dahin kam, ging es noch viel wunderlicher und ärger: einmal wurde er in den Schloßbrunnen an den Bart gehängt; das andre Mal wurde er auf das oberste Dach im Schloß gesetzt, da man ihn kaum ohne Lebensgefahr herunterbringen konnte. Zum dritten Mal fing ihm der Bart von selbst zu brennen an, so daß ihm sein Gesicht geschändet wurde; auch konnte ihm der Brand mit Wasser nicht gelöscht werden, und nur, als er aus dem verwünschten Schloß herauslief, erlosch das Feuer. Deswegen wollte künftig kein Komtur in dem Schloß bleiben, es wurde auch von jedermann verlassen und nach des verstorbenen Komturs Prophezeiung des Teufels Wohnung geheißen.

Zwei Jahre nach der Schlacht kam ein Bürger von Christburg, der während der Zeit auf einer Wallfahrt nach Rom gewesen war, wieder nach Hause. Als er von dem Gespenst des Schlosses hörte, ging er einen Mittag hinauf: sei es nun, daß er die Wahrheit selbst erfahren wollte, oder daß er vielleicht ein Heiligtum mit sich gebracht, das gegen die Gespenster dienen sollte. Auf der Brücke sah er des Komturs Bruder stehen, welcher auch mit in der Schlacht geblieben war; er erkannte ihn alsbald, denn er hatte ihm ein Kind aus der Taufe gehoben und hieß Otto von Sangerwitz; und weil er meinte, es wäre ein lebendiger Mensch, trat er auf ihn zu und sprach: »O Herr Gevatter, wie bin ich erfreut, daß ich Euch frisch und gesund sehen mag; man hat mich überreden wollen, Ihr wäret erschlagen worden; ich bin froh, daß es besser ist als ich meinte. Und wie steht es doch in diesem Schloß, davon man so wunderliche Dinge redet?« Das Teufelsgespenst sagte zu ihm: »Komm mit mir, so wirst du sehen, wie man hier Haus hält.«

Der Schmied folgte ihm die Wendeltreppe hinauf; als sie in das erste Gemach gingen, fanden sie einen Haufen Volk, die nichts anders taten als mit Würfel und Karten zu spielen; etliche lachten, etliche fluchten Wunden und Marter. Im andern Gemach saßen sie zu Tisch, da war nichts anders als Fressen und Saufen; von dort gingen sie in den großen Saal, da fanden sie Männer, Frauen, Jungfrauen und junge Gesellen; da hörte man nichts als Saitenspiel, Singen, Tanzen und sah nichts als Unzucht und Schande treiben. Nun gingen sie in die Kirche; da stand ein Pfaff vor dem Altar als ob er Messe halten wollte; die Chorherren aber saßen ringsumher in ihren Stühlen und schliefen. Danach gingen sie wieder zum Schloß hinaus, alsbald hörte man in dem Schloß so jämmerlich heulen, weinen und Zetergeschrei, daß dem Schmied angst und bange ward, er dachte auch, es könnte in der Hölle nicht jämmerlicher sein. Da sprach sein Gevatter zu ihm: »Geh hin und zeige dem neuen Hochmeister an, was du gesehen und gehört hast! Denn so ist unser Leben gewesen wie du drinnen gesehen; und was du hier außen gehört hast, ist der darauf erfolgte Jammer.«
Mit den Worten verschwand er, der Schmied aber erschrak sehr, daß ihm zu allen Füßen kalt ward; dennoch wollt er den Befehl verrichten, ging zum neuen Hochmeister und erzählte ihm alles, wie es ergangen. Der Hochmeister ward zornig, sagte, es wäre erdichtet Ding, seinem hochwürdigen Orden zu Verdruß und Schanden, ließ den Schmied ins Wasser werfen und ersäufen. (240)

»In Butsch steit de Luus op de Keed«

Die Bauern aus Butsch bei Christburg waren im Krug zur Schulzenwahl versammelt; es wollte jedoch niemand Schulz werden, Zufällig kroch eine Laus, die ein Bettler verloren hatte, auf die Bank. Man kam überein, die Laus auf den Tisch zu setzen und denjenigen als Schulzen anzuerkennen, auf welchen die Laus zukrieche. Vorsorglich wurde die Laus auch für künftige Fälle an eine Kette gelegt. (241)

Die Krasmarfichte

Im Orkuscher Forst bei Laskowitz im Kreis Rosenberg steht eine gewaltige Fichte. In jener Gegend lebte vor vielen tausend Jahren ein Riese namens Krasmar. Er hatte zahlreiche Kinder, aber auch viele Neider und Feinde. Als er einst durch den Orkuscher Wald schritt, wurde er hinterrücks überfallen und erschlagen. Das geschah gerade unter der Fichte, die noch heute seinen Namen trägt. Sie war damals ein kleines, unansehnliches Bäumchen und unterschied sich in nichts von den übrigen Bäumen des Waldes. Nun aber färbte das Blut des Riesen den Rasen rot und tränkte die Wurzeln der Fichte. Die Stärke des Erschlagenen ging auf den Baum über. Gewaltig entfaltete sich die Fichte in die Höhe und in die Breite zu dem Baumriesen, der den Stürmen der Zeiten trotzt. Der Riese lebt in jenem Baum fort.

Die Nachkommen des Erschlagenen begruben ihren Vater in dem wilden Wald und verbargen sich darin vor den Nachstellungen ihrer Feinde. Sie suchten Zuflucht in Erdhöhlen und wurden schließlich zu winzigen Zwergen. Noch heute führen sie den Namen »Krasmarlüttchen«. In der Silvesternacht kommen sie aus ihrem unterirdischen Reich hervor. Sie versammeln sich dann an dieser Fichte und betrauern ihren erschlagenen Vater. (242)

Im Oberland

Der große Krebs von Mühlhausen

Neben dem Städtchen Mühlhausen im Hockerland liegt ein Teich, in welchem ein großer Krebs gewesen sein soll, der den Bürgern lange Zeit die Mauern umfressen hat, dessen sie sich aber zuletzt bemächtigen konnten und den sie dann in dem Teich an die Kette legten. Alle jedoch, die dann später den Krebs haben sehen wollen, sind in das Wasser gestürzt worden. (243)

Der Spuk im Schloß von Schlodien

Das Schloß von Schlodien, Stammsitz eines Hauptzweiges der Grafen zu Dohna, in dem schönen Oberland gelegen, behauptet unter den Landsitzen Ostpreußens eine der ersten Stellen. In seinem Innern aber soll es umgehen. Es hat dort nämlich einst eine aus jenem Geschlecht gewohnt, die von solcher Habsucht besessen war, daß sie noch auf dem Totenbett ihren Mann wegen des Testaments beunruhigte. Zur Strafe dafür hat sie selbst keine Ruhe im Grab. In dem Zimmer, wo der Ehemann starb und wo sich noch das große Doppelbett befindet, das die Eheleute benutzt haben, zeigt sie sich insbesondere nächtlich; und wenn man sie auch nicht sieht, so hört man doch das Rauschen ihrer schwerseidenen Gewänder. Wenn die Gräfin aber umgegangen ist, so folgt bald darauf ein Todesfall in der Familie. (244)

Der belauschte Geizhals

Ein Handwerker kam mal zu einem alten Mann, der eigentlich ein Geizhals war, und bat um Nachtquartier; nach einigem Besinnen erlaubte ihm der Mann, sich in den Pferdestall da oben auf'n Schoppen hinzulegen. In

Schloß Schönberg. Stahlstich aus dem Dresdener Hof-Kalender 1850

der Nacht hörte der Handwerksbursche solch Geklapper, und darum sah er ganz heimlich von oben runter in den Stall. Da sah er den alten Mann, wie der gerade zwei Bohlen aufhob und dann in ein großes Loch einen Topf mit Geld stellte. Und dann hörte er, wie der Geizhals das Geld dem Bösen übergab, und wie abgemacht wurde, daß das Geld nur dann zu lösen wäre, wenn das Blut von Zwillingsbrüdern darüber vergossen würde. Am anderen Morgen ging der Handwerksbursche weg, nachdem er noch ein kleines Almosen erbeten hatte.

Nach zwei Jahren kam er wieder an diese Stelle. Er fand nur den Sohn des Geizhalses da, der alte Mann war gestorben. Aber dem Sohn ging es schlecht; das ganze Gehöft war abgebrannt. »Ach Gott«, sagte er zu dem Handwerker, »mir geht's erbärmlich!« – »Na, Ihr habt doch so viel Geld geerbt!« – »Nein, keinen Pfennig!« Da fiel dem Handwerker alles wieder ein, was er damals erlebt hatte und er sagte: »Wißt Ihr die Stelle, wo der alte Pferdestall gestanden hat?« – »O ja.« – »Und wißt Ihr, ob irgendwo Zwillingsbrüder im Dorf geboren sind? Die Ziegen bekommen ja meist Zwillinge; und am Ende könnte Euch geholfen werden. Hört doch rasch nach!« – Richtig: im Dorf hatte eine Ziege gerade Junge bekommen. Die

247

wurden nun sofort hierher geschleppt und an die Stelle geführt, wo der alte Pferdestall gestanden hatte. Da wurde ihnen in den Hals geschnitten, so daß das Blut nur so herumspritzte. Und nun suchte man nach. Wahrhaftig, da kam alles Geld zum Vorschein, das der Geizhals verscharrt hatte. (245)

Die Belagerung von Preußisch-Holland

In dem Krieg zwischen Hochmeister Albrecht und den Polen belagerten die Polen das Städtchen Preußisch-Holland; aber obwohl sie mit achttausend Mann davorlagen und in der Stadt wenig Volk war, so mußten sie doch, nachdem sie zweitausend Mann verloren hatten, mit Schimpf wieder abziehen. Die Gefangenen bekannten, daß sie beim Sturm den heiligen Georg auf den Mauern gesehen, deshalb hätten sie weichen müssen. Daß himmlischer Schutz über der Stadt waltete, zeigte sich auch, als eine aus einer Notschlange (Geschütz) geschossene Kugel in eine Wiege zwischen zwei Kinder fiel, ohne diesen den mindesten Schaden zuzufügen. (246)

Das Feuerausreiten

In Liebstadt wird davon folgendes erzählt: Als vor nun fünfundsiebzig Jahren im Dorf Polkehnen ein Insthaus brannte, und der Wind von Süden kommend die Flammen ins Dorf trieb und große Gefahr für den Bestand des Dorfes war, da ritt der damalige Gutsbesitzer Wimcker von Carneyen in der höchsten Not dreimal um das brennende Gebäude, seinen Spruch (unbekannt) murmelnd; und dann sprengte er so schnell wie möglich der nahen Dorfgrenze nach Süden zu, dabei den Wind, nun von Norden nach Süden wehend, mitreißend und damit das Flammenmeer von den bedrohten Gehöften wegziehend. Das Dorf war gerettet. Das Feuerreiten, eine seltene Gabe einzelner, war ein gefährliches Beginnen, denn holte der Wind oder das Feuer den Reiter ein, oder stürzte er, so war er des Todes. War aber die Dorfgrenze glücklich erreicht, so war die Gefahr für Dorf und Reiter vorüber. – Tatsächlich soll damals augenblicklich die Windrichtung sich von Süd-Nord nach Nord-Süd geändert haben. (247)

Eine Fahrt durch die Luft

Man weiß nicht mehr den Namen, aber man erzählt sich noch immer von jenem Herrn, der durch die Luft fahren konnte. Einmal ist er so gefahren, und da hat das Fuhrzeug einen Ruck bekommen. »Gnäd'ger Herr«, hat der Kutscher gesagt, »ich werd runtersteigen. Meine Peitsche ist an etwas haken geblieben.« – »Nein, du steigst nicht runter!« hat der Herr gesagt; »du bleibst sitzen und läßt die Peitsche hängen, wo sie hängt!« Als sie nach einer Weile wieder auf der Erde gefahren sind, hat der Herr gesagt: »Nun halt mal still und sieh dich um, wo deine Peitsche hängt!« Da hat der Kutscher stillgehalten und sich umgesehen, und da hat die Peitsche oben an der Spitze vom Kirchturm gehangen. »Na«, hat der Herr gesagt, »was meinst du wohl? Nicht wahr, das wär was Schönes gewesen, wenn du da abgestiegen wärst!« Da hat sich der Kutscher sehr gewundert. (248)

Den Toten abbringen

Nach dem Begräbnisschmaus wird der Tote abgebracht. Einige Personen nehmen das Tischtuch und gehen damit eine Strecke Weges; sie ermahnen den Toten zur Ruhe und mögen nun mit der Überzeugung heimkehren, daß jener sie nicht weiter beunruhigen wird. Nach dem Begräbnis eines kleinen Mädchens sagte die Großmutter: »Die Tochter und ich brachten das Engelchen ab. Wir beteten und baten das Kind, es möcht nun heimgehn und bleiben, wo's ihm bestimmt ist. Wir gingen 'n ganzes End' Weg und dann kehrten wir um. Ich sagte der Tochter, sie soll nicht so viel weinen! Das Kind ist in seine Ruh gegangen; aber wenn sie so viel weint, kann's doch nicht zur Ruh kommen.« (249)

Fürsorge für die Toten

In der Neujahrsnacht heizt man den Kachelofen gut ein und bestreut die Ofenbank mit feinem Sand. Kommen nun die Geister der Verstorbenen, um sich zu wärmen, so kann man am nächsten Morgen an den Eindrücken im Sand sehen, ob sie da gesessen haben. Im Dorf Klopehnen ist es noch heute Sitte, wenn eine Leiche aus dem Dorf zum Kirchhof nach Liebstadt gefahren wird, an der Dorfgrenze an der dort stehenden hohlen Weide etwas Stroh vom Leichenwagen hinzuwerfen, damit der Geist des Toten sich dort ausruhen kann, sobald er vorbeikommt. (250)

Das Licht in der Kirche zu Jäskendorf

Jäskendorf, im Oberland an einem meist von waldbedeckten Höhen umgebenen See schön gelegen, ist der Sitz eines Zweiges der gräflichen Familie von Finckenstein. Wenn in dieser Familie ein Todesfall bevorsteht, so wird das immer dadurch vorher angekündigt, daß sich auf dem Altar der dortigen Kirche eine Kerze von selbst anzündet. So sah der Pfarrer noch vor wenigen Jahren, als er an einem Wintermorgen vor Tagesanbruch aufstand, von seiner der Kirche gegenüberliegenden Wohnung aus, daß diese erleuchtet sei. Da er einen Einbruch vermutete, schickte er sogleich den Küster hinüber. Dieser fand jedoch niemanden in der Kirche, wohl aber ein Licht auf dem Altar brennen, was um so wunderbarer schien, als die Tür verschlossen und tags zuvor kein Gottesdienst gewesen war. Bald darauf kam die Nachricht, daß die Schwester des Besitzers in Königsberg verstorben sei. (251)

Die Kirche in Saalfeld

In der Saalfelder Kirche spukt's, besonders beim Altar. Das geht nun schon seit Urgedenken so, und die Leute sagen, es ist nichts Gutes dahinter. Möglich ist es schon, daß es von den Gräbern herkommt, die da drunter sind. Früher soll es ganz erbärmlich gewesen sein und sich bis in das Pfarrhaus gezogen haben. Manchmal sollen die Leuchter und Becher und was sonst noch umfallen konnte, übereinandergestürzt sein; der Küster soll sich recht gewundert haben. Am liebsten ist es in der Nacht losgegangen. Aber es ist kein Wunder; alte Kirchen sind im allgemeinen schlimm, und die Saalfelder Kirche muß sehr alt sein. Die Leute sagen, sie hätte früher in Kuppen gestanden und sei dann nach Saalfeld gebracht worden. Wie lange es her ist, als sie noch in Kuppen stand, ist nicht auszurechnen; viele meinen, sie hätte von Anbeginn der Welt dort gestanden; aber weiß der liebe Gott, ob's wahr ist! (252)

Der Michelsberg

Auch am Michelsberg bei Saalfeld spukt's; das ist nicht abzureden. Wer's nicht glauben will, der kann die Leute danach fragen. Mancher Fuhrmann

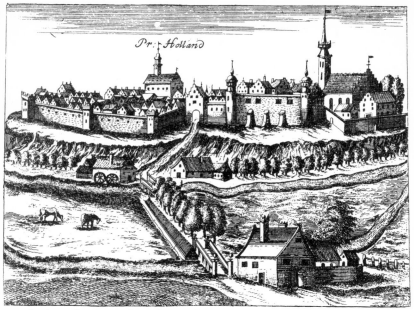

Preußisch-Holland. Kupferstich aus Christoph Hartknoch, Alt- und Neues Preussen. Frankfurt/Leipzig 1684

hat nur mit Mühe dort vorüberkommen können, denn vor den Pferden hat es so angegeben und den Weg versperrt, daß die Tiere vor Angst geschnarcht haben, und wenn der Fuhrmann hingesehen hat, hat es geschienen, als ob ein Bund Erbsenstroh dicht vor den Pferden gekullert wurde. Das kommt gewiß von denen, die dort gerichtet sind. (253)

Der unterirdische Gang

Von Preußisch-Mark führt ein unterirdischer Gang nach Saalfeld. Er fängt beim alten Turm (der einstigen Ordensburg) in Preußisch-Mark an. Mancher soll probiert haben, wie er in den Gang kommen könne; aber es ist ihm nicht geglückt. Vom Schloß ist nicht mehr viel zu sehen; wenn es nicht in den Freiheitskriegen zerstört ist, dann mag das ja wohl schon in den Schwedenkriegen geschehen sein. Es ist bald kein Stein auf dem anderen geblieben. Und nun ist der Anfang vom unterirdischen Gang nicht mehr zu finden. (254)

Die Untererdchen, die Mehl stehlen

Da war mal ein recht wohlhabender Mann, dessen Wirtschaft sichtbar vorwärts kam; alles geriet und war in Ordnung. Nur wenn der Mann Mehl von der Mühle holte und es zu Hause nochmals nachmaß, dann mußte er sich immer so ärgern, denn es fehlte immer ein ganzes großes Maß. Einmal, als er so'n bißchen angetrunken von der Mühle kam, setzte er den Sack Mehl in die Stube und warf sich aufs Bett. Es dauerte nicht lange, so kam es unter dem Ofen hervor: lauter kleine Leutchen, lauter Untererdchen. Der Mann sah es ganz deutlich; er tat aber so, als ob er schlief, und schnarchte, was er konnte. Da sah er, wie die Leutchen sich Mehl einsackten und den großen Sack nachher wieder fest zubanden. Und dann huschten sie wieder unter dem Ofen in die Erde. Jetzt wußte der Mann Bescheid. Weil er aber den Untererdchen den Willen tat (sie gewähren ließ), gedieh seine Wirtschaft auch weiterhin ganz wunderschön. (255)

Das Feuer in Liebwalde

Man hört wohl vom Feuerbesprechen, aber nicht jeder glaubt daran. Daß es wirklich sein kann, hat man vor langen Zeiten in Liebwalde gesehen. Es entstand dort ein großes Feuer, und gerade bei solchem Wind, daß das ganze Dorf in Gefahr kam. Da trat der Pfarrer aus der Kirche und ging dreimal um das Feuer, während er dazu heilige Wörter sprach, nämlich Sprüche, die er an das Feuer richtete. Sofort sprang der Wind um, und das Dorf war gerettet. (256)

Die Franzosen in Liebwalde

Vor 1813 kamen die Franzosen auch nach Liebwalde, ehe sie nach Rußland gingen. Mein Gott, sind die übermütig gewesen! Solch schwarzes Brot – sagten sie – äßen sie nicht. Sie nahmen das Brot und pflasterten da-

mit den Weg. Aber die Strafe hat sie auch ereilt. Als sie von Rußland zu-
rückkamen, aßen sie mit Appetit gesäuerte Bohnen, und sie schmeckten
ihnen wie Gold. Hier und da ist ein Franzosenberg; da sind die Franzosen
begraben. Gott hat sie gestraft. Die Leute erzählen sich, wie die Franzosen
morgens dagestanden hätten, als wollten sie exerzieren; aber sie waren er-
froren. Sie standen ganz steif da und waren tot. Dann hat man sie auf Lei-
terwagen gepackt und in einer Kaul' (Grube) zusammen begraben und
Kalk darübergestreut. Solche Stelle heißt seitdem Franzosenberg. (257)

Das versteinerte Mädchen

Bei Schliewe, an der Grenze von Schnellwalde, liegt vorm Wald in einer
Wiese ein Stein; und das ist ein verwunschener. Freilich jetzt lohnt's nicht
mehr, ihn zu besehen; er ist ganz mit Moos bewachsen. Aber früher hat
man ganz deutlich darauf einen Paartopf und eine Pflinzenpfanne erkennen können; und das soll daher gekommen sein, daß ein Knecht eine Kö-
chin verwünscht hat. Es muß so an der Wahrheit sein; denn als mal vor
Jahren der Stein gesprengt werden sollte, hat die Arbeit nicht ausgeführt
werden können: aus dem Stein ist Blut hervorgequollen. (258)

Die schwarze Dame von Groß-Arnsdorf

Ein Mann aus Barten, der damals noch ein Stückchen Eigentum da hatte,
jagte eines Abends heimlich seine Pferde über die Genze nach Groß-
Arnsdorf, damit sie sich dort sattfressen konnten; er selber stellte sich
unter einen Baum, damit ihn der Tau nicht so befiel. Da sah er plötzlich
eine schwarze Dame vor sich stehen, die hielt ihm einen von ihren
Zeigefingern vor den Mund und sagte immer: »Beiß! beiß!« Vor Angst biß
der Mann auch wirklich in den Finger. Da bemerkte er, wie der Finger,
der auch ganz schwarz gewesen war, nun ein Endchen weiß wurde. Die
Dame sagte ihm, sie sei verwünscht und bat ihn, sich drei Abende
hintereinander hier einzustellen; dann könnt er sie erlösen, und sie würde
ihn gut belohnen. Am zweiten Abend wurde der Finger wieder ein Ende
mehr weiß. Und am dritten Abend war der ganze Finger weiß und die
Dame erlöst. Sie muß dem Mann ungeheuer viel Geld gegeben haben,
denn er zog nun nach der Niederung und kaufte sich ein schönes
Gut. (259)

Der Alf bei Venedien

Bei Venedien hat sich früher ein Alf herumgetrieben; ganz alte Leute können sich noch erinnern, daß ihnen das in der Jugend schon erzählt worden ist. Da ist mal ein Mann bei Regenwetter in den Vened'schen Wald gegangen. Es ist beinahe dunkel gewesen, und der Regen hat gar nicht aufhören wollen. Plötzlich hat der Mann auf einem Stobben solchen griesen Vogel sitzen gesehn. Mein Gott! der Vogel hat ihn so erbärmlich angesehn. Na, denn komm! hat der Mann gedacht und hat ihn mit nach Hause genommen. »Was bringst du da für'n Vogel an?« hat ihn seine Frau gefragt. Und da hat der Mann ihr alles erzählt. Das war nun ganz schön, und mein Vogel blieb in der Stube. Am andern Morgen liegt 'ne Metze Weizen da. Aber wo kam doch der Weizen her? »Hör mal«, sagt die Frau, »das ist mir doch sehr verwunderlich!« Der Mann meinte, am Ende hätte der Vogel den Weizen herbeigeschafft. »Erbarm dich!« rief die Frau. »Nimm auf der Stell' den Vogel und trag ihn hin, wo du ihn gefunden hast!« Das tat der Mann auch. Aber als er den Vogel wieder auf den Stobben setzte, kratzte ihm das Tier so übers Gesicht, daß die Stücke nur so runterhingen. Das war gewiß deshalb, weil der Alf so gern in jenem Haus geblieben wäre. (260)

Die Fußspuren Gottes

Früher wanderte der liebe Gott öfters über die Erde; das sieht man noch ganz deutlich an den Fußspuren, die hier und da auf den Steinen sind; der liebe Gott wollte den Menschen ein Zeichen zum Andenken geben. Die Steine, die damals noch wuchsen, waren ganz weich und behielten von da an den Abdruck, ob sich Moos darüberzog oder nicht. So ist es auch bei Bärting gewesen. Es leben noch Leute, die als Kinder unter dem großmächtigen Stein gespielt haben, der so schräg auf einem Bauerngrundstück stand und so groß war wie ein Paar Schränke zusammen. Auf dem Stein waren deutlich Gottes Fußspuren zu sehen. Nachher wurde der Stein gesprengt und hier und da verstreut. Einmal hat man darunter einen alten, griesen Topf mit Asche gefunden; sie sagten, der stamme noch von der Heidenzeit her. (261)

Masuren

Der Topich

Der Wassergeist, der in manchen der masurischen Seen sein Wesen treibt, ist ein kleines Männchen, etwa in der Größe eines sechsjährigen Kindes. Wassertriefende Haare hängen von seinem Kopf herab. Mitunter ist er in einen feuerroten Anzug gekleidet. Da er durch sein Äußeres keinen Menschen anlocken kann, muß er andere Lockmittel anwenden. Kleidungsstücke, die der Menschen Besitzlust erregen, legt er am Ufer aus oder hängt sie an Bäume, die in der Nähe des Wassers stehen. Wehe aber dem, der danach greift! Der »Topich«, wie man in Masuren diesen Wassergeist nennt, zieht ihn in demselben Augenblick in die Tiefe hinab.

Manchen Menschen soll es bereits von der Geburt an bestimmt sein, ob sie ein Opfer des Topich werden. Drum zieht es sie auch in der Stunde, da sich ihre Zeit erfüllt hat, unwiderstehlich zum Wasser. Und mag man sie auch auf alle Art zurückzuhalten versuchen, ist es vergeblich. Die Macht in ihnen ist stärker als sämtlicher Menschen Bemühen, sie vom heimtückischen Wasser zu entfernen. Es ist nach der masurischen Volksmeinung gänzlich zwecklos, sich um die Rettung eines, der dem Wassergeist zum Opfer bestimmt ist, zu bemühen. Und mag man einen solchen Ertrinkenden auch schon wieder dem nassen Element fast entzogen, mag er selbst sich unter dem Eis hervorgearbeitet haben, im letzten Augenblick reißt ihn der Topich doch hinunter.

Manchmal aber hört man es aus dem Wasser weinen, klagen und jammern, wohl auch schrill lachen und schreien. Das ist dann der Topich, der auf sein Opfer wartet und sich bemerkbar machen will. Ob er meint, auf diese Weise sein Opfer herbeizulocken, oder ob er fürchtet, keins zu bekommen, kann man nicht wissen. Aber nur die hören ihn, die ihm nicht verfallen sind. Andere wiederum behaupten, daß gerade seine Opfer eine süße, lockende Stimme vernehmen, der sie um jeden Preis folgen müssen.

Es ist auch nicht ausgemacht, daß die dem Wassergeist Bestimmten unbedingt im See ertrinken müssen. Es genügt schon eine Pfütze, ja selbst ein Glas Wasser oder eine andere trinkbare Flüssigkeit, um als Opfer des Wassergeistes sein Ende zu finden. Eine alte Geschichte weiß davon zu erzählen. Da wollte ein Herr seinen Kutscher, der dem Topich verfallen war, mit Gewalt daran hindern, mit dem Wasser des Sees, an dem sie in dunkler Nacht vorüberfuhren, seinen Durst zu stillen. Schon glaubte er ihn gerettet und der Macht des Wassergeistes entrissen zu haben. Im nächsten Dorf aber wollte der Kutscher seinen Durst mit einem Glas Bier löschen. Kaum hatte er es getrunken, als er tot zu Boden fiel. Der Topich ließ sich nicht um sein Opfer bringen. (262)

Die Kornmutter

Im Getreidefeld soll die Kornmutter sitzen; sie lockt die Kinder, die Kornblumen suchen gehen, immer weiter ins Feld, um sie dann zu ergreifen und fortzuschleppen. In Masuren wird sie Babainsa genannt. (263)

Hexen in der Johannisnacht

In Südostpreußen glauben die Leute noch, daß die Hexen besonders in der Johannisnacht in die Ställe gehen und das Vieh behexen. Die Leute machen dagegen mit Kohle oder Kreide drei Kreuze an die Tür, ein großes und zwei kleine. An solchen Türen gehen die Hexen vorüber. (264)

Der Spruch der Prophetin

Das Land der Galinder war viele Jahre lang wüst und ohne Bewohner, obgleich es früher sehr volkreich gewesen ist. Dies trug sich folgendermaßen zu: Zur Zeit als die ersten Christen nach Preußen kamen, war das Galinder-Land so bevölkert, daß es den Einwohnern darin endlich zu eng wurde, deshalb befahlen die Vornehmsten im Land den Wehmüttern, alle Mädchen, die zur Welt kämen, umzubringen. Die Wehmütter konnten das aber nicht übers Herz bringen; da ließen die Vornehmen den Frauen die Brüste abschneiden, damit sie nicht säugen konnten; darüber entstand großes Wehklagen unter den Frauen. Sie gingen also zur Wahrsagerin, welche im Land lebte, und berieten sich mit ihr, wie sie sich an den Männern rächen könnten. Die Wahrsagerin beschickte darauf die Vornehmsten im Land und sagte zu ihnen: der Götter Wille sei es, daß sie in das Land der neuen Christen einfallen und diese berauben sollten; sie sollten aber keine Waffen mitnehmen.

Dem Spruch der Prophetin gehorchten die Heiden, und jung und alt stand auf, und alle fielen nachts in das Land Masuren ein, in dem die Christen wohnten. Sie machten viele Leute zu Gefangenen und traten dann den Rückweg an. Einer der Gefangenen entlief aber, kehrte zurück zu den Seinen und zeigte ihnen an, daß die Galinder ohne alle Waffen seien. Da brachen die Christen in Masuren eiligst auf, überfielen die Räuber und erschlugen sie sämtlich. Als dieses ihre Nachbarn, die Sudauer, hörten, fielen sie in das Land der Galinder, in welchem sie jetzt keinen Widerstand fanden, und trieben Weiber, Mägde, jung und alt, fort. So wurde das Land leer und wüst, wie es noch hundert Jahre nach Ankunft des Deutschen Ordens war. (265)

Herr Wolfgang Sauer

Zu der Zeit, als fast das ganze Land den Orden von seinen Schlössern verjagt hatte, hatten die Rastenburger auf dem Schloß dort noch ihren Gebietiger, Herr Wolfgang Sauer genannt. Dieser fürchtete sich vor den Bürgern und baute daher hinten in der Mauer des Schlosses ein besonderes Tor und von da eine Brücke über den Graben, so daß er nicht durch das Stadttor ein- und auszuziehen brauchte. Auf diesem Weg nahm er auch heimlich viel Volk ins Schloß. Allein die Bürger waren ihm doch zu stark, überfielen ihn und nahmen ihn mit den Seinen gefangen. Darauf schrieben sie nach Königsberg um Rat, und erhielten diese Antwort: Vor den Anschlägen des Ordens sollten sie sich künftig vorsehen; was aber Herrn Sauer anbelange, so würden sie ohne Zweifel es so machen, daß aufs Frühjahr die Vögel etwas zu essen bekämen.

Daraufhin führten sie Herrn Sauer durch sein neugebautes Tor auf das Eis, in welches sie eine große Wuhne (Loch) gehauen hatten, und befahlen ihm, sich hineinzustürzen, weil er sterben müsse. Er aber verweigerte dies, und wie ihn nun niemand anfassen wollte, voll Furcht, daß es ihnen und ihren Kindern zum Nachteil gereiche, da ermannten sich endlich die Schuster, welche das vornehmste Handwerk in der Stadt waren. Sie legten nämlich einen Wiesebaum mitten über die Wuhne und sagten zum Herrn Sauer, wenn er über die Wuhne springen werde, sollte er sein Leben damit gerettet haben.

Rastenburg. Kupferstich aus Christoph Hartknoch, Alt- und Neues Preussen. Frankfurt/Leipzig 1684

Darauf hat Herr Wolfgang Sauer einen Anlauf genommen und den Sprung gewagt; weil aber die Wuhne zu breit war, so sprang er mit dem einen Fuß auf den Wiesebaum, der in deren Mitte lag, in der Absicht, mit dem anderen Fuß vollends hinüberzuspringen. Doch im selben Augenblick stieß ein Schuster mit dem Fuß den Wiesebaum fort auf dem glatten Eis, so daß der Herr Sauer rücklings in die Wuhne fiel und ertrank. Im Zurückfallen fiel ihm auch sein Hut ab, den nahm der Bürgermeister, der auch ein Schuster war, und setzte ihn auf.

Das Tor in der Mauer ließen sie darauf zumauern. Allein dieser Verrat der Schuster trug ihnen schlechte Früchte, denn es sah bald jedermann mit Verachtung auf sie, und es konnte von der Zeit an kein Schuster zu Rastenburg wieder in den Rat genommen werden; das dauerte bis in die Zeiten des Irrlehrers Osiander, da kauften sie sich mit Geld wieder ein. (266)

Der Name von Rastenburg

Das Schloß und die Stadt Rastenburg sollen 1329 gebaut worden sein und den Namen daher haben: wenn der Deutsche Orden ferne gestritten und müde geworden, er daheim eine Burg gebaut hat, darauf sie sich ausgeruht und gerastet haben. (267)

Wie die Sensburger den Rastenburgern zu Hilfe kamen

Die Stadt Sensburg hieß früher Segensburg und hat ihren Namen unzweideutig von dem Segen, welchen der Mensch allen seinen Unternehmungen wünscht. Außerdem wird aber folgendes werzählt:
Ein gewaltiger Bär machte die Gegend um Rastenburg unsicher. Die Bürger der Stadt, von der wir hier reden (die also wohl damals noch keinen, oder doch einen anderen Namen gehabt haben muß), zogen mit *Sensen* bewaffnet den Rastenburgern zu Hilfe und hieben in mannhaftem Kampf dem Untier eine Tatze ab, die dem zu ewiger Urkunde im hiesigen Stadtwappen – eine schwarze Bärentatze in weißem Feld mit der Jahreszahl 1348 – abgebildet ist. Die Rastenburger wurden dann mit dem Tier vollends fertig und haben den Rumpf mit abgehauener Tatze im Wappen. (268)

Die Burg am Salent-See

An der schmalsten Stelle des zwischen Seehesten und Weißenburg gelegenen Salent-Sees erhebt sich ein Hügel und auf diesem noch die Überreste eines alten Wallringes. Dort soll ein Schatz vergraben sein. Ein Bauer aus dem nahen dicht am See gelegenen Pfaffendorf erfuhr die Mittel zu dessen Hebung, erhielt aber zugleich die dringende Warnung, ja nicht zu lachen, was ihm auch unterwegs passiere; es würde ihn sonst schweres Unheil treffen.
Mein Bäuerlein hebt den Schatz, bringt ihn in seinen Kahn und rudert wohlgemut nach Hause, unbekümmert um all die Männchen und Kapriolen, die ihm vom Ufer aus gemacht werden, um ihn zum Lachen zu reizen.

Plötzlich aber erscheint der Teufel selbst, ganz mit den ängstlichen Gebärden und den haspelnden Bewegungen, wie sie mit großem Unrecht den Schneidergesellen nachgesagt werden, auf einem Ziegenbock reitend. Das war dem Bauer doch zu komisch; er lachte aus vollem Hals, und – im Nu schlug der Kahn um und Schatz und Schatzgräber sanken in die Tiefe. (269)

Die beschlagene Krügerin

Zu Schwarzenstein, eine halbe Meile von Rastenburg, hängen zwei große Hufeisen in der Kirche, wovon erzählt wird: Es war dort eine Krügerin (Bierwirtin), die den Leuten das Bier sehr übel zumaß, die soll der Teufel des Nachts vor die Schmiede geritten haben. Ungestüm weckte er den Schmied auf und rief: »Meister, beschlag mir mein Pferd!« Der Schmied war nun gerade der Bierschenkin Gevatter, daher, als er sich über sie hermachte, raunte sie ihm heimlich zu: »Gevatter, seid doch nicht so rasch!« Der Schmied, der sie für ein Pferd angesehen, erschrak heftig, als er diese Stimme hörte, die ihm bekannt deuchte und geriet aus Furcht ins Zittern. Dadurch verschob sich der Beschlag und der Hahn krähte. Der Teufel mußte zwar Reißaus nehmen, allein die Krügerin ist lange nachher krank gewesen. Sollte der Teufel alle Bierschenken, die da knapp messen, beschlagen lassen, würde das Eisen gar teuer werden. (270)

Der Teufelsberg in der Borkener Heide

In der Heide Borken, Kirchspiel Knopken, Kreis Angerburg, nicht weit von dem großen Gut Lekuk, wird ein Berg »Teufelsberg« genannt. Auf diesem Berg soll ein Wirt gewohnt haben, der sehr arm war. Seine Gebäude waren so schlecht, daß sie schon zusammenfielen; kein Mensch wollte ihm helfen, und er konnte aus eigenem Vermögen nichts bauen. In dieser Not rief er in der zwölften Stunde der Nacht den Teufel und bat ihn um Hilfe. Der Teufel fand sich infolgedessen auch mit einem Menschen- und einem Pferdefuß ein und verlangte für seine Hilfe von ihm die Seele. Der Wirt wollte ihm auch seine Seele geben, wenn er es übernähme, ihm dafür seinen Scheffel voll Geld zu geben. Sollte aber der Teufel den

Scheffel des Wirtes nicht vollfüllen, dann brauchte der Wirt dem Teufel seine Seele nicht zu geben. Da stellte nun der Wirt, erfreut, daß er aus der Not komme, seinen Scheffel ohne Boden über eine große Kartoffelkaule, in welche der Teufel, der davon nichts wußte, mit Eifer Geld hineinschüttete, ohne sie doch füllen zu können. Der Wirt, der den Teufel so betrog, gewann durch seine Schlauheit viel Geld, kam aus seiner Not heraus und behielt seine Seele. (271)

Angerburg. Kupferstich aus Christoph Hartknoch, Alt- und Neues Preussen. Frankfurt/Leipzig 1684

Der Konoppkenberg

Bei Angerburg liegt der Konoppkenberg. Er ist etwa 119 Meter hoch. Auf dem Berg wohnte ein Teufel. Einmal hatte er mit seiner Großmutter einen Streit. Er dachte nach, wie er sie wohl loswerden könnte.

Da kam ihm ein guter Gedanke. Er sagte: »Komm, ich werde dich nach Hause bringen!« Er holte den Schlitten und sprach: »Setz dich hinein, ich werde dich den Berg hinunterziehen!« Sie setzte sich hinein, und er spannte sich vor und fuhr mit tollem Sausen den Berg hinunter. Auf der Mitte kippte der Schlitten um, und die Großmutter brach sich das Genick. Wenn die Leute da vorbeigehen, sagen sie: »Hier ist des Teufels Großmutter verunglückt!« (272)

Schreckliche Bestrafung

In Kehl, einem Dorf am Mauersee, hat sich der Teufel im Jahr 1564 gar schrecklich bewiesen. Vier Personen, die schon vorher in verdächtigem Umgang miteinander gelebt hatten, begaben sich am Tag der unschuldigen Kindlein (28. Dezember), von Branntwein berauscht, in ein kleines aus Holz erbautes Häuschen und schlossen sich von innen ein, um dort ihre Unzucht zu treiben.

Aber der Teufel hat nicht lange auf sich warten lassen; er ist plötzlich unter ihnen gewesen und hat erstlich dem einen Paar, Paul und Gertrud geheißen, die Hälse ab- und umgedreht. Als die anderen, Rosa und Benedikt das gesehen, wollte Benedikt zur Tür hinaus, aber der Teufel hat ihn zurückgegriffen, daß die Haut von seiner Hand an dem Türschloß kleben blieb, und auch ihm »den Hals entzweigebrochen«. Der Rosa hat er nicht bloß den Hals entzweigebrochen, sondern ihr auch den ganzen Leib von den Beinen bis zur Brust verbrannt, daß von Fleisch und Eingeweiden nichts übrigblieb; »das Fett von ihr (denn sie ist eine füllige Magd gewesen) ist in die Erde geflossen, daß man, da man doch knietief gegraben, gleichwohl das Ende vom Fetten noch nicht hat finden können; hat so grausam gestunken, daß nicht davon zu sagen ist«.

Man wußte mehrere Tage nicht, wo die vier Personen geblieben waren, obwohl die Menge und das Geschrei der Raben und Krähen bei dem Häuschen allerlei Vermutungen erweckten. Den Sonntag darauf (Donnerstag war das Unglück geschehen) wollten die Brüder der beiden Mägde von dem Bier trinken, das in dem Häuschen aufbewahrt wurde, und brachen es, nachdem sie den Schlüssel lange vergeblich gesucht, endlich gewaltsam auf. Da sahen sie die vier in jämmerlichem Zustand vor sich liegen. Heftiges Grauen kam sie an, und voll Furcht und Zittern liefen sie davon. Der Teufel warf ihnen mit einer Paudel nach, traf aber keinen von ihnen; sondern über ihnen hinweg den Zaun. Später wurden die Körper nach einem Bruch geschleppt und da vergraben.

Es kamen aber seitdem viele Fremde dorthin, den Ort zu besehen. Das verdroß die Bauern, und sie versuchten das Häuschen hinwegzubringen, indem sie es unten losmachten und große Bäume unterlegten, aber sie konnten es durchaus nicht bewegen, und es kam eine solche Furcht über sie, daß sie die Bäume liegenließen und davongingen. (273)

Die Ferkelmacher

Die Bewohner der Stadt Goldap haben vor langer Zeit den Spottnamen Ferkelmacher durch einen liederlichen Maler erhalten, mit dem verabredet war, das Stadtwappen am Rathaus zu malen, der aber eine Sau mit Ferkeln in Ölfarbe und darüber mit Wasserfarbe auch noch das ordentliche Stadtwappen gemacht hat, welches aber die nasse Witterung nachher abspülte, so daß nur das in Ölfarbe gemalte zu sehen war, worüber dann dem Maler ein großer Prozeß gemacht wurde. (274)

Die Wispe kocht Bohnen

Der Wispenberg, auch kurz Wispe genannt, nahe Collnischken im Kreis Goldap, bietet von seiner bewaldeten Höhe einen herrlichen Rundblick über den Schillinner See und die Rominter Heide bis weit nach Polen hinein. Der Wispenberg ist ein Wetterprophet. Die dicken Nebelschwaden, die oft von der bewaldeten Kuppe aufsteigen, bedeuten Wetterumschlag, meistens Sturm und Regen.

»Die Wispe kocht Bohnen«, sagen die Leute dann, »paßt auf, nun wird der Teufel bald im Sturm dahergesaust kommen!«

Auf der Wispe ist seit alten Zeiten eine Flachskaule (Grube). Wenn sie auch heute ihrem eigentlichen Zweck nicht mehr dient, so bot das tiefe, versteckte Loch doch manchem Unterschlupf, der das Tageslicht scheute. Im Sommer 1914 haben mehrere Anwohner hier Schutz gefunden vor den anziehenden Russen und wurden dadurch vor dem Verschlepptwerden nach Sibirien bewahrt.

Früher wurde die Flachskaule eifrig benutzt; die meisten der Umwohnenden dörrten dort ihren Flachs. Das war ein fröhliches Treiben, wenn hier Flachs gebrakt wurde.

Nur eine alte Frau fand keine Hilfe bei ihrer Arbeit und suchte auch keine, sie war so zänkisch, daß sie mit niemand auch nur fünf Minuten zusammen sein konnte. Der Teufel sah mit Wohlgefallen auf das altes Weib und dachte: Das wäre eine Frau für mich.

Als sie nun eines Abends wieder mal allein in der Flachskaule arbeitete, gesellte er sich zu ihr, wünschte ihr guten Abend und fragte, ob sie seine Frau werden wolle. Sie sollte es gut haben bei ihm; sie dürfe alle Leute, welche sie einmal geärgert haben, selber im Fegefeuer braten und fluchen soviel sie wolle. Die Alte erschrak nun aber doch und sagte, sie möchte sich's noch überlegen; im Herbst, wenn alle Blätter von den Bäumen gefallen wären, sollte er sich Antwort holen. Der Teufel war damit einverstanden, und als der Novembersturm alle Blätter abgerissen hatte, kam er wieder angesaust und fuhr geradenwegs in die Flachskaule. »Komm mit, die Zeit ist abgelaufen!« – »Oho, so haben wir nicht gewettet«, schrie die Teufelsbraut, »ich wollte dir erst Antwort geben, wenn alles Laub von den Bäumen ist; das ist aber nicht der Fall, sieh doch!« Sie führte ihn zu den Tannenbäumen, die alle noch ihre grünen Nadeln hatten. Der Teufel stutzte, dann sagte er: »Du magst recht haben, aber du mußt trotzdem mit in die Hölle; meine Großmutter wartet schon lange auf solch eine tüchtige Gehilfin.« – »Gut«, sagte das alte Weib, »morgen kannst du mich holen; vorher möchte ich dir aber noch gern dein Leibgericht kochen; das tut jede Frau, und ich will nicht schlechter sein als andere; sag mir, was ißt du denn am liebsten?« – »Saubohnen«, sagte der Teufel, um doch etwas zu sagen. »Gut, dann komm doch morgen, dann wollen wir zusammen essen und danach miteinander zur Hölle fahren.«

Als der Schwarze abgesaust war, eilte die Frau nach Hause und holte sich ein Maß Saubohnen, suchte unterwegs aber auch alle Kieselsteine auf, die den Bohnen ähnlich sahen. Am anderen Abend sah der Teufel dicken Rauch aus dem Berg aufsteigen, und der Duft von Bohnen und Speck stieg ihm angenehm in die Nase. Seine Braut stand am Kessel und rührte die Suppe. »Sie ist gleich fertig, und die Bohnen sind mir diesmal besonders gut geraten.« Damit schöpfte sie für sich die oben schwimmenden Bohnen ab und ließ dem Teufel die Kieselsteine. Der mühte sich nun vergebens und brach sich dabei einen Zahn ab. Voller Wut warf er den Löffel auf die Erde und wollte die mißratene Suppe seiner Braut ins Gesicht schütten. Die fragte erstaunt: »Sind die Bohnen denn nicht weich genug? Zwischen meinen Zähnen zergehen sie wie Butter.« Dem Teufel gefiel der Gedanke,

Zänkisches Weib vertreibt die Teufel. Einblattdruck 16. Jh.

sie als seine Frau mitzunehmen, nur noch wenig. »Komm morgen wieder«, sagte sie, »bis dahin werden die Bohnen weich sein, eher gehe ich nicht mit dir; ich müßte mich ja vor deiner Großmutter schämen, wenn ich nicht einmal dein Leibgericht kochen könnte.«

Am anderen Abend kam der Teufel wieder, aber die Bohnen waren immer noch nicht weich und sind es heute noch nicht. Die alte Frau hat seitdem keiner wiedergesehen; die einen sagen, der Teufel hat sie doch noch geholt, die anderen meinen, sie sitzt tief unten im Berg und kocht dem Teufel noch immer sein Leibgericht.

Sie hat den Namen des Berges erhalten, und wenn man sagt: »Die Wispe kocht Bohnen«, dann weiß man, daß bald schlecht Wetter kommt, und im Sturmwind der Teufel daherbraust; er hat den Nebel über dem Berg gesehen und will fragen, ob die Bohnen nun endlich weich geworden sind. (275)

Der Teufel und die masurische Bäuerin

Die Kasse des Teufels war einmal sehr zusammengeschmolzen, so daß er daran denken mußte, Geld zu verdienen, um die Seelen habgieriger Menschen fangen zu können. Nun lebte in einem masurischen Dorf eine Bäuerin, die es verstand, Reichtümer zusammmenzuraffen und schon eine Anzahl von Strümpfen, gefüllt mit harten Talern, im Stroh ihrer Bettlade liegen hatte.

Mit der Frau kannst du Geschäfte machen, dachte der Teufel. Er putzte seine Hörner, striegelte seinen Schwanz und begab sich in festlichem Aufzug zu dem Gehöft der reichen Bäuerin. Bald waren sie eins; sie wollten Schweine einkaufen, jeder auf seine Rechnung, und die aufgekaufte Herde dann zusammmen verladen. An der Haltestelle der schweren Frachtwagen, die jeden Monat einmal den weiten Weg nach Königsberg machten, zimmerte der Teufel in einer Nacht einen großen Schweinegarten, in den die von den Bauern gelieferten Schweine hineingetrieben wurden. Als nun die Frachtwagen bei ihrer Durchfahrt dort hielten, mußten die Borstentiere schnell eingeladen werden. Der Teufel packte mit seinen scharfen Krallen ordentlich zu und warf eins nach dem anderen zum Kasten hinein. Doch der Bäuerin waren die Schweine alle zu schwer. Mehr als die Hälfte war bereits verladen, da dachte sie: Ich muß doch wenigstens eins hineinschaffen, sonst beansprucht der Teufel alles für sich. Da ist der sieben Zentner schwere Borg; wenn ich den für mich habe, sind alle meine Unkosten gedeckt.

Und sie hängte sich an das schwere Tier und ließ sich von ihm durch den Schweinegarten schleifen, bis es vollkommen ermattet war; aber die sieben Zentner in den Wagen zu laden, das ging über die Kraft einer Bäuerin. Schließlich erbarmte sich der Teufel und schleppte auch dieses Stück in den Kasten. Als er damit fertig war, sagte er: »So, nun sind die Schweine verladen; aber wie können wir jetzt feststellen, welche ich gekauft und bezahlt habe und welche dir gehören?« – »Oh, nichts leichter als das«, meinte die Bäuerin; »ich habe meine gezeichnet: ich habe allen, die ich gekauft habe, die Schwänze geringelt.«

»Wir wollen zählen«, sagte der Teufel und ging zu den Wagen. Im ersten hatten die Schweine alle Ringelschwänzchen, so auch im zweiten und dritten. Der Teufel war ganz entmutigt. Im letzten Wagen sah er endlich den schweren Borg mit hängendem Schwanz liegen. Erfreut, daß wenigstens ein Schwein ihm gehörte, faßte er es mit seinen Krallen und fuhr mit ihm zur Hölle, da er keine Lust mehr verspürte, mit einer masurischen Bäuerin Geschäfte zu machen. (276)

Der Tartarenberg bei Lyck

Als die Tartaren in Preußen 1656/1657 einfielen und das Land plündernd, mordend und brennend durchzogen, schonten sie die kräftigsten Männer, die ihnen in die Hände fielen, um sie mit sich in die Gefangenschaft zu schleppen. Nach der Eroberung von Lyck wurde eine Schar gefangener Männer gebunden fortgeführt in den nächsten Wald, wo die Tartaren auf einem Berg Rast zu halten und zu nächtigen gedachten. Zuvor aber veranstalteten sie ein Zechgelage und sprachen dem erbeuteten Getränke eifrig zu, bis sie berauscht und erschöpft zu Boden sanken und in tiefen Schlaf fielen. Diesen Augenblick benutzten die treuen Frauen der Gefangenen, schlichen durch das Gebüsch heran, zerschnitten ihren Männern die Bande und befreiten sie so aus der bedrohlichen Lage. Die aber töteten die berauschten Tartaren mit ihren eigenen Schwertern und kehrten mit ihren Frauen von dem Tartarenberg nach Lyck zurück. (277)

Die Teufelsaustreibung

Im Jahr 1640 hat Pfarrer Wisniewski aus einer römisch-katholischen Frau, die vom Teufel besessen war, am zweiten Sonntag nach Trinitatis nach gehaltener Predigt, als die Gemeinde das Lied »Ein feste Burg ist unser Gott« mit großer Andacht gesungen, den Teufel Kobold ausgetrieben, der sie zu allem Bösen angeführt haben soll, daß sie nicht nur sich selbst den Hals abschneiden, sondern auch anderen Menschen das Leben nehmen und sie mit Heuforken und Mistgabeln an die Wand spießen hat wollen. Nach Ausfahrung hat sich der böse Geist auf der Kirchenschwelle in gräulicher Gestalt gezeigt und mit dem Pfarrer gestritten, schließlich hat er aufgehört, die Frau zu quälen, dem Pfarrer aber ein Andenken versprochen. Worauf er rücklings mit seinem krummen Fuß auf einen vor der Kirchtür liegenden Stein einen Schlag getan und dabei einen seiner Fußstapfen so eingedrückt hat, daß die große und drei andere Zehen eines Menschenfußes und die Ferse wie von einem großen Hahnenfuß ganz deutlich zu sehen sind, dann ist der Teufel verschwunden.
Die Kunde von dieser Teufelsaustreibung und dem Abdruck des Teufelsfußes in dem Stein vor der Kirchentür bewog die Feinde bei dem Einfall 1656, diese Kirche nicht zu verbrennen. Bei dem Neubau der Kirche 1754 ist der Stein von seiner bisherigen Stelle vor der Kirchentür entfernt, damit die Schwangeren nicht darüber schreiten sollen. (278)

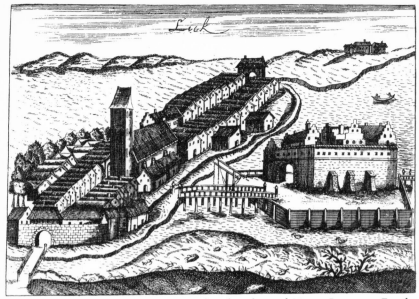

Lyck. Kupferstich aus Christoph Hartknoch, Alt- und Neues Preussen. Frankfurt/Leipzig 1684

Die Schuldigen aus Johannisburg

In Johannisburg starben vor einiger Zeit der Landrat, der Bürgermeister und der Exekutor schnell hintereinander, und gleich darauf schlug das Gewitter in den Laden des Kaufmanns M. Man erzählte nun folgende Geschichte.

Als der Landrat nun vor den ewigen Richter kam, fragte ihn dieser, warum er die Menschen so geplagt hätte, mit schweren Abgaben und auf andere Weise. Der Landrat entschuldigte sich und versicherte, die Schuld liege an dem Bürgermeister. Darauf befahl der ewige Richter seinem Diener: »Geh, und rufe mir den Bürgermeister!« Darauf starb der Bürgermeister und kam in das ewige Gericht. Er wurde verhört, entschuldigte sich und schob die Schuld auf den Exekutor. Da hieß es: »Geh, hole mir den Exekutor!« Der Exekutor starb, kam in das ewige Gericht und wurde verhört.

Auch der Exekutor entschuldigte sich und sagte: »Die ganze Schuld trägt der Kaufmann M.; der hält guten Schnaps; ich bin dann und wann zu ihm hingegangen und habe einige Schnäpse getrunken; wenn ich dann berauscht war, wußte ich nicht, was ich tat.« Da hieß es: »So schlage denn das heilige Donnerwetter in den Laden des Kaufmanns M.«, was auch alsbald geschah.

Einige Zeit danach begegnet ein Mann aus Johannisburg einem Schmied mit einem Kohlenwagen, vor den drei große Pferde gespannt waren. Der Schmied war eben beschäftigt, den Pferden statt Hafer oder Heu Kohlen als Futter vorzuwerfen. Der Johannisburger fragte: »Was macht Ihr da? Fressen denn die Pferde Kohlen?« Der Schmied antwortete: »Die haben es nicht besser verdient! Kennt Ihr sie denn nicht?« Jener erwiderte: »Wie sollte ich sie kennen? Ich habe sie ja noch nie gesehen.« Darauf fuhr der Schmied fort: »Dann will ich Euch sagen, wer diese Pferde sind; eins ist der Landrat, eins der Bürgermeister, das dritte ist der Exekutor H. So geht es ihnen nach dem Tod. Ihr wißt es nun und könnt es jedermann weitererzählen.« Der Schmied war der Teufel. (279)

Eulen vergraben

Michulski war ein strebsamer und fleißiger Mann und hatte ein schönes Stück Geld gespart. Seine Frau, die Michulska, aber war faul und dumm und betrank sich oft, und sie bereitete ihrem Mann viel Ärger. Eines Tages wollte der Mann zur Stadt gehen und vergrub einen Teil seines Geldes im Garten. Zu seiner Frau aber sagte er: »Ich habe im Garten ein Eule vergraben«, und er zeigte ihr die Stelle. Er wußte, daß sie die Eule sehr fürchtete, deshalb sagte er das. In Masuren nennt man aber auch etwas Verstecktes, von dem ein anderer nichts wissen darf, Eule. Die Frau sagte sehr erfreut: »Das ist schön, daß du die Eule begraben hast, sie hat mich oft genug geärgert.« Dann ging der Mann fort, und die Frau holt die Schnapsflasche hervor.

Bald darauf kam ein fremder Mann vorbeigegangen und fing ein Gespräch mit der Michulska an. Sie erzählte ihm von der Eule, die ihr Mann vergraben hatte, und er sagte zu ihr: »Ich will die Eule ausgraben und mitnehmen, dann brauchst du dich nicht zu fürchten.« Darüber freute sie sich und holte einen Spaten, und der Mann grub das Geld heraus und steckte es in seine Tasche, und die Frau bedankte sich bei ihm. Als ihr Mann nach

Hause kam, lief sie ihm schon entgegen und erzählte ihm erfreut von dem Mann, der die Eule ausgegraben und mitgenommen hatte und daß sie nun keine Furcht zu haben brauche. Da rief der Mann erschreckt: »Was hast du getan? Da war ja Geld vergraben!« Sie beschlossen nun, dem fremden Mann nachzulaufen, ein jeder auf einem anderen Weg, und jeder, der unterwegs etwas bemerken würde, sollte laut nach dem andern rufen. Und so gingen sie dann. Unterwegs sah die Michulska einen Dunghaufen am Weg, und sie schrie nun aus Leibeskräften immerfort: »Michulski, Michulski!« Der Mann kam, was ihn seine Beine tragen konnten, gelaufen, und sie zeigte ihm, was sie bemerkt hatte. Da war der Mann sehr zornig. Aber da war nichts mehr zu machen, der Dieb hatte einen großen Vorsprung gewonnen, und es lohnte nicht mehr, die Verfolgung aufzunehmen. (280)

Der Nikolaiker Stinthengst

Im Spirding lebte einst ein gewaltiger silberner Fisch, in Gestalt und Aussehen einem Stint gleich, der als König über die unzählbare Menge der Stinte herrschte und für die Mehrung seiner kleinen Untertanen eifrig sorgte. Nikolaiker Fischer fingen ihn eines Tages mit ihren starken Netzen und brachten ihn in freudigem Triumph nach Hause. Der umsichtige Stadtrat verhinderte weise die Tötung des wunderbaren Tieres, wollte aber auch die seltene Beute nicht wieder freigeben, und so wurde beschlossen, den Stinthengst in der Nähe der Stadtbrücke an eine eiserne Kette zu legen. Da liegt er nun schon jahrzehntelang angebunden, meistens in dunkler Tiefe. Von Zeit zu Zeit aber taucht er auf und erscheint den bewundernden Blicken der Glücklichen, die zufällig auf der Brücke stehen. Seine Gefangenschaft aber bewirkt, daß die Stintschwärme um Nikolaiken kreisen und den Fischern lohnende Fänge einbringen. (281)

Das Teufelswerder

In der Mitte des Spirdingsees liegt eine kleine Insel, das Teufelswerder. Sie besteht aus einem steilen und ziemlich hohen Berg und umfaßt etwa dreieinhalb preußische Hufen. Der Boden ist fast durchweg sandig und wird

Fischerhaus am See. Kupferstich von Peter Isselburg um 1600

beinahe gar nicht zum Ackerbau benutzt. Den Bewohnern des gegenüberliegenden Dorfes Eckersberg zeigt sie, je nachdem sie näher oder entfern-
ter erscheint, die bevorstehenden Veränderungen des Wetters an.
Diese Insel ist von bösen Geistern bewohnt, woher sie denn auch ihren
Namen erhalten hat.
Bald zeigen sie sich in Gestalt von Löwen, bald von schwarzen Hunden,
bald unter anderen Formen, necken die Menschen, die in die Nähe kommen, und fügen ihnen allerlei Schaden zu. Es gibt unzählige Geschichten,
die die Umwohner des Sees und vor allen die Bienenbeutner, die ihre Beu-
ten auf dem Werder halten und wegen des Sturmes oft drei oder mehr
Nächte darauf festgehalten werden, hiervon zu erzählen wissen.
Besonders aber haben die Gespenster es auf die Fischer abgesehen, denen
sie bald die Netze zerreißen, bald große Schätze zeigen, die, wenn jene sie
nach langer Mühe endlich heben wollen, plötzlich verschwinden oder sich
in unbrauchbare Dinge verwandeln. (282)

Die Nixe im Mucker-See

Am Mucker-See in Masuren wohnte ein Brautpaar, das wollte bald Hochzeit halten, es hatte aber kein Geld. Der Mann ging zur Arbeit, und die Frau sollte zu Hause bleiben. Er blieb sechs Jahre lang fort. Das war der Frau zu lange. Sie ging fort und suchte sich einen anderen Mann. Als der alte Bräutigam zurückkam, fand er seine Braut nicht mehr vor. Da war er sehr traurig. Jeden Abend fuhr er mit dem Boot auf den See. Als er wieder einmal hinausgefahren war, sah er eine Nixe im Wasser schwimmen. Er dachte, es wäre seine Braut und sprang ins Wasser, um sie herauszuziehen. Sie zog ihn aber auf den Grund und er mußte ertrinken. (283)

Schloß Puppen

Bei Puppen, wo in früheren Jahrhunderten die prächtigste aller herrschaftlichen Jagdbuden stand, ist ehemals ein Schloß gewesen; es ist aber längst versunken. Es steigen nur noch zu Zeiten drei schöne Jungfrauen in weißen Kleidern aus der Erde hervor und lassen ihren zauberischen Gesang durch die Nacht schallen. Mancher hat sie gesehen und gehört, aber niemand wagt es, ihnen zu nahen. (284)

Der Name von Ortelsburg

Die Stadt Ortelsburg, früher Ortolfsburg, trägt ihren Namen zu Ehren ihres Gründers, des Komturs zu Elbing und obersten Spittlers Ortolf von Trier. Die Sage will es anders:
Das Schloß Ortelsburg soll einst von einem Jäger, welcher Ortels geheißen, beim Verfolgen eines Hirsches in dem damaligen Urwald, ganz wüst, ohne Bewohner und nur von wenigen Häusern umgeben, vorgefunden sein. Nach diesem Jäger soll die Burg und später die Stadt den Namen Ortelsburg erhalten haben. Diese Sage scheint etwas für sich zu haben, denn nachdem 1616 diesem Ort das Stadtrecht durch den Markgrafen Johann Sigismund zugeteilt wurde, ist ihm ein Stadtwappen verliehen worden, worauf ein Hirsch, der aus dem Dickicht springt, abgebildet war. (285)

Der Name von Passenheim

Die Stadt Passenheim in Galinden, gegründet von dem Komtur zu Elbing
und obersten Spittler Siegfried Walpot von Passenheim und ihm zu Ehren
benannt, soll den Namen aus folgender Veranlassung erhalten haben:
Die erste Anlage von Passenheim erfolgte nach einem zu umfassenden
Plan, die Stadt erhielt einen zu weiten Umfang. Als der Komtur in die
Gegend kam, die Anlage zu besehen, wollte er sie kleiner haben und sagte:
Baß hinein! oder Paß hinein. So erhielt die Stadt ihren Namen. (286)

Die Fische im Lehlesker See

Als der Hochmeister Markgraf Friedrich von Meißen aus dem Land gezogen war, da war ein Pfleger (Vogt) zu Passenheim, den seine Untertanen
wegen seines Schindens der Geizbauch nannten, und was er erschindete,
das schickte er nach Nürnberg für Harnische und Rüstungen.

*»Kurtzer griff und bericht / Visch zu essen / für große Herrn / welche zu jeder zeit
am besten / und wo sie anzugreiffen seind / Die Armen habends nicht.« Flugblatt
1587*

273

Seinen Bauern aber verbot er für ihren Tisch zu fischen, vorgebend, sie könnten ihren Acker dann nicht warten, gäben auch andern Fische und dann könnten ihm seine Fischer den Zins nicht mehr zahlen. Die Bauern aber beschlossen, doch zu fischen laut ihrer Handfeste; als er dann Leute hinschickte sie zu fangen, erschlugen sie einen von seinen Leuten. Deswegen strafte sie aber der Pfleger an ihren besten Pferden und Ochsen, damit sie sich nun den Hals lösten, mußten sie all ihr Recht über die Fischerei hergeben.

Von diesem Tag an aber vermochte der Pfleger mit seinem Garn auch nicht einen Fisch mehr zu fangen, was er der Waidelei (Hexerei), aber nicht Gottes Strafe zuschrieb. Er gab den Frauen Schuld, sie hätten ihm Garn und Fische bezaubert, setzte viele fest und ließ sie durch den Henker peinlich befragen (foltern), aber er fand nichts an ihnen. Nun war aber in Königsberg ein Franke namens Gablatus, der konnte lange unter Wasser bleiben; den ließ er holen, der blieb drei Stunden im See und unterdessen ließ der Pfleger mit vielen Garnen darin ziehen, fing aber nichts. Gablatus kam wieder heraus, sagte, daß viele Fische darin wären, sie wüßten sich aber gar meisterlich vor dem Garn zu hüten. Das half ihm also auch nicht und so hielt er jenen für einen leichtfertigen Menschen, der von den Bauern bestochen wäre.

Weil nun aber der See ihm am meisten eingebracht hatte, dachte er weiter darüber nach und erfuhr, daß es eine Waidlerin gebe, die könne benehmen, was andere bezaubert hätten. Diese befragte er, sie aber sagte ihm, daß dies von Gott herkomme, der strafe ihn um seiner Ungerechtigkeit gegen die armen Leute willen, und es werde auch nicht besser werden, er stürbe denn zuvor mit allen Fischen im See; danach werde auch der See wieder fischreich werden. Der Pfleger meinte aber, sie wäre auch erkauft, und er ritt mit Fluchen davon.

Nicht lange danach wollte er jagen, da stieß er auf einen grausamen Bären, als dieser sich aufrichtete, erschrak sein Pferd heftig und begann auszureißen, der Pfleger aber hielt es fest, doch der Zügel zerriß und nun lief es unaufhaltsam doch mit seinem Reiter bis in den See, darin Pferd und Mann ersoff. Am andern Tag fand man alle Fische darin auch tot und auf dem Wasser schwimmend. In demselben Jahr war kein einziger Fisch in diesem See, hernach aber waren Fische genug darin wie zuvor. Der See aber war der Lehlesker See bei Passenheim. (287)

Der Topich im Swenty-See

Einst ging ein strebsamer Handwerksmann aus dem Kirchdorf Kurken im Kreis Osterode von Hohenstein den Weg heimwärts, der unmittelbar am Ufer des Swenty-Sees vorbeiführt. Hier kam ihn die Lust an, von dem Wasser zu trinken. Bei jedem Schritt wurde das Verlangen nach einem Trunk Wasser größer, so daß er sich entschloß, am nächsten Uferbaum den Durst zu stillen. Bei dem Baum sah er auf der in das Wasser hinabgehenden Wurzel Kleider liegen, so daß er einen Badenden in dem See vermutete.
Verwundert hielt er Ausschau, konnte jedoch kein menschliches Wesen erblicken. Als er sich nun zum Wasser hinabbeugte, um vom hohen Ufer das Naß in vollen Zügen zu schlürfen, stieg plötzlich dicht vor ihm eine Gestalt aus dem Wasser auf, die er des unmenschlichen Aussehens wegen sofort als den Topich erkannte. Die obere Hälfte des Unwesens zeigte einen stark behaarten, menschenähnlichen Körper mit einem hellroten Kopf und flossenartigen Händen; die untere Hälfte war ein dunkelgrüner Fischleib mit einer sehr langen Schwanzflosse. Als der Wanderer in seiner Todesangst das Kreuzzeichen schlug, verschwand der Unhold, indem er drohte, daß er ihn doch noch einmal holen werde. Schweißtriefend langte der Mann zu Hause an, konnte jedoch zur selben Zeit nichts berichten. Erst später erzählte er seinen Angehörigen von dem seltsamen Vorfall. Einige Jahre später stand in den Zeitungen, daß in dem Durchfluß des Swenty-Sees, im Maranusefluß, derselbe Tischler an einem dunklen Abend ertrank. Der Topich hatte ihn doch geholt. (288)

Das weiße Pferd

Der Abfluß des Swenty-Sees, an welchem die Kurkener Mühle liegt, geht in die Alle. Am Ausfluß desselben aus dem Swenty-See, also oberhalb der Kurkener Mühle, liegt die alte Schleuse. Die Alle durchschneidet eine Reihe kleiner Seen, unter andern den Kernos-See bei Kurken. Oberhalb des Kernos-Sees, links von der Alle liegt der Dillik-See bei Lindenwalde. An der alten Schleuse zeigte sich früher ein weißes, gespenstisches Pferd öfter und machte sich durch Wiehern und Stampfen weithin bemerkbar. Um diese Erscheinung zu bannen, soll dort vor langen Jahren Gottesdienst gehalten worden, und dieser so schön gewesen sein, daß alle geweint hätten. Er hat aber die gewünschte Wirkung nicht vollständig gehabt, denn noch immer zeigt sich dieses weiße Pferd, auf dem sich zuweilen auch ein weißer gespenstischer Reiter zeigt, sowohl am Swenty-See, als auch am Kernos- und am Dillik-See, und die Leute erschreckt.

In der Zeit des unglücklichen französischen Krieges 1807 machte sich der Schullehrer von Persing (in der Nähe von Kurken und Lindenwalde) nach Hohenstein auf den Weg, um ein von den Franzosen geraubtes Pferd zurückzuholen. Als er auf dem Rückweg an das Bruch hinter der Schlaga-Mühle kam, sah er dort, daß ein weißes Pferd ohne Kopf auf ihn zukam und ihn durch unheimliches Wiehern erschreckte. Einige setzen hinzu, es sei rückwärts gegen ihn herangaloppiert. Er kam aber ohne Schaden davon. (289)

Der Kolbuk

Tischler G. in Willenberg hatte die Pumpen in Ordnung zu halten, im Winter mußte er oft mit glühendem Eisen nach der Pumpe. Da sagten die Leute, er habe einen Kolbuk (Kobold), bis sie sahen, daß es ein glühendes Eisen war.

Erscheinung eines Dämons mit menschlichem Kopf und Drachenkörper. Holzschnitt aus Olaus Magnus, Historia de gentibus septentrionalibus. Venedig 1565

Aus Willenberg wird weiter berichtet: Wenn der Kolbuk durch die Luft fliegt und man sieht die Funken von ihm sprühen, so muß man unter das Dach laufen, sonst wird man mit Läusen und Ungeziefer beschüttet. Der Kolbuk wird gewöhnlich auf dem Boden versteckt, daß ihn niemand sehen soll. Er muß gut gefüttert werden z.B. mit Spirkeln und Rühreiern und muß ein weiches Bett haben. Bei Tage versteckt er sich unter der Zudecke, in der Nacht treibt er sein Wesen. Man stellt ihn sich als ein kleines Kind in rotem Rock vor; so sah ihn eine Frau, die unvermutet auf den Boden kam, im Bett sitzen.

Eine Henne kam bei Regenwetter in ein Haus; man wollte sie hinausjagen, sie blieb aber doch und wurde gelitten. Man gab ihr schließlich etwas zu fressen und behielt sie über Nacht. Am nächsten Morgen lag auf dem Platz, wo sie gesessen hatte, ein Haufen Getreide, und auch später sorgte sie für die Leute, bei denen sie Obdach gefunden hatte, daß immer vollauf Getreide im Hause war. Das war auch ein Kolbuk.

Ein Bauer aus Friedrichshof wurde durch einen Kolbuk wohlhabend. Der flog gegen Abend durch den Schornstein seines Hauses aus und ein. Wenn er heimkam, hatte er einen langen Schweif, aus dem die Funken sprühten. Der Kolbuk soll Menschengestalt haben, wenn er in das Haus kommt, aber wenn er fliegt, ist es eine Art von Drachen. An solch einen verkauft mancher seine Seele und macht mit ihm ab, daß er ihm eine Zeitlang dient und zuträgt. Ein Mann, der dies in Friedrichshof getan hatte, starb plötzlich, und man sagte nun allgemein, der Kolbuk hat ihn geholt. (290)

Die Krazno Lutki

Die Untererdschchen oder Krazno Lutki necken und plagen die Menschen koboldartig nicht nur von außen her, sondern treiben oft sogar ihr Wesen im Bauch des Menschen, was sich dem Gefühl durch größere oder geringere Leibesbeschwerden, dem Gehör aber durch ein froschartiges Quacken und Gurgeln bemerkbar macht und sobald wie möglich versegnet werden muß, wenn es nicht sehr schlimm werden soll.

In der Hohensteiner Gegend heißt es, die Krazno Lutki sind ganz kleine rote Würmer, welche in den Eingeweiden den Menschen quälen und ihn allmählich verzehren, so daß er zuletzt ganz trocken wird. Man kann sie aber vertreiben. Man brennt zwischen Weihnachten und Neujahr Asche, denn nur solche Asche ist dazu gut. Das Zimmer, in dem sich der Kranke aufhält, wird rein ausgefegt, ein Laken ausgebreitet, der Kranke daraufgelegt und mit der bezeichneten Asche besiebt. Dabei werden Segensformeln gesprochen und Kreuze geschlagen, dann gehen die Krazno Lutki durch. Es gibt in und bei Hohenstein mehrere Personen, welche solche Heilungen ausführen.

In Hohenstein gab es einen jungen Menschen, den schon jahrelang die Krazno Lutki quälten. Ein berühmter Versegner wurde herbeigerufen. Der streute Asche auf den Boden, der Kranke legte sich auf die Asche mit dem Gesicht nach unten. Alsbald ging ihm eine Menge von Würmern ab, die von sehr verschiedener Größe waren, einige kaum zollang, andere wohl fingerlang. Sie waren sehr häßlich anzusehen: denn sie hatten sehr dicke Köpfe, und die Köpfe waren von verschiedener Farbe, schwarz, rot, grün etc. Die Würmer schossen durch die Asche nach den Wänden und verkrochen sich unter den Möbeln. Einer ging dem Kranken durch den Mund (durch den Mund waren alle herausgekommen) wieder zurück. Das war ein schlechtes Zeichen. Diese Würmer haben nämlich einen König; wenn der mit hinausgekommen wäre, würde kein anderer zurückgegangen sein. Wenn aber nicht alle hinaus sind, dauert die Krankheit fort.

Wenn einer, der die Krazno Lutki hat, versegnet werden soll, so wird die Stube gefegt, der Kranke im Dunkeln nackt hingelegt. Dann siebt der Versegner mit der dazu geeigneten Asche einen Kreis rings um ihn. Nach einiger Zeit wird Licht angesteckt und man findet auf der Asche Würmer, auch Haare, selbst Wanzen. Gehen die Würmer von dem Menschen, so wird er gesund, kriechen sie nach ihm, so muß er sterben. Gewürm und Haare sammelt der Versegner auf und verbrennt sie.

Die Versegnungen gegen die Krazno Lutki werden zu keiner anderen Zeit als Donnerstagabends vorgenommen. (291)

Die Irrberge bei Neidenburg

Die Mainagóri (Laub auf dem Berg) oder Irrberge, nicht weit von den Goldbergen gelegen, sollen ihren deutschen Namen von folgender Begebenheit erhalten haben.

Die Kriegsnot des Jahres 1807 trieb die Bewohner Wallendorfs und anderer benachbarter Dörfer in die Mainagóri. Es herrschte aber in der ganzen Gegend große Hungersnot. Da fand ein Mädchen am Fuß der genannten Berge eine möhrenartige genießbare Wurzel und stillte ihren Hunger. Ihr

Beispiel machte die anderen aufmerksam, alles suchte nach der Wurzel und je mehr Leute danach suchten, je mehr fanden sie davon. Wer von dieser Wurzel gegessen hatte, vergaß Not und Sorgen, aber – er fand auch nicht den Ausweg aus den Bergen nach Hause. Die aus dem Wald kamen, sahen wohl ihre Wohnungen und ihr Feld, aber bei jedem Versuch, sie zu erreichen, gingen sie irre. So irrten sie in den Bergen tagelang, bis sie endlich zuerst in fremde Dörfer in der Nachbarschaft, dann von diesen auf weiten Umwegen nach Hause gelangten. (292)

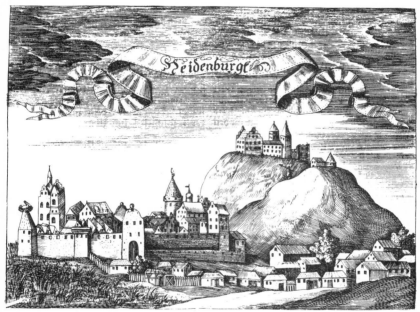

Neidenburg. Kupferstich aus Christoph Hartknoch, Alt- und Neues Preussen. Frankfurt/Leipzig 1684

Das Fräulein im Goldberg

Auf dem höchsten Gipfel der Goldberge (nordöstlich von Neidenburg) steht eine viele hundert Jahre alte Kiefer, von der aus man den ewig grünen Forst ringsum weit übersehen kann. Bei dieser Kiefer hat sich früher öfter eine schöne Jungfrau gezeigt, welche der Erlösung harrend aus ihrem unterirdischen Palast durch eine brunnenartige, noch jetzt vorhandene Einsenkung sich zum Tageslicht emporhob.

Von Liebreiz und köstlichem Geschmeide strahlend, ließ sie sich auf einen Kiefernstamm nieder, um ihr langes goldrotes Haar mit einem goldenen Kamm zu ordnen. Wer sie sah, war von ihrer Schönheit begeistert, doch niemand wagte es, sich ihr zu nahen. Ein Jüngling war in Gedanken und ohne es zu merken ihr ganz nahe gekommen. Er fiel, sobald er sie erblickte, vor Entzücken vor ihr auf die Knie. Sie sprach: »Erlösest du mich aus meiner Einsamkeit, so fordere was du willst von mir zum Lohn.« Sie bot ihm ihr Geschmeide, wunderbare Habe aus dem unterirdischen Palast, drei fette Schweine mit dem schweren goldenen Trog, aus welchem sie gefüttert wurden, wenn es ihm gelänge, ihn ans Sonnenlicht zu bringen, drei schneeweiße Hühner, die nur goldene Eier legten, endlich ihre Hand.

Der Jüngling besinnt sich nicht lange, hebt die Jungfrau auf den Rücken und will sie davontragen, aber in demselben Augenblick sieht er sich von sämtlichen Tieren des Goldberges umringt und kann nicht von der Stelle. Die Jungfrau belehrte ihn, das Werk ihrer Erlösung werde ihm gelingen, wenn er ohne Furcht jedes der hier versammelten Tiere küssen werde. Er folgt dem Befehl, faßt sich ein Herz und küßt die Tiere, wie sie ihm nahen, Rehe, Hasen, Eichhörnchen, Eulen, Spechte, Habichte, Finken, Schlangen, Blindschleichen, Eidechsen, Nattern, Salamander, Würmer, Käfer etc. Als er mit seiner Arbeit fertig zu sein meinte, kroch noch eine große ekelhafte Kröte, ganz von Schorf und Aussatz bedeckt, mit rotblinzelnden Augen heran. Da war sein Mut doch zu Ende und statt sie zu küssen rief er: »Hat denn der Teufel auch dich noch hier?«

Klagend sank die Jungfrau in die Tiefe und rief: »Jetzt hast du mich aber auch in alle Ewigkeit verflucht, jetzt muß ich alle Hoffnung aufgeben, je gerettet zu werden.« Der Erlösungsversuch war an einem Sonnabend gemacht, am Sonntag darauf zeigten sich an der Stelle, wo die Jungfrau ihr Haar gekämmt hatte, drei schwarze Jünglinge, die jedes menschliche Wesen von dem Berg verscheuchten. Die Jungfrau aber hat seit jener Zeit kein menschliches Wesen wieder gesehen.

Nach einer anderen Sage versuchte ein Bauer das Fräulein im Goldberg zu erlösen, indem er, wie es ihm aufgetragen worden war, sechs Wochen hindurch täglich für sie beten wollte. Dieses tat er eine Zeitlang ganz gewissenhaft, einst aber, als er eben wieder betete, trug es sich zu, daß ein Stück Vieh ihm vom Hof laufen wollte, darüber unterbrach er das Gebet und der Erlösungsversuch war für immer vereitelt.

Auf dem Goldberg sieht man eine Einsenkung, die sich höhlenartig immer tiefer fortsetzen soll. Hirtenjungen haben in diese Grube aus Neugierde oft Stricke oder Stangen hinabgelassen, wenn sie dieselben aber wieder heraufzogen, war das äußerste Ende immer abgerissen. Zuweilen zogen sie aber auch Goldstücke an den Enden angebunden heraus. Dies veranlaßte sie, an einem Strick eine Mütze hinabzulassen, auch diese zogen sie mit Goldstücken gefüllt wieder heraus. Nun faßte einer Mut, sich mit einem Strick durch seine Gefährten hinabsenken zu lassen, allein als diese ihn wieder herauszogen, fanden sie zwar eine Mütze voller Goldstücke, ihn selbst aber ohne Kopf. (293)

Als Gilgenburg gestürmt wurde

Im Jahr 1410 nach der Tannenbergischen Schlacht kamen des Polenkönigs Tartaren und andere vor die Stadt Gilgenburg, nahmen sie ein und trieben unerhörten Mutwillen darin. Sie zogen die Jungfrauen nackend aus und tanzten so mit ihnen, schändeten sie, zogen ab und kamen wieder, so daß viele Bürger umkamen. Danach nahmen sie siebenhundert Personen (denn es war viel Volk vor den Feinden in die Stadt geflohen) und führten sie zum Wasser, um sie zu ersäufen. Dies erfuhr der Polenkönig, welcher es verbot, doch mußte sich eine jede Person mit einem halben Groschen lösen.
Doch die Ordenschronik berichtet, daß Frauen und Jungfrauen in die Kirche flohen, aber die Tataren haben die Türen verschlossen, Holz und Stroh um die Kirche gelegt, dieses angezündet und alle verbrannt. (294)

Das Kirchenprotokoll

Es war einmal ein Mann, der sehr ungern in die Kirche ging; auf jede Aufforderung zum Kirchenbesuch erwiderte er: »Diejenigen, welche regelmäßig in die Kirche gehen, sind nicht immer die besten Menschen, auch in der Kirche wird viel gesündigt, vor allem dann, wenn man nicht einem innern Zug, sondern der Gewohnheit folgt.«
Eines Sonntags kam er jedoch auch zufällig hinein. Er sah sich die Erschienenen an, doch wie mußte er staunen, als er, an die Wand gelehnt,

auch den Teufel mit dem Griffel in der Hand dort erblickte. Vor ihm lag eine große Ochsenhaut ausgebreitet, auf welche er die in der Kirche vorfallenden Ungehörigkeiten der Anwesenden verzeichnete. Der Teufel schrieb unentwegt. Schon war die ganze Haut beschrieben, keiner der Anwesenden fehlte darauf; der seltene Kirchengast allein machte eine Ausnahme. Den Teufel ärgerte es, daß dieser allein mit heiler Haut davonkommen sollte. Was tat er also? Er faßte die Ochsenhaut mit den Zähnen an und zog aus Leibeskräften. Ein unbegreifliches Etwas hielt die Haut fest; plötzlich jedoch gab sie nach, und der Böse schlug mit dem Kopf dermaßen gegen die Wand, daß er liegenblieb. In diesem Augenblick konnte unser seltener Gast sich nicht länger halten; er fing an über den bösen Fall herzlich zu lachen. So weit wollte ihn der Böse haben. Mit einer höhnischen Grimasse brachte er auch ihn in die Liste. (295)

Die drei Mahre

Zwei Handwerksburschen wanderten durch die Welt und kehrten einmal in einem Wirtshaus ein, um da zu nächtigen. Der Gastwirt aber hatte drei Töchter, die waren alle Mahre und mußten allnächtlich ausgehen; die eine um Menschen, die andere um Vieh, die dritte um Holz zu drücken. Die Wanderer lagen zusammen auf einer Streu, aber der eine konnte nicht schlafen, und als es um Mitternacht war, hörte er, wie die drei nach Hause kamen und miteinander sprachen. Sie waren tüchtig durchgefroren und klagten einander ihr Leid. Die eine sagte zu der anderen: »Du hast es doch besser als ich, denn es ist doch viel leichter, in die Ställe zu dem Vieh einzudringen als in die dichtverschlossenen Häuser der Menschen!« Da sagte die dritte: »Ich aber habe es am schwersten, denn ich muß in der Kälte auf die Bäume klettern und das Holz drücken.« Der Wanderer weckte seinen Kameraden, daß er das Gespräch auch mit anhörte.
Am nächsten Morgen gingen sie zu dem Vater der drei Mädchen und sagten: »Wißt Ihr auch, daß Eure Töchter Mahre sind?« Der Vater wußte von nichts, als ihm jene nun aber erzählten, was sie in der Nacht gehört hatten, da erkannte der Vater, weshalb sie immer so bleich waren. Auf den Rat der Fremden ließ er sie noch einmal taufen, wodurch sie von dem Übel befreit wurden. (296)

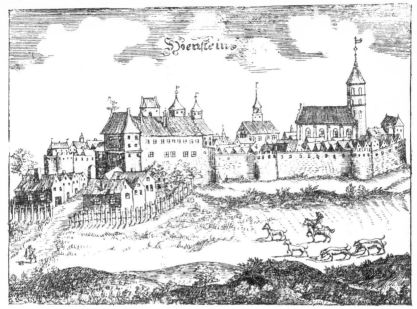

Hohenstein. Kupferstich aus Christoph Hartknoch, Alt- und Neues Preussen. Frankfurt/Leipzig 1684

Die Tannenberger Kapelle

Auf der Tannenberger Walstatt, wo 1410 die Blüte des Deutschen Ordens umkam, ist zum Andenken an diese unselige Schlacht eine Kapelle errichtet. Auch nachdem sie schon verfallen war, wurde ihr Gemäuer von den Anwohnern noch lange für heilbringend gehalten. Am zweiten Pfingstfeiertag versammelt sich dort das Volk. Kranke, Gebrechliche und Krüppel ziehen ihre Strümpfe und Schuhe aus und legen sie nebst ihren Krücken an und auf die Mauer nach Osten, wo früher der Altar gestanden hat, fügen auch ein Opfergeld nach ihrem Vergnügen hinzu und ziehen dann, baldiger Genesung gewiß, wieder heim. (297)

Der Hochmeister Ulrich von Jungingen, der die Schlacht bei Tannenberg verlor. Holzstich aus Caspar von Hennenberger, Erclerung der Preussischen grössern Landtaffel oder Mappen. Königsberg 1595

Literatur

Acta Borussica 1730	Acta borussica, ecclesiastica, civilia, literaria oder Sorgfältige Sammlung allerhand zur Geschichte des Landes Preußen gehöriger Nachrichten, Uhrkunden, Schrifften und Documenten. Band I. Königsberg und Leipzig 1730 (Christoph Gottfried Eckart). – Band II erschien 1731, Band III 1732
Becker 1847	F. Becker, C. Roose, J. G. Thiele, Litthauische und Preußische Volkssagen. Königsberg 1847 (Adolph Samter)
Bludau 1901	Alois Bludau, Oberland, Ermeland, Natangen und Barten. Eine Landes- und Volkskunde. Stuttgart 1901 (Nobbing & Büchle)
Borbstädt 1931	Frida Borbstädt, Zwischen Memel und Danzig. Sagen aus der ostpreußischen Heimat. Pilkallen 1931 (Morgenroth Nachf.)
David 1812/13/14	Lucas David, Preussische Chronik (1576). Herausgegeben von Ernst Hennig. Bde. I–VI. Königsberg 1812-14 (Georg Karl Haberland)
Długosz 1870	Johannis Długosz, Banderia Prutenorum. Herausgegeben von Ernst Strehlke. In: Scriptores rerum Prussicarum. IV. Band. Leipzig 1870 (S. Hirzel)
Erleutertes Preußen 1725	Erleutertes Preußen oder Auserlesene Anmerckungen über verschiedene zur Preußischen Kirchen-, Civil- und Gelehrten-Historie gehörige besondere Dinge . . . (Hrsg. von Michael Lilienthal). Tomus II. Königsberg 1725 (Martin Hallervords Erben). – T. I–V erschien 1724–42
Firmenich 1846	Johannes Matthias Firmenich, Germaniens Völkerstimmen. Band I. Berlin 1846 (Schlesinger'sche Buch- und Musikhandlung). – Band II erschien 1846, Band III 1854
Grässe 1871	J. G. Th. Grässe, Sagenbuch des Preußischen Staats. II. Band. Glogau 1871 (Carl Flemming). – Der I. Band erschien 1868
Grannas 1960	Gustav Grannas, Volk aus dem Ordensland Preußen erzählt Sagen, Märchen und Schwänke. Marburg 1960 (Elwert)
Grimm 1816/18	Brüder Grimm, Deutsche Sagen, 2 Bde. Berlin 1816/18 (Nicolai). Nachdruck der 3. Auflage (1891) Darmstadt 1959 (Wissenschaftliche Buchgesellschaft)
Grudde o. J.	Hertha Grudde, Ostpreußische Märchen und Geschichten. Herausgegeben von Gustav Grannas. Königsberg o. J. (Gräfe und Unzer)
Grunau 1876/89/96	Simon Grunau, Preussische Cronik (1526). Herausgegeben von M. Perlbach, R. Philippi und P. Wagner. 3 Bde. Leipzig 1876/89/96 (Duncker & Humblot)

Hartknoch 1684   Christoph Hartknoch, Alt- und Neues Preussen oder Preussischer Historien zwey Theile . . . Frankfurt und Leipzig 1684 (Martin Hallervordern, Buchhändler in Königsberg)

Hartknoch 1686   Christoph Hartknoch, Preussische Kirchen-Historia. Frankfurt am Main und Leipzig 1686 (Simon Beckenstein, Danzig)

Hartwig 1772   Abraham Hartwich, Geographisch-Historische Landes-Beschreibung derer dreyen im Pohlnischen Preußen liegenden Werdern . . . Königsberg 1722 (Johann David Zäncker)

Hennenberger 1595   Caspar Hennenberger, Erclerung der Preussischen grössern Landtaffel oder Mappen. Königsberg 1595 (Georg Osterberger)

Krauledat 1928   Johannes Krauledat, Romove. Altpreußische Sagen. Langensalza 1928 (Julius Beltz)

Krollmann 1915   C. Krollmann, Ostpreußisches Sagenbuch. Leipzig 1915 (Insel)

Lemke 1884/87/99   Elisabeth Lemke, Volksthümliches in Ostpreußen. Erster bis Dritter Theil. Mohrungen 1884/87/99 (Harich)

Petzoldt 1976   Leander Petzoldt, Historische Sagen. Erster Band: Fahrten, Abenteuer und merkwürdige Begebenheiten. München 1976 (C. H. Beck)

Petzoldt 1977   Leander Petzoldt, Historische Sagen. Zweiter Band: Ritter, Räuber und geistliche Herren. München 1977 (C. H. Beck)

Peuckert 1951   Will-Erich Peuckert, Ostdeutsches Sagenbüchlein. (Der Göttinger Arbeitskreis, Schriftenreihe Heft 4). Hamburg 1951 (Flemming)

Plenzat 1926   Karl Plenzat, Sage und Sitte im Deutschherrenlande. Breslau 1926

Pohl 1943   Erich Pohl, Die Volkssagen Ostpreußens. Königsberg 1943 (Gräfe und Unzer). Nachdruck Hildesheim/New York 1975 (Georg Olms)

Pröhle 1879   Heinrich Pröhle, Deutsche Sagen. Zweite neu bearbeitete Auflage. Berlin 1879 (Friedberg & Mode). Die erste Auflage erschien 1862 in Berlin

Reusch 1838   Rudolf Friedrich Reusch, Sagen des Preußischen Samlandes. Königsberg 1838 (Hartungsche Hofbuchdruckerei). Die zweite Auflage erschien 1863

Rosenheyn 1858   Max Rosenheyn, Reise-Skizzen aus Ost- und West-Preußen. 2 Bde. Danzig 1858 (A. W. Kafemann)

Schleicher 1857   August Schleicher, Litauische Märchen, Sprichworte, Rätsel und Lieder. Weimar 1857

Schütz 1599   J. Caspar Schütz, Historia Rerum Prussicarum. Warhaffte und eigentliche Beschreibung der Lande Preussen . . . o. O. 1599

Schulz 1964   Horst Schulz, Volkssagen aus der Natangischen Heimat. Köln 1964 (Selbstverlag der Kreisgemeinschaft Pr. Eylau)

Tettau/Temme 1865	W. J. A. v. Tettau und J. D. H. Temme, Die Volkssagen Ostpreußens, Litthauens und Westpreußens. Neue Ausgabe. Berlin 1865 (Nicolai).
Toeppen 1867	M. Toeppen, Aberglauben aus Masuren, mit einem Anhange, enthaltend Masurische Sagen und Mährchen. Zweite erweiterte Auflage. Danzig 1867 (Th. Bertling).
Treike 1930	Lisa Treike, Meakes, Schämmastund. Herausgegeben von Karl Wilhelm Bink. Königsberg 1930
Waissel 1599	Mattheus Waissel(ius), Chronica Alter Preusscher, Eifflendischer und Curlendischer Historien. Von dem Lande Preussen und seiner Gelegenheit . . . Königsberg 1599 (Georgen Osterbergern)
Wolf 1845	Johannes Wilhelm Wolf, Deutsche Märchen und Sagen. Leipzig 1845 (F. A. Brockhaus)
Ziehnert 1839/40	Widar Ziehnert, Preußens Volkssagen, Mährchen und Legenden. 2 Bde. Leipzig 1839/40 (C. B. Polet)

Quellennachweis

Die vorangestellten Ziffern beziehen sich auf die Texte in ihrer Reihenfolge. Bei dem jeweiligen Sagentext wird die entsprechende Nummer am Schluß (in Klammern) aufgeführt.

[1] Tettau/Temme 1865, Nr. 2, S. 3 und David 1812, Bd. 1, S. 11 f.
[2] Tettau/Temme 1865, Nr. 1, S. 3. Vgl. Grässe 1871, Nr. 498, S. 525.
[3] Tettau/Temme 1865, Nr. 3, S. 4 f.
[4] Tettau/Temme 1865, Nr. 4, S. 6.
[5] David 1812, Bd. 1, S. 19–24.
[6] Tettau/Temme 1865, Nr. 6, S. 7 f.
[7] Tettau/Temme 1865, Nr. 7, S. 8–12. Vgl. Grässe 1871, Nr. 495, S. 520–522.
[8] Tettau/Temme 1865, Nr. 8, S. 12–14. Vgl. Schütz 1599, fol. 4 f.; Grässe 1871, Nr. 495, S. 522; Krauledat 1928, S. 43 f.
[9] Grässe 1871, Nr. 497, S. 523 f. Vgl. Tettau/Temme 1865, Nr. 13, S. 19–21 und Nr. 17, S. 22 f.; Peuckert 1951, S. 6.
[10] Hennenberger 1595, S. 464.
[11] Grässe 1871, Nr. 499, S. 525–527 und Waissel 1599, S. 19–21
[12] Tettau/Temme 1865, Anhang Nr. 14, S. 277 f.
[13] Tettau/Temme 1865, Nr. 23, S. 28.
[14] Tettau/Temme 1865, Anhang Nr. 8, S. 261 f. Vgl. Grässe 1871, Nr. 500, S. 527 f.; Waissel 1599, S. 21 f.; Hartknoch 1684, S. 171.
[15] Hartknoch 1684, S. 160. Vgl. Tettau/Temme 1865, Anhang Nr. 2, S. 257 f.
[16] Tettau/Temme 1865, Nr. 22, S. 28.
[17] Tettau/Temme 1865, Nr. 28, S. 31–34. Dem letzten Absatz liegt die Fassung Ziehner 1840, Nr. 36, S. 211 zugrunde. Vgl. Hartknoch 1686, S. 17 f.; Grunau 1876, Tract. 4, Cap. II, S. 109–112; Grässe 1871, Nr. 594, S. 573–594; Krauledat 1928, S. 44 f.
[18] Hartknoch 1686, S. 22 f. Vgl. Tettau/Temme 1865, Nr. 29, S. 34 f.; Krollmann 1915, Nr. 7, S. 9 f.; Krauledat 1928, S. 45.
[19] Hennenberger 1595, S. 14 und Acta Borussica 1730, Bd. I, 3. Stück, S. 426–428.
[20] Tettau/Temme 1865, Nr. 42, S. 46–48, Vgl. Schütz 1599, fol. 22 f.
[21] Hennenberger 1595, S. 15.
[22] Grässe 1871, Nr. 595, S. 575 f.
[23] Grässe 1871, Nr. 666, S. 618.
[24] Tettau/Temme 1865, Nr. 92, S. 90–92. Vgl. Waissel 1599, S. 127.
[25] Tettau/Temme 1865, Nr. 96, S. 99 f. Dem letzten Absatz liegt die Fassung Długosz 1870, S. 9 zugrunde.
[26] Tettau/Temme 1865, Nr. 99, S. 104 f. Vgl. Hennenberger 1595, S. 269; Petzoldt 1977, Nr. 343, S. 43 f.
[27] Wolf 1845, Nr. 246, S. 355.
[28] Grässe 1871, Nr. 679, S. 624 f. Vgl. Hennenberger 1595, S. 479; Borbstädt 1931, S. 24.

29 Toeppen 1867, S. 31. Vgl. Grässe 1871, Nr. 690, S. 631.

30 Grunau 1876, Tract. 1, Cap. IV, S. 49 f.

31 Tettau/Temme 1865, Anhang Nr. 10, S. 263 f. Dem zweiten Absatz liegt die Fassung Pohl 1943, S. 86 f., zugrunde.

32 Grässe 1871, Nr. 716, S. 651.

33 Reusch 1838, Nr. 37, S. 38 f.

34 Reusch 1838, Nr. 38, S. 39 f.

35 Grimm 1816, Nr. 280, S. 369.

36 Tettau/Temme 1865, Nr. 102, S. 107 f.

37 Ziehnert 1840, Nr. 36, S. 131 f. Vgl. Tettau/Temme 1865, Nr. 26, S. 30.

38 Krauledat 1928, S. 34–36.

39 Krauledat 1928, S. 73 f. Vgl. Tettau/Temme 1865, Nr. 155, S. 155–157; Pohl 1943, S. 99 f.; Petzoldt 1976, Nr. 302 a, S. 333.

40 Pohl 1943, S. 54. Vgl. Peuckert 1951, S. 8.

41 Lemke 1899, Nr. 101, S. 125 f.

42 Tettau/Temme 1865, Nr. 37, S. 41 f. Vgl. Hennenberger 1595, S. 413.

43 Tettau/Temme 1865, Nr. 38, S. 42–44. Vgl. Grässe 1871, Nr. 582, S. 566; Grunau 1876, Tract. 3, Cap. V, S. 100 f.

44 Hennenberger 1595, S. 136; Tettau/Temme 1865, Nr. 179, S. 178 f. und Nr. 180 (erster Absatz), S. 179 und Reusch 1838, Nr. 1, S. 1 f. Vgl. Grässe 1871, Nr. 700, S. 636; Krauledat 1928, S. 83–86.

45 Reusch 1838, Nr. 3, S. 3–5. Vgl. Grässe 1871, Nr. 701, S. 636 f.

46 Reusch 1838, Nr. 5, S. 6.

47 Tettau/Temme 1865, Nr. 181, S. 180 f.

48 Reusch 1838, Nr. 11, S. 13.

49 Tettau/Temme 1865, Nr. 120, S. 126 f. Vgl. Pohl 1943, S. 43; Petzoldt 1977, Nr. 529, S. 211.

50 Krauledat 1928, S. 39.

51 Hennenberger 1595, S. 131.

52 Reusch 1838, Nr. 45, S. 45 f. Vgl. Krauledat 1928, S. 19.

53 Reusch 1838, Nr. 20, S. 19 f.

54 Firminich 1846, S. 104.

55 Krauledat 1928, S. 22 f.

56 Reusch 1838, Nr. 49, S. 51 f.

57 Reusch 1838, Nr. 57, S. 61.

58 Tettau/Temme 1865, Anhang Nr. 3, S. 258. Vgl. Waissel 1599, S. 20 f.; Hartknoch 1684, S. 161.

59 Grässe 1871, Nr. 699, S. 636. Vgl. Reusch 1838, S. 26.

60 Reusch 1838, Nr. 28, S. 30–32. Vgl. Grässe 1871, Nr. 698, S. 635 f.

61 Reusch 1838, Nr. 34, S. 36 f.

62 Reusch 1838, Nr. 35, S. 37.

63 Reusch 1838, Nr. 22, S. 22 f. (gekürzt). Vgl. Grässe 1871, Nr. 663, S. 616 f.

64 Reusch 1838, Nr. 61, S. 64 f. Vgl. Peuckert 1951, S. 3.

[65] Krauledat 1928, S. 71.
[66] Hennenberger 1595, S. 264.
[67] Rosenheyn 1858, Bd. II, S. 59 f.
[68] Zentralarchiv der dt. Volkserzählung (Aufnahme Pillau 1926), Archiv-Nr. 132338.
[69] Tettau/Temme 1865, Nr. 128, S. 133–135. Vgl. Hennenberger 1595, S. 351; Lucas David 1812, Bd. 1, S. 118–123.
[70] Tettau/Temme 1865, Nr. 154, S. 54 f.
[71] Tettau/Temme 1865, Nr. 106, S. 110–112. Vgl. Hennenberger 1595, S. 202, 449; Grunau 1889, Tract. 18, Cap. III, S. 321.
[72] Ziehnert 1840, Nr. 6, S. 32–34; Vgl. Tettau/Temme 1865, Nr. 183, S. 181 f.; Grässe 1871, Nr. 547, S. 545 f.
[73] Pohl 1943, S. 252.
[74] Erleutertes Preußen 1725, T. 2, Neunzehntes Stück, S. 453–455. Vgl. Hennenberger 1595, S. 169.
[75] Tettau/Temme 1865, Nr. 59, S. 63 f.
[76] Tettau/Temme 1865, Nr. 57, S. 62.
[77] Tettau/Temme 1865, Nr. 58, S. 63.
[78] Hennenberger 1595, S. 170.
[79] Hennenberger 1595, S. 170.
[80] Tettau/Temme 1865, Nr. 89, S. 87 f. Vgl. Hennenberger 1595, S. 210; David 1813, Bd. 4, S. 87; Grässe 1871, Nr. 549, S. 546.
[81] Tettau/Temme 1865, Nr. 95, S. 98 f.
[82] Ziehnert 1839, Nr. 20, S. 137–139. Vgl. Grässe 1871, Nr. 566, S. 556.
[83] Tettau/Temme 1865, Nr. 174, S. 175 f. Vgl. Grässe 1871, Nr. 560, S. 552.
[84] Grässe 1871, Nr. 562, S. 552. Vgl. Tettau/Temme 1865, Nr. 177, S. 177.
[85] Reusch 1838, Nr. 68, S. 68.
[86] Reusch 1838, Nr. 69, S. 68 f.
[87] Tettau/Temme 1865, Nr. 173, S. 175. Vgl. Grässe 1871, Nr. 559, S. 551 f.
[88] Grässe 1871, Nr. 542, S. 543 f. Vgl. Hennenberger 1595, S. 190 f.; Peuckert 1951, S. 6 f.
[89] Grässe 1871, Nr. 540, S. 543. Vgl. Peuckert 1951, S. 7 f.
[90] Tettau/Temme 1865, Nr. 135, S. 139. Vgl. Krollmann 1915, Nr. 80, S. 75; Pohl 1943, S. 45 f.; Petzoldt 1977, Nr. 373, S. 63.
[91] Grässe 1871, Nr. 541, S. 543. Vgl. Hennenberger 1595, S. 188; Tettau/Temme 1865, Nr. 134, S. 138.
[92] Tettau/Temme 1865, Nr. 107, S. 112 f.
[93] Tettau/Temme 1865, Nr. 124, S. 129 f. Vgl. Hennenberger 1595, S. 172; Grunau 1889, Tract. 18, Cap. XIII, S. 372 f.; Grässe 1871, Nr. 538, S. 542 f.
[94] Hennenberger 1595, S. 172 f.
[95] Tettau/Temme 1865, Nr. 133, S. 137 f. Vgl. Hennenberger 1595, S. 344; Krollmann 1915, Nr. 79, S. 74 f.
[96] Grässe 1871, Nr. 555, S. 549–551. Vgl. Hennenberger 1595, S. 225–230.
[97] Grässe 1871, Nr. 551, S. 547 f. Vgl. Hennenberger 1595, S. 105.
[98] Tettau/Temme 1865, Nr. 182, S. 181. Vgl. Grässe 1871, Nr. 548, S. 546.

[99] Reusch 1838, Nr. 70, S. 69 f.

[100] Reusch 1838, Nr. 64, S. 66. Vgl. Pohl 1943, S. 257.

[101] Grässe 1871, Nr. 565, S. 555. Vgl. Hartknoch 1684, S. 349–355.

[102] Krauledat 1928, S. 83. Vgl. Krollmann 1915, Nr. 81, S. 76.

[103] Grässe 1871, Nr. 546, S. 545.

[104] Krauledat 1928, S. 91–93.

[105] Tettau/Temme 1865, Nr. 169, S. 172.

[106] Pohl 1943, S. 189.

[107] Pohl 1943, S. 49 f.

[108] Tettau/Temme 1865, Nr. 115, S. 122. Vgl. Grässe 1871, Nr. 704, S. 638.

[109] Reusch 1838, Nr. 65, S. 66.

[110] Reusch 1838, Nr. 66, S. 67.

[111] Krollmann 1915, Nr. 87, S. 79 f. Vgl. Pohl 1943, S. 112; Petzoldt 1976, Nr. 301, S. 332 f.

[112] Krollmann 1915, Nr. 88, S. 80.

[113] Krauledat 1928, S. 34. Vgl. Pohl 1943, S. 242; Peuckert 1951, S. 3.

[114] Ziehnert 1840, Nr. 40, S. 151. Vgl. Tettau/Temme 1865, Nr. 168, S. 171 f.; Grässe 1871, Nr. 651, S. 610 f.

[115] Grässe 1871, Nr. 650, S. 610.

[116] Pohl 1943, S. 64. Vgl. Petzoldt 1977, Nr. 522, S. 206 f.

[117] Grässe 1871, Nr. 575, S. 562 f. Vgl. Krauledat 1928, S. 26.

[118] Becker 1847, S. 30 f. u. 129 f. Vgl. Grässe 1871, Nr. 646, S. 607.

[119] Becker 1847, S. 135. Vgl. Grässe 1871, Nr. 647, S. 607; Krauledat 1928, S. 96 f.

[120] Tettau/Temme 1865, Nr. 159, S. 159–162. Vgl. Grässe 1871, Nr. 649, S. 609 f.

[121] Grässe 1871, Nr. 648, S. 607 f.

[122] Grässe 1871, Nr. 574, S. 561 f. Vgl. Krauledat 1928, S. 100–102.

[123] Tettau/Temme 1865, Nr. 21, S. 27. Vgl. Hennenberger 1595, S. 391; Grässe 1871, Nr. 655, S. 612 f.; Krauledat 1928, S. 102.

[124] Ziehnert 1840, Nr. 12, S. 60–62. Vgl. 1865 Tettau/Temme 1865, Nr. 162, S. 167 f.; Grässe 1871, Nr. 654, S. 611 f.

[125] Grässe 1871, Nr. 714, S. 648–651.

[126] Tettau/Temme 1865, Nr. 160, S. 162–165. Dem letzten Absatz liegt die Fassung Grässe 1871, Nr. 709, S. 644 zugrunde.

[127] Grässe 1871, Nr. 711, S. 645.

[128] Becker 1847, S. 136 f. Vgl. Grässe 1871, Nr. 653, S. 611.

[129] Tettau/Temme 1865, Nr. 165, S. 169 f. Dem letzten Absatz liegt die Fassung Pohl 1943, S. 217 zugrunde. Vgl. Grässe 1871, Nr. 672, S. 620; Pröhle 1879, Nr. 67, S. 98; Krauledat 1928, S. 107; Borbstädt 1931, S. 73 f.

[130] Zentralarchiv der dt. Volkserzählung (Aufnahme Gründann bei Skaisgirren Kr. Niederung 1929), Archiv-Nr. 132943.

[131] Tettau/Temme 1865, Nr. 166, S. 170 f. Vgl. Grässe 1871, Nr. 644, S. 605; Pohl 1943, S. 244.

[132] Grudde o. J., S. 61 f.

[133] Tettau/Temme 1865, Nr. 164, S. 169. Vgl. Grässe 1871, Nr. 671, S. 619 f.

[134] Krauledat 1928, S. 75 f. Vgl. Pohl 1943, S. 56; Peuckert 1951, S. 26; Petzoldt 1977, Nr. 517, S. 204 f.

[135] Zentralarchiv der dt. Volkserzählung (Aufnahme Eydtkuhnen 1923), Archiv-Nr. 132775.

[136] Zentralarchiv der dt. Volkserzählung (Aufnahme Königsberg 1923), Archiv-Nr. 132887.

[137] Zentralarchiv der dt. Volkserzählung (Aufnahme Lasdehnen Kr. Pillkallen 1932), Archiv-Nr. 132836.

[138] Schleicher 1857, S. 98 f.

[139] Borbstädt 1931, S. 111–113 (gekürzt).

[140] Borbstädt 1931, S. 120–123 (gekürzt).

[141] Tettau/Temme 1865, Nr. 163, S. 168 f. Vgl. Grässe 1871, Nr. 670, S. 619.

[142] Grässe 1871, Nr. 680, S. 625 f. Vgl. Hennenberger 1595, S. 480; Gruna 1889, Tract. 18, Cap. III, S. 324 f.

[143] Pohl 1943, S. 51 f.

[144] Borbstädt 1931, S. 69 f.

[145] Zentralarchiv der dt. Volkserzählung (Aufnahme Eydtkuhnen Kr. Stallupönen 1923), Archiv-Nr. 132771.

[146] Tettau/Temme 1865, Nr. 53, S. 57 f. Vgl. Schütz 1599, fol. 29.

[147] Hennenberger 1595, S. 329.

[148] Hennenberger 1595, S. 24 f.

[149] Hennenberger 1595, S. 25.

[150] Grässe 1871, Nr. 715, S. 651.

[151] Tettau/Temme 1865, Nr. 30, S. 35–37. Vgl. Hennenberger 1595, S. 156; Hartknoch 1684, S. 163; David 1812, Bd. 1, S. 83; Grässe 1871, Nr. 584, S. 567; Krauledat 1928, S. 121; Borbstädt 1931, S. 72.

[152] Hennenberger 1595, S. 156; Hartknoch 1684, S. 139.

[153] Tettau/Temme 1865, Nr. 49, S. 54.

[154] Tettau/Temme 1865, Nr. 105, S. 110.

[155] Hennenberger 1595, S. 35.

[156] Pohl 1943, S. 147.

[157] Tettau/Temme 1865, Nr. 50, S. 54–56. Vgl. Schütz 1599, fol. 28.

[158] Ziehnert 1840, Nr. 31, S. 124 f. Vgl. Tettau/Temme 1865, Nr. 190, S. 186–188; Grässe 1871, Nr. 675, S. 621 f.

[159] Tettau/Temme 1865, Nr. 192, S. 189 f. Vgl. Grässe 1871, Nr. 674, S. 621.

[160] Tettau/Temme 1865, Nr. 194, S. 191 f. Vgl. Krollmann 1915, Nr. 101, S. 93.

[161] Pohl 1943, S. 60. Vgl. Petzoldt 1977, Nr. 467a, S. 161.

[162] Zentralarchiv der dt. Volkserzählung (Aufnahme Preußisch Eylau 1923), Archiv-Nr. 132756. Vgl. Pohl 1943, S. 55; Schulz 1964, S. 22.

[163] Treike 1930, S. 9. Vgl. Pohl 1943, S. 81; Schulz 1964, S. 29.

[164] Krauledat 1928, S. 21 f.

[165] Grässe 1871, Nr. 693, S. 632. Vgl. Krollmann 1915, Nr. 100, S. 92.

166 Tettau/Temme 1865, Nr. 143, S. 143 f. Vgl. Hennenberger 1595, S. 111; Grässe 1871, Nr. 580, S. 565.
167 Schulz 1964, S. 21.
168 Tettau/Temme 1865, Nr. 56, S. 61 f.
169 Tettau/Temme 1865, Nr. 53, S. 60 f. Vgl. Hartknoch 1684, S. 87; Schulz 1964, S. 15 f.
170 Krauledat 1928, S. 40.
171 Tettau/Temme 1865, Nr. 187, S. 184 f. Vgl. Grässe 1871, Nr. 691, S. 631 f.; Krollmann 1915, Nr. 58, S. 54 f.; Krauledat 1928, S. 122.
172 Tettau/Temme 1865, Nr. 188, S. 185. Vgl. Krollmann 1915, Nr. 59, S. 55; Krauledat 1928, S. 122; Borbstädt 1931, S. 60 f.; Pohl 1943, S. 236.
173 Krollmann 1915, Nr. 105, S. 94 f.
174 Pohl 1943, S. 264. Vgl. Borbstädt 1931, S. 59.
175 Tettau/Temme 1865, Nr. 184, S. 183. Vgl. Krollmann 1915, Nr. 86, S. 79.
176 Krauledat 1928, S. 119.
177 Grässe 1871, Nr. 669, S. 619. Vgl. Tettau/Temme 1865, Nr. 16, S. 22.
178 Grimm 1816, Nr. 334, S. 431–435. Vgl. Hennenberger 1595, S. 254; Grunau 1889, Tract. 19, Cap. VI, S. 405–408; Grässe 1871, Nr. 588, S. 569–571.
179 Tettau/Temme 1865, Nr. 156, S. 157 f. Vgl. Grässe 1871, Nr. 708, S. 641 f.; Pohl 1943, S. 198 f.; Petzoldt 1976, Nr. 116, S. 112 f.
180 Tettau/Temme 186, Nr. 186, S. 184.
181 Hennenberger 1595, S. 140.
182 Krauledat 1928, S. 123–129.
183 Pohl 1943, S. 52.
184 Tettau/Temme 1865, Nr. 12, S. 16 f. Vgl. Hennenberger 1595, S. 127 f.; David 1812, Bd. 1, S. 71; Grunau 1875, Tract. 2, Cap. IV, S. 73 f.
185 Pohl 1943, S. 112.
186 Tettau/Temme 1865, Nr. 123, S. 129.
187 Grässe 1871, Nr. 652, S. 611.
188 Hennenberger 1595, S. 436 und Pohl 1943, S. 260.
189 Krollmann 1915, Nr. 103, S. 93 f.
190 Krollmann 1915, Nr. 104, S. 94.
191 Pohl 1943, S. 238.
192 Tettau/Temme 1865, Nr. 197, S. 193. Vgl. Pohl 1943, S. 261.
193 Borbstädt 1931, S. 61 f.
194 Borbstädt 1931, S. 38.
195 Tettau/Temme 1865, Nr. 196, S. 192 f.
196 Krauledat 1928, S. 133 f.
197 Hennenberger 1595, S. 145 f.
198 Tettau/Temme 1865, Nr. 138, S. 140 f.
199 Pohl 1943, S. 185.
200 Hennenberger 1595, S. 21.
201 Tettau/Temme 1865, S. 196 f. Vgl. David 1812, Bd. 1, S. 130–132; Krauledat 1928, S. 134 f.

[202] Grässe 1871, Nr. 686, S. 629 f. Vgl. Hennenberger 1595, S. 396.

[203] Tettau/Temme 1865, Nr. 114, S. 119–121. Vgl. Hartknoch 1686, S. 190 f.; Grässe 1871, Nr. 704, S. 639; Krauledat 1928, S. 132 f.

[204] Hartknoch 1684, S. 9 und Rosenheyn 1858, Bd. II, S. 28.

[205] Krollmann 1915, Nr. 54, S. 51.

[206] Pohl 1943, S. 95.

[207] Grässe 1871, Nr. 618, S. 591. Vgl. Hennenberger 1595, S. 417.

[208] Tettau/Temme 1865, Nr. 10, S. 15. Vgl. David 1812, Bd. 1, S. 73; Grässe 1871, Nr. 496, S. 522; Grunau 1876, Tract. 2, Cap. IV, S. 74 f.

[209] Bludau 1901, S. 213.

[210] Tettau/Temme 1865, Nr. 11, S. 15 f. Vgl. David 1812, Bd. 1, S. 73; Grunau 1876, Tract. 2, Cap. IV, S. 75 f.

[211] Tettau/Temme 1865, Nr. 32, S. 38.

[212] Tettau/Temme 1865, Nr. 41, S. 45 f. Vgl. Schütz 1599, fol. 25.

[213] Rosenheyn 1858, Bd. I, S. 108 f.

[214] Tettau/Temme 1865, Nr. 104, S. 109. Vgl. Hartwich 1722, S. 491.

[215] Hennenberger 1595, S. 474.

[216] Grässe 1871, Nr. 522, S. 537. Vgl. Hennenberger 1595, S. 112.

[217] Tettau/Temme 1865, Nr. 36, S. 41.

[218] Grässe 1871, Nr. 523, S. 537 f.

[219] Hennenberger 1595, S. 112.

[220] Hennenberger 1595, S. 113 f.

[221] Hennenberger 1595, S. 114.

[222] Tettau/Temme 1865, Nr. 109, S. 114–116. Vgl. Hennenberger 1595, S. 118.

[223] Tettau/Temme 1865, Nr. 110, S. 116. Vgl. Hennenberger 1595, S. 119 f.; Grässe 1871, Nr. 524, S. 538; Petzoldt 1977, Nr. 553, S. 227 f.

[224] Grässe 1871, Nr. 527, S. 539.

[225] Ziehnert 1840, Nr. 75, S. 265 f. Vgl. Tettau/Temme 1865, Nr. 203, S. 199 f.

[226] Tettau/Temme 1865, Nr. 215, S. 210. Vgl. Grässe 1871, Nr. 639, S. 603.

[227] Tettau/Temme 1871, Nr. 98, S. 103; Vgl. Schütz 1599, fol. 103; Petzoldt 1977, Nr. 505, S. 195 f.

[228] Tettau/Temme 1865, Nr. 216, S. 210 f. Vgl. Hennenberger 1595, S. 113; Grässe 1871, Nr. 641, S. 604.

[229] Tettau/Temme 1865, Nr. 116, S. 122 f. Vgl. Krollmann 1915, Nr. 53, S. 50 f.

[230] Hartwich 1722, S. 513 f.

[231] Grimm 1816, Nr. 179, S. 260 f. Vgl. Ziehnert 1840, Nr. 76, S. 266 f.; Krauledat 1928, S. 143 f.

[232] Grässe 1871, Nr. 640, S. 603 f. Vgl. Hennenberger 1595, S. 279; Tettau/Temme 1865, Nr. 125, S. 130.

[233] Tettau/Temme 1865, Nr. 100, S. 105 f. Vgl. Hennenberger 1595, S. 62; Grässe 1871, Nr. 576, S. 563 f.; Grunau 1876, Tract. 14, Cap. IV, S. 702 f.

[234] Tettau/Temme 1865, Nr. 221, S. 213 f. Vgl. Erleutertes Preußen 1724, T. 1, S. 121 f.; Grässe 1871, Nr. 705, S. 640.

235 Tettau/Temme 1865, Nr. 119, S. 125 f.

236 Tettau/Temme 1865, Nr. 93, S. 92–94. Vgl. Hennenberger 1595, S. 336; Grässe 1871, Nr. 617, S. 590; Grunau 1876, Tract. 14, Cap. VIII, S. 716 f.

237 Pröhle 1879, Nr. 69, S. 101. Vgl. Grässe 1871, Nr. 628, S. 597.

238 Hartknoch 1684, S. 44 f.

239 Grässe 1871, Nr. 569, S. 557 f. Vgl. Hennenberger 1595, S. 46; Ziehnert 1839, Nr. 47, S. 261 f.

240 Grimm 1818, Nr. 529, S. 271–275. Vgl. Hennenberger 1595, S. 44–48; Schütz 1599, fol. 102 f.; Tettau/Temme 1865, Nr. 97, S. 100–103; Grässe 1871, Nr. 570, S. 558 f. und Nr. 571, S. 559 f.; Grunau 1876, Tract. 14, Cap. IX, S. 753 f. und Grunau 1889, Tract. 15, Cap. III, S. 18 f.; Petzoldt 1977, Nr. 342, S. 41–43.

241 Grässe 1871, Nr. 692, S. 632.

242 Krauledat 1928, S. 144.

243 Tettau/Temme 1865, Nr. 200, S. 197. Vgl. Hennenberger 1595, S. 322; Grässe 1871, Nr. 532, S. 541; Krollmann 1915, Nr. 102, S. 93.

244 Tettau/Temme 1865, Nr. 157, S. 158. Vgl. Krollmann 1915, Nr. 84, S. 77 f.; Pohl 1943, S. 128 f.

245 Lemke 1887, Nr. 17, S. 10 f.

246 Tettau/Temme 1865, Nr. 111, S. 116 f.; Vgl. Hennenberger 1595, S. 159; Pohl 1943, S. 40.

247 Zentralarchiv der dt. Volkserzählung (Aufnahme Liebstadt Kr. Mohrungen 1929), Archiv-Nr. 132454.

248 Lemke 1887, Nr. 21, S. 13.

249 Lemke 1887, S. 279 f.

250 Zentralarchiv der dt. Volkserzählung (Aufnahme Liebstadt Kr. Mohrungen 1929), Archiv-Nr. 132458.

251 Tettau/Temme 1865, Nr. 158, S. 159. Vgl. Krollmann 1915, Nr. 83, S. 77.

252 Lemke 1887, Nr. 6, S. 5 f.

253 Lemke 1887, Nr. 50, S. 26.

254 Lemke 1887, Nr. 63, S. 31.

255 Lemke 1899, Nr. 103, S. 126 f.

256 Lemke 1887, Nr. 45, S. 24.

257 Lemke 1899, Nr. 113/114, S. 131 f.

258 Lemke 1887, Nr. 56, S. 28.

259 Lemke 1899, Nr. 72, S. 109 f.

260 Lemke 1887, Nr. 69, S. 33.

261 Lemke 1899, Nr. 77, S. 113.

262 Krauledat 1928, S. 27.

263 Pohl 1943, S. 219.

264 Pohl 1943, S. 91.

265 Tettau/Temme 1865, Nr. 19, S. 25 f. Vgl. Hennenberger 1595, S. 135 f.; Waissel 1599, S. 49 f.; Hartknoch 1684, S. 124; Grässe 1871, Nr. 503, S. 530.

266 Tettau/Temme 1865, Nr. 90, S. 88 f. Vgl. Hennenberger 1595, S. 391 f.; Pohl 1943, S. 42.

267 Grässe 1871, Nr. 684, S. 628.

268 Toeppen 1867, S. 136. Vgl. Grässe 1871, Nr. 688, S. 630; Pohl 1943, S. 263 f.; Pohl 1943, S. 263 f.

269 Toeppen 1867, S. 130.

270 Grimm 1816, Nr. 207, S. 284. Vgl. Hennenberger 1595, S. 429; Erleutertes Preußen 1724, T. 1, S. 195 u. 858; Tettau/Temme 1865, Nr. 198, S. 193–196; Toeppen 1867, S. 119 f.; Grässe 1871, Nr. 659, S. 614 f.; Peuckert 1951, S. 10 f.

271 Toeppen 1867, S. 128.

272 Zentralarchiv der dt. Volkserzählung (Aufnahme Jablonken Kr. Ortelsburg 1932), Archiv-Nr. 132907. Vgl. Krollmann 1915, Nr. 99, S. 90–92.

273 Toeppen 1867, S. 121 f. Vgl. Hennenberger 1595, S. 166; Tettau/Temme 1865, Nr. 171, S. 173 f.; Grässe 1871, Nr. 587, S. 568.

274 Grässe 1871, Nr. 694, S. 632. Vgl. Krauledat 1928, S. 38 f.

275 Borbstädt 1931, S. 79–82 (gekürzt).

276 Borbstädt 1931, S. 142 f.

277 Toeppen 1867, S. 136 f.

278 Toeppen 1867, S. 122 f. Vgl. Grässe 1871, Nr. 685, S. 628 f.

279 Toeppen 1867, S. 124 f.

280 Zentralarchiv der dt. Volkserzählung (Aufnahme Lisken Kr. Johannisburg 1920), Archiv-Nr. 132368.

281 Krauledat 1928, S. 110

282 Tettau/Temme 1865, Nr. 170, S. 172 f. Vgl. Hennenberger 1595, S. 21; Toeppen 1867, S. 134; Grässe 1871, Nr. 687, S. 630; Krauledat 1928, S. 110.

283 Pohl 1943, S. 215.

284 Toeppen 1867, S. 134.

285 Toeppen 1867, S. 136. Vgl. Grässe 1871, Nr. 683, S. 628.

286 Toeppen 1867, S. 135. Vgl. Hennenberger 1595, S. 342; Grässe 1871, Nr. 682, S. 628

287 Grässe 1871, Nr. 645, S. 605 f. Vgl. Hennenberger 1595, S. 343; Tettau/Temme 1865, Nr. 108, S. 113 f.; Toeppen 1867, S. 120 f.

288 Pohl 1943, S. 212.

289 Toeppen 1867, S. 131.

290 Toeppen 1867, S. 16 f.

291 Toeppen 1867, S. 22 f.

292 Toeppen 1867, S. 134. Vgl. Grässe 1871, Nr. 697, S. 635.

293 Grässe 1871, Nr. 696, S. 633 f. Vgl. Toeppen 1867, S. 32 f.; Otto Henne-Am Rhyn, Die Deutsche Volkssage, Leipzig 1879, Nr. 140, S. 110 f.

294 Hennenberger 1595, S. 141.

295 Toeppen 1867, S. 124.

296 Toeppen 1867, S. 125 f.

297 Tettau/Temme 1865, Nr. 202, S. 198. Vgl. Grässe 1871, Nr. 536, S. 542; Krollmann 1915, Nr. 50, S. 47.

Zur Götterlehre der Preußen und Litauer

Antrimpos Der Meeresgott bei den Preußen und Wenden. Er gehört zu den zwölf → Göttern der dritten Kategorie, sog. Monatsgötter. Siehe S. 27

Ausschweytus Ein Gott, der über Gesundheit und Krankheit der Menschen entschied. Siehe S. 27 f.

Bäume Nicht nur Griechen und Römer hatten ihre Baumgottheiten, Dryaden und Hamadryaden, sondern auch Germanen und Gallier verehrten Bäume, in denen sie sich verschiedene weibliche Gottheiten, Ividien, Elfenjungfrauen usw. eingeschlossen dachten, die mit dem Baum, den sie beschützten, zugleich lebten und starben. Auch bei den Preußen und Litauern geschah der Gottesdienst unter heiligen Bäumen. Ihre Götter wohnten in Bäumen, hauptsächlich Eichen und Linden. Die heiligen Baumstellen der großen Götter hießen → Romove; jene Orte aber, wo man bloß niedere Geister verehrte, → Rikaito. Die vornehmste Eiche war zu Romove in der Landschaft Natangen; ihr Stamm soll ungemein dick, und ihre Äste so breit und dicht gewesen sein, daß weder Regen noch Schnee durchdringen konnten. Sie blieb auch im Winter grün, und ihre Blätter wurden von Menschen und Vieh als Amulette gegen alles Unglück getragen. Sie wurde von den Christen umgehauen, und an ihrer Stelle das Kloster Dreifaltigkeit erbaut. Die zweite Eiche stand bei dem Ort Heiligenbeil, die ebenfalls immer grünte. Nach der Sage hatte Heiligenbeil seinen Namen daher, weil den Christen, der den ersten Hieb an die Eiche tat, sein zurückspringendes Beil verwundete, welches dann die Preußen als Wunderbeil an sich brachten, und die Stadt, die dort gebaut wurde, danach benannten. Die dritte Eiche stand bei der Stadt Thorn an der Weichsel auf einem Hügel und war so groß und dicht, daß die deutschen Christen sie zur Festung brauchten. Die vierte war am Fluß Pregel bei der Stadt Wehlau.
Von heiligen Linden kennt man nur die bei Rastenburg und jene, die bei dem Dorf Schakaniken am Fluß Ruß stand, unter welcher am Ende des 16. Jahrhunderts nachts von abergläubischen Preußen noch heidnische Opfer dargebracht wurden. Auch waren bei den Preußen und Litauern ganze Wälder heilig. Man durfte darin keinen Baum fällen, nicht jagen und nicht fischen. So ein Wald soll im Samdland bei dem Dorf Pobethen gewesen sein. Siehe S. 15, 19, 166, 184, 210, Abb. 26

Barstucke(n) oder *Berstucke* hießen die Erdmännchen oder Zwerge; sie standen unter dem Zwergenfürst → Puschkaytos. Siehe S. 28 f., 77, 186 f., 210

Bockheiligung Die Zeremonie des Bockheiligens bzw. der Heiligung auch anderer Tiere (Sau, Stier) geschah zur Verehrung und Versöhnung der alten Götter. Bockheiligen siehe S. 28 f., 31–33, Abb. 30; Sauheiligen und Stierheiligen siehe S. 33, 84 f.

Bruteno Älterer Bruder von König Waidewut und erster Hohepriester (→ Kriwe). Nach seinem freiwilligen Feuertod soll er als Gott → Ischwambrato verehrt worden sein. Sieh S. 14, 15, 18 f., 23, 217

Burtonen Diejenigen Priester niederen Rangs, die aus den Figuren weissagten, die das geschmolzene Wachs im Wasser bildet.

Curche oder *Gorcho* Der Gott der Früchte und des Ackerbaus. Speise und Trank waren in seiner Obhut, er war ein fröhlicher Tischgott. Man feierte ihm jährlich nach der Ernte ein Fest unter einer heiligen Eiche, wobei seine Bildsäule zerbrochen und eine neue aufgestellt wurde. Seine vornehmste und berühmteste Eiche stand in der Gegend, wo jetzt Heiligenbeil liegt und soll ihm von dem alten König → Waidewut geheiligt worden sein. Curche bildete mit → Wurskaito und → Ischwambrato die Götterdreiheit der zweiten Kategorie. Siehe S. 24, 66, 166 f., Abb. 26

Götter Die drei obersten Gottheiten bei den Preußen hießen → Perkunos, → Pikollos und → Potrimpos (erste Kategorie). Ebenfalls eine Trias bildeten die Götter der zweiten Kategorie: → Curche, → Ischwambrato und → Wurskaito. Die zwölf Götter der dritten Kategorie waren: → Antrimpos, → Ausschweytus, → Occopirnus, → Pelwittos, → Perdoytos, → Pergubrios, → Perkunos, → Pikollos, → Pokollos, → Potrimpos, → Puschkaytos, → Schwayxtix. Außerhalb dieser Kategorien steht der Berggott → Kaukarus, die Glücksgöttin → Laima und → Ligo, ein Gott des Frühlings und der Freude.

Ischwambrato oder *Schweibrat* bildet mit den zwei Göttern → Curche und → Wurskaito die altpreußische Götterdreiheit zweiter Kategorie. Ischwambrato war Herr über alles Geflügel und soll der Sache nach der vergötterte erste → Kriwe gewesen sein, der über hundert Jahre alt geworden und sich selbst den Göttern zum Opfer verbrannt hat. Siehe S. 23

Kaukarus (Berggott) Gleichnamiger Berg an der Memel. Siehe S. 146.

Kaukie Koboldartige Wesen, die einen Bart und die Größe von Zwergen hatten. Sie waren nicht jedem sichtbar, und wahrscheinlich sind sie es, die man in Altpreußen unter den Hausschlangen verehrte.

Kolbuk Kobold in Masuren; tritt in anderen Regionen als Alf oder Drak auf. Siehe S. 10, 276 f.

Krazno Lutki Ein nur in Masuren bekanntes und ganz eigenartiges »kleines Volk«, das sein Unwesen auch in den Eingeweiden der Menschen treibt. Sie stehen unter der Macht der → Markopete und sind Entsprechungen der Auszehrung. Siehe S. 10, 277 f.

Kriwe Der oberste Priester, auch Kriwe Kriwaito (Richter der Richter) genannt, hatte seinen Sitz in → Romove. Der Kriwe war der erste Wahrsager, der den drei höchsten Gottheiten → Perkunos, → Pikollos, → Potrimpos, bei Romove ein ewiges Feuer unterhielt und von jeder Kriegsbeute den dritten Teil bekam. Er lebte sehr zurückgezogen, und wenn ihn ein Preuße einmal in seinem Leben zu sehen bekam, konnte er sich glücklich schätzen. Siehe S. 14 f., 19, 25, 37–39, 66, 217 f.

Laima Die Glücksgöttin der heidnischen Preußen und Litauer. Siehe S. 119, 146

Lauma Böse Fee. Siehe S. 119

Laumen Kleine Berggeister. Siehe S. 145

Ligo Ein Gott des Frühlings und der Freude. Siehe S. 66

Ligussonen oder *Liguschonen* waren Priester geringeren Grades, eine Art Novizen. Sie lobten die Toten am Scheiterhaufen, trösteten die Hinterlassenen, hatten Offenbarungen und Totenorakel.

Markopete(n) oder *Markopole* Erdmännchen, höhergestellt als die artverwandten → Barstucken; beide unterstehen dem Gott → Puschkaytos. Siehe S. 28 f.

Occopirnus Einer von den zwölf preußischen Göttern der dritten Kategorie. Er soll mit → Perkunos, dem höchsten Gott Himmels und der Erde, eins gewesen sein. Nahe mit ihm verbunden ist auch der Lichtgott → Schwayxtix, der als eine Emanation des Hauptgottes Perkunos zu betrachten ist. Siehe S. 27

Pelwittos Einer von den zwölf Göttern der zweiten Kategorie bei den Preußen und Litauern. Er war der Gott der Ernte und des Reichtums. Siehe S. 27 f.

Perdoytos Einer von den zwölf preußischen Göttern der dritten Kategorie, in dessen Schutz sich die Schiffahrt und Fischerei befanden. Die Fischer im Preußischen Samland brachten ihm daher Fischopfer und Mahlzeiten dar. Siehe S. 27, 30

Pergubrios oder *Pergrub* Einer von den zwölf Göttern der dritten Kategorie bei den Preußen und Litauern, ein Gott des Frühlings und der Erdgewächse, derjenige, welcher Laub und Gras wachsen läßt. Ihm war am 22. März das Frühlingsfest gewidmet.

Perkunos Der Donnergott ist auch das Sinnbild der Sonne und unstreitig die oberste Gottheit. Perkunos konnte aber nicht nur Blitz und Donner, sondern überhaupt alle Naturerscheinungen, Wolken, Regen, Hagel, Sonnenschein usw. hervorbringen und wurde deshalb auch als Fruchtbringer und Segenspender verehrt. Da Perkunos die Pflugschar zum Sinnbild hatte, welche die Menschen wie die Erde prüft, Verbrechen entdeckt und straft, und daher als Schwert Leben und Tod enthält, so ergibt sich das Gottesurteil mit den glühenden Pflugscharen ursprünglich als ein priesterlicher Gerichtsbrauch. Dem Perkunos wurden die größten und kostbarsten Opfer dargebracht. Jedermann hatte ihm etwas zu opfern, und wer nichts besaß, gab ihm wenigstens seine Haare von Haupt und Bart. Auch waren ihm Wälder und Haine geheiligt, wo es verboten war zu jagen oder Holz zu fällen. Das Wesentlichste seiner Verehrung bestand in der Unterhaltung des ewigen Feuers, das beständig vor seinem Bild und auch auf den Gipfeln hoher Berge brannte. War es durch einen nachlässigen Priester ausgegangen, wurde dieser mit dem Feuertod bestraft. Perkunos gehört zugleich zu den zwölf Göttern der dritten Kategorie, wo er wohl als eine einzelne Äußerung seines Gesamtwesens zu betrachten ist. Siehe S. 15, 18f., 24, 27 f., 31, 33, 142, 144, Abb. 23

Pikollos (Potollos) Der dritte von den drei Göttern höchsten Ranges, die im preußischen Glauben die größte Götterdreiheit zu → Romove bildeten. Sein blasses Angesicht und sein Name, der von Pieklo, die Hölle, stammt, zeigen ihn als den Todesgott an. Deshalb waren ihm auch drei Totenköpfe, vom Menschen, Pferd und Kuh, als Sinnbild geheiligt, was an den dreiköpfigen Zerberus der Griechen und Römer erinnert. Er soll auch (wie Pluto) der Gott des Reichtums und der Schätze gewesen sein. Übrigens kommt Pikollos auch unter den zwölf Göttern der dritten Kategorie vor, wo er wahrscheinlich bloß eine einzelne, seinem Grundwesen entsprechende, Eigenschaft bedeutet. Siehe S. 15, 24, 27 f., 33, Abb. 23

Pokollos Einer von den zwölf preußischen Göttern der dritten Kategorie, der als Herr der herumwandelnden Gespenster und Geister verehrt wurde. Siehe S. 28

Potrimpos ist in dem preußischen Glauben der zweite von den drei erhabenen Göttern der ersten Kategorie. Er ist der Geber und Beschützer der Erdfrüchte, die Erde selbst, und nichts anderes als der priapische Friggo in der skandinavischen Mythologie. Das heilige Tier des Potrimpos war die Schlange, sie wurde in einem Topf gehalten, mit Milch genährt und mit einer Garbe zugedeckt. Wachs, Weihrauch und auch Kinder wurden ihm geopfert, aber drei Tage vor der Opferung mußte der Priester fasten. Potrimpos wurde auch als einer der zwölf preußischen Göttern der dritten Kategorie verehrt und war in dieser Eigenschaft der Gott der Brunnen und des fließenden Wassers, im Gegensatz zu dem Meergott → Antrimpos. Siehe S. 15, 24, 27, Abb. 23

Priester Die Preußen hatten eine Hierarchie, deren Hauptsitz zu → Romove war. Hier wohnte der Hohepriester des ganzen Volkes, → Kriwe genannt. Die Unterpriester gehörten zu einzelnen Gottheiten, gewissen Orden und Geschäften. Unter den ersteren sind die Weidels oder → Waidelotten, auch Vurskaiti genannt, die bekanntesten. Von den übrigen gab es folgende Arten: → Signothen, → Ligussonen, → Tilussonen, → Swalgonen, → Puttonen, → Weionen, → Burtonen, → Pustonen, → Seitonen, → Swakonen.

Puschkaytos Er gehört zu den zwölf preußischen Göttern der dritten Kategorie und ist als Oberherr der Erdmännchen oder der preußischen → Zwerge bekannt. Er wohnt unter Holunderbüschen und sein Volk, die Erdmännchen, teilt sich in → Barstucken (gemeine Untertanen, Zwerge) und Markopole oder → Markopete (Edelleute, Elfen). Beide sind Mittelwesen zwischen den Göttern niederen Ranges und den Menschen. Siehe S. 28 f.

Pustonen Unterpriester, welche Wunden durch Anhauchen heilten.

Puttonen Unterpriester, die aus dem Schaum des Wassers weissagten.

Rikaito hießen die Eichen- und Lindenplätze, an denen geringere Götter oder Geister verehrt wurden. Die heiligen Baumstellen der großen Götter wurden → Romove genannt. Siehe S. 15, 18, 24–27

Rombinus Der heiligste Ort, den die alten Litauer hatten, hoch auf dem Berg: dort war der große Opferstein, auf dem ganz Litauen dem → Perkunos opferte. Er soll von Perkunos selbst dort hingelegt worden sein. Siehe S. 142–145

Romove So hießen die heiligen Baumstellen, meist Eichenplätze, wo die heidnischen Preußen ihre große Götterdreiheit → Perkunos, → Pikollos und → Potrimpos verehrten. Die berühmteste Eiche war bei Romove in der Landschaft Nantangen. Um diese Eiche wurden Tücher gezogen, die nur bei großen Festen gelüftet wurden, um dem Volk den Anblick der Götter zu gestatten. Innerhalb dieses Zelts wurden die Opfer dargebracht, Menschen und Tiere. Bei Romove war auch der Hauptsitz der preußischen → Priesterschaft. Hier wohnte der Hohepriester → Kriwe, der dort den drei höchsten Göttern ein ewiges Feuer unterhalten mußte. Ein zweites Romove soll in Kurland gewesen sein. Siehe S. 22, 24–27, 35, 66, 166

Schlangen wurden zu Ehren der Götter gehalten. Siehe S. 20, 24

Schwayxtix Unter diesem Namen, der an sich eine hilfreiche Gottheit bezeichnet, wurde bei den Wenden die Sonne in ihren segensreichen Wirkungen verehrt. Bei den Preußen war Schwayxtix als Emanation des → Perkunos ebenfalls ein Lichtgott und gehörte zu den zwölf Göttern der dritten Kategorie. Siehe S. 27 f.

Seitonen Unterpriester, die Krankheiten durch Amulette heilten.

Sema oder *Semina* Die Erdgöttin. Siehe S. 33

Signothen Unterpriester und eine Art Mönche. Siehe S. 30

Swakonen Unterpriester, die aus der Flamme und dem Rauch des Lichts weissagten.

Swalgonen Hochzeitspriester, die ihren Namen von Swalgaid, einer Hochzeit vorstehen, hatten. Sie waren Richter über die Brautleute, segneten die Ehe ein und weissagten über deren Glück oder Unglück.

Tilussonen oder *Talassonen* Priesterliche Personen, die mit den → Ligussonen Ähnlichkeit hatten.

Waidelotten oder *Vurskaiten* Priester einer niederen Ordnung. Sie hatten ihren ersten Namen von Wiadiu, Wissenschaft oder von Waydis, Weissagung; den zweiten von dem Gott → Wurskaito, dessen Diener sie waren. Unter den Waidelotten waren Blinde und Lahme, Männer und Frauen; diese mußten aber ehelos bleiben, in und um → Romove wohnen, und ihr Geschäft bestand hauptsächlich im Wahrsagen. Die Männer verrichteten den Gottesdienst unter der Leitung des → Kriwe Kriwaito, unterhielten das ewige Feuer mit Eichenholz und übten die Weissagung. Sie ließen sich bei Begräbnissen großer Herren mit verbrennen und hatten Offenbarungen der Toten, auf die sie auch Loblieder machten. Jede Gemeinde hatte ihren Waidelotten wie einen Pfarrer. Er mußte die Opfer im öffentlichen und im Privatgottesdienst verrichten, für die Gemeinde beten und sie mit den Göttern versöhnen, auch das Volk berufen, wenn er eine Offenbarung oder Feste und die Jahreszeit zu verkünden hatte. Er war verantwortlich und wurde hart bestraft, wenn er seine Pflicht nicht erfüllte. Auch die Priesterinnen konnten ihre Gemeinde versammeln, sie beriefen aber meistens nur Frauen. Siehe S. 15, 24, 27–33, 84, 216, Abb. 32

Waidewut Der legendäre erste König der heidnischen Preußen und Bruder des → Bruteno. Nach seinem freiwilligen Feuertod soll er als Gott → Wurskaito verehrt worden sein.

Weionen Priester, die aus dem Wind weissagten, dem sie auch, wie man annahm, eine beliebige Richtung geben konnten.

Wurskaito Eine Gottheit, die mit zwei anderen, → Curche und → Ischwambrato, die Götterdreiheit der zweiten Kategorie bildete. In Wurskaitos Obhut standen die vierfüßigen Tiere.

Zwerge Die mythische Welt der alten Preußen ist von den → Barstucken bewohnt, von den → Kauki, den → Laumen und den Erdleuten → Markopete.

Ortsregister